D1596206

PEQUEÑAS RESISTENCIAS / 4

ANTOLOGÍA DEL NUEVO CUENTO NORTEAMERICANO Y CARIBEÑO

VOCES / LITERATURA

COLECCIÓN VOCES / LITERATURA

Esta obra ha sido publicada con una subvención de la Dirección General del Libro, Archivos y Bibliotecas del Ministerio de Cultura.

Nuestro fondo editorial en www.ppespuma.com

Primera edición: noviembre de 2005

ISBN: 84-95642-59-X
Depósito legal: M-44775-2005

c/ Madera 3, 1º izq. 28004 Madrid
Fax: 915 224 948. E-mail: ppespuma@arrakis.es

Diseño de portada: Beatriz Cuevas
Composición: equipo editorial
Fotomecánica: FCM
Encuadernación: Seis, S.A.
Imprenta Omagraf: S.L.

Impreso en España, CEE. Printed in Spain

PEQUEÑAS RESISTENCIAS / 4
ANTOLOGÍA DEL NUEVO CUENTO NORTEAMERICANO Y CARIBEÑO

Edición de Ronaldo Menéndez, Ignacio Padilla y Enrique del Risco

Nota preliminar de Andrés Neuman

DE ESPUMA

ÍNDICE

MÉXICO

EL CARIBE

CUBA

REPÚBLICA DOMINICANA

PUERTO RICO

TRAVESÍA FINAL: LA VUELTA AL CUENTO EN CUATRO GUÍAS

Estas *Pequeñas resistencias,* hoy tan creciditas y viajeras, empezaron a fraguarse hace cinco años en Madrid durante un encuentro afortunado con Juan Casamayor, uno de los pocos editores del mundo que parece encantado con la idea de vivir del cuento. De aquella primera charla, y de las infinitas que vendrían luego, surgió el primer volumen: *Pequeñas resistencias. Antología del nuevo cuento español,* publicado en 2002 con prólogo de José María Merino y cuya edición estuvo a mi cargo. Aquel emprendimiento vino dado por una doble convicción. Por un lado, la convicción de que, dentro de las escasas antologías de cuentos españoles que suelen publicarse, la costumbre general era incluir a autores conocidos del público, sin importar si su dedicación a la narrativa breve era constante u ocasional, como si para elaborar una antología de cuentos hubiera que disculparse o mitigarla con novelistas de fama. Y, por otro lado, la convicción de que en España había surgido una notable generación de cuentistas (nacidos, sobre todo, en la década del sesenta) que no había sido aún demasiado atendida ni estudiada. Con estas premisas compartidas se fijaron algunos de los criterios que se mantendrían durante toda la serie de *Pequeñas resistencias*: narradores nacidos a partir de 1960; que hubieran publicado al menos un libro de cuentos como muestra de su interés por el género; y de quienes los antólogos tomarían no relatos inéditos sino ya publicados en sus libros, para evitar los textos de descarte o de encargo. De esta forma, *Pequeñas resistencias* no sólo se presentaba como una antología específica de cuentistas sino también como un libro de libros, como un pequeño rastrillo de cuentos que recapitulara parte de lo publicado a lo largo de la última década.

Naturalmente, nuestra intención no era objetar la importancia de la novela ni su nobleza literaria, y mucho menos perder el tiempo ensayando la enésima, tediosa comparación entre cuento y novela. Entre otras razones porque, de hecho, algunos de los antologados eran (y serían en las siguientes entregas) reconocidos novelistas. Se trataba, más bien, de intentar deslindar el pequeño terreno propio del cuento, género tantas veces postergado por el mercado editorial y a veces también incomprendido. Es entendible que muchos se nieguen a creer que el cuento está editorialmente discriminado, porque en buena lógica no debería estarlo. Pero cualquier narrador que haya tratado profesionalmente con editoriales y haya tenido alguna vez un libro de cuentos inédito entre manos, se ha topado con la cruda y reiterada realidad. A esta circunstancia sin duda extraliteraria, viene a sumarse otra de menor alcance pero acaso más grave por su naturaleza literaria: el tenaz prejuicio que ha llevado a críticos y periodistas competentes a divulgar la idea de que el cuento es la antesala de la novela, el gimnasio donde el novelista en ciernes se prepara para afrontar esfuerzos de mayor aliento. Este malentendido, que convierte al orfebre en un futuro ingeniero y al velocista en aspirante a corredor de maratón, ha contribuido sin querer al arrinconamiento editorial del cuento o lo ha agudizado, pues le otorga un involuntario soporte teórico. De este modo, ya no es sólo que se haya tornado difícil que un editor apueste por un cuentista; sino que, en el fondo, el editor está íntimamente persuadido de que ese buen cuentista al que hoy rechaza tarde o temprano le traerá una mejor novela. Pero tal cosa, claro, no tiene por qué ocurrir y en multitud de ocasiones no ocurre. Y mientras tanto el cuento pierde su espacio específico en las librerías... y las novelas publicadas pierden calidad.

Como forma de llamar la atención sobre estos fenómenos, en la primera entrega de *Pequeñas resistencias* decidimos incluir un breve manifiesto sobre el cuento, de redacción colectiva y adhesión completamente voluntaria. Durante la elaboración del libro los autores seleccionados fueron aportando ideas para corregir, reescribir o matizar dicho manifiesto, que finalmente sería firmado por más de tres cuartas partes de los participantes y que, por descontado, no pretendía alinearlos bajo ningún programa estético sino tan sólo expresar una preocupación común. Si bien la idea del manifiesto español no fue trasladada a las demás entregas de la antología, pues estas abarcaban países, culturas y realidades editoriales demasiado diversas, en cierta forma los principios de aquel texto inaugural siguieron alentando los trabajos de los tres tomos siguientes.

Ya no tan pequeñas, entonces, las labores del indesmayable Casamayor se extendieron por toda la geografía del idioma, haciendo puerto en cada país de habla hispana para explorar sus cuentos contemporáneos y pescar una suculenta muestra que ofrecer a los lectores. Ello fue posible gracias a la colaboración altruista de una extensa nómina de narradores que aceptaron la siempre delicada tarea de ejercer de antólogos de su país de origen, y que trabajaron simultáneamente bajo la coordinación de la editorial. Así fue como, a un ritmo anual que a mí no deja de asombrarme, Páginas de Espuma ha ido publicando las demás entregas: *Pequeñas resistencias 2. Antología del cuento centroamericano contemporáneo*, editado en 2003 con selección y prólogo de Enrique Jaramillo Levi; *Pequeñas resistencias 3. Antología del nuevo cuento sudamericano*, editado en 2004 con selección de Juan Carlos Chirinos, Carlos Dávalos, Milia Gayoso, Xavier Oquendo, Paz Padilla Osinaga, Gabriel Peveroni, Max Valdés, Juan Gabriel Vásquez y quien esto suscribe, con un cuestionario colectivo a modo de prólogo; y el presente *Pequeñas resistencias 4. Antología del nuevo cuento norteamericano y caribeño*, que ve la luz en este 2005 compilado y prologado por Ronaldo Menéndez, Ignacio Padilla y Enrique del Risco. Vistas en conjunto, y dentro de las inevitables limitaciones de espacio y gusto personal, estas excursiones anuales han terminado configurando una útil guía del cuento actual en lengua española (o castellana, según quién la pronuncie). Una suerte de mapa instantáneo para perseguidores de cuentos.

Si las cuentas no me fallan, la tetralogía ha reunido en total a trece antólogos y más de ciento sesenta narradores de veinte países. Si en el camino nuestro editor no ha perdido su proverbial optimismo, creo que en parte ha sido por el apoyo y la simpatía que el proyecto fue generando allá por donde se asomaba. En este punto, creo justo y oportuno destacar algo que el propio Casamayor jamás tendría la inmodestia de decir: el hecho de que una editorial joven, española e independiente como Páginas de Espuma se atreviese a invertir en una iniciativa de semejante envergadura y centrada en las manifestaciones más contemporáneas y geográficamente remotas de un género en teoría minoritario como el cuento, es de una audacia tan desmesurada como admirable. Desde estas líneas quiero agradecerle en nombre de los lectores inquietos, de los estudiosos de la narrativa breve y de la literatura misma, que es mucho más amplia y plural de lo que a veces nos sugieren las redundancias del gran mercado.

Sólo me queda, no sin cierta melancolía, darle la bienvenida a este cuarto tomo de *Pequeñas resistencias*, último hermano de la saga y excelente muestra de que el cuento se resiste a detenerse en las fronteras. Ese cuento movedizo que tanta fiesta nos ha dado en los cuatro puntos cardinales. Ese cuento en nuestra lengua que son muchos y uno solo, que son el otro y el mismo. Ya completa la tetralogía, me pregunto qué inventará ahora Páginas de Espuma. No descarto que funde algún país imaginario para continuar con el cuento.

ANDRÉS NEUMAN
Granada, octubre de 2005

ANTOLOGÍA PROFÉTICA (DE CUENTOS)

«Todos somos americanos» fue el titular con el que el periódico *Le Monde* intentó resumir la solidaridad mundial hacia los Estados Unidos tras los atentados del 11 de septiembre de 2001. «Pero unos más que otros» habría replicado un bromista en un momento alérgico a las bromas. Lo que a la larga resultó una consigna fugaz podría ser tomada como una metáfora elocuente de la influencia cultural norteamericana (mucho más que la económica y política) que para bien y para mal ha recorrido el planeta durante el último siglo. A Jean-Marie Colombani, director de *Le Monde,* más allá de la contingencia desde la que forjó su frase, le asistía una razón algo menos contingente: todos, de un modo u otro, incluso a veces a pesar nuestro, somos un poco norteamericanos.

Pero no sólo desde esta pirueta retórica se pueden considerar norteamericanos los textos que presentamos a continuación. Son textos escritos en español, una lengua, por mucho que se diga, todavía en los márgenes de lo que hoy se entiende por cultura norteamericana. Después de todo no hay que olvidar que esa marginación es uno de los tantos efectos colaterales de la derrota de la Armada Invencible. Ciertamente desde un punto de vista geográfico son norteamericanos los nacidos en México y los puertorriqueños lo son en atención a su pasaporte pero el peso de las convenciones geográficas o administrativas suele ser muy relativo. De cualquier modo lo que hoy se entiende por cultura norteamericana, definitivamente la más multiétnica de todas las culturas, y eso que llamamos identidad nacional, origen de tantas guerras y antologías, reciben en estas tierras una respuesta cada vez más insegura. Pero aun así tal inseguridad no es razón suficiente para dejar de hacer guerras o antologías.

El día no demasiado lejano en el que se pueda hablar de literatura norteamericana en español sin mayores explicaciones esta antología podrá reclamar la siempre consoladora condición de los gestos precursores (una profecía poco atrevida cuando los censos arrojan unos treinta y cinco millones de habitantes de origen hispano en los Estados Unidos). No será difícil entonces reinventarse una tradición que incluya desde el alucinado cronista Álvar Núñez Cabeza de Vaca hasta el cronista —no menos alucinado— José Martí pasando por tantos escritores méxico-americanos y puertorriqueños o el Lorca de *Poeta en Nueva York.* Así hasta llegar a la vasta oleada que en la actualidad desde todas partes de Latinoamérica busca espacios en un mundo cultural todavía predominantemente *anglo.*

Se trata aquí de ver lo norteamericano no como identidad sino como proceso, un proceso cultural complejo y conflictivo en el que importa tanto lo que acarrean los escritores a su nuevo entorno como lo que asimilan de este. En un sitio donde se vive febrilmente en y para el presente muchos de estos escritores se dan el enorme lujo de evocar algunos de sus pasados o cualquiera de sus sueños. Quien espere cuentos repletos de hamburguesas se llevará una decepción. Como los camellos que Borges echaba en falta en *El Corán* (aunque ciertamente los haya) un McDonald es una torpe caricatura de lo norteamericano. Nada resume mejor la Norteamérica urbana actual que la contigüidad de un restaurante tailandés, una taquería y un *irish pub* enlazados por el agresivo ritmo del hip-hop. La experiencia norteamericana no es otra que la experiencia de la modernidad llevada a sus límites entre el furor tecnológico y aquella tumultuosa desolación tan bien retratada por el pintor Edward Hopper. Ninguna modernidad como la norteamericana ha legado ese catálogo de seres obsesos, alienados y por eso mismo inquietantes y seductores. Si al decir de Milán Kundera, la novela es el género literario moderno por excelencia, el cuento —con su vértigo narrativo, su identificación inmediata con el lector y su economía de medios— es el hijo natural de esa segunda y acelerada fase de la modernidad que comenzó al filo del siglo XIX. No es de extrañar por tanto el peso decisivo que han tenido en el surgimiento y desarrollo del género los escritores norteamericanos desde Edgar Allan Poe hasta Raymond Carver.

Dentro de la libertad que tuve al preparar esta antología tuve que atenerme inexcusablemente a ciertos requisitos. Los autores además de residir en los Estados Unidos (sin incluir Puerto Rico) y escribir en español, debían haber nacido a partir de 1960 y publicado al menos un libro de cuentos o estar en vías de hacerlo. Por esos motivos han sido excluidos los representantes de la pujante *Latino literature* (escritores de origen latino que escriben en inglés), destacados novelistas que cultivan sólo ocasionalmente el cuento, u otros que se hayan más cerca de la flor de la edad, la cincuentena, que de los cuarenta. Sin proponérmelo de antemano el perfil que arroja esta antología es el del escritor que arribó a los Estados Unidos con mayor o menor experiencia literaria y en ocasiones cierto reconocimiento en su país de origen. En vista de que vivir del cuento sigue siendo, al menos para los escritores, una utopía, la mayoría han desarrollado con más o menos fortuna sus carreras de escritores y se han procurado sus alimentos terrenales en el relativo amparo de la Academia Norteamericana. El equilibrio o representatividad demográfica o genérica no es el fuerte de esta colección en cuya hechura han intervenido las reconocidas limitaciones del antologador, sus siempre discutibles gustos y en no menor medida, para fortuna del lector, el azar. En atención al lugar de residencia de los escritores queda esta antología escorada hacia la costa atlántica con narradores repartidos desde Massachusetts hasta la Florida con una fuerte sobrecarga en Nueva York. Insisto, nada de esto resultó premeditado y no pretende insinuar la ausencia de cuentistas latinos en el resto del país. Arroja apenas el resultado de una aplicada pero seguramente insuficiente búsqueda en un territorio que incluye nada menos que tres husos horarios.

Al margen de estas consideraciones estos escritores comparten un mismo territorio mucho más representativo cuando se trata de literatura o de Norteamérica: la región siempre opaca y conflictiva de lo individual, esa en la que los seres humanos debemos enfrentarnos a todas nuestras obsesiones y carencias casi totalmente desarmados. De esa indefensión total nos salva la imaginación, talismán contra angustias y límites que hace suficientemente irrelevante, si de cuentos se trata, cualquier diferencia. Desde ella podrán reclamar, si les place, la paternidad tanto de Quiroga, Rulfo, Cortázar, Borges, Arreola, como de Poe, Mark Twain, Carson McCullers, Hemingway o Carver. Eso sin excluir tampoco a un Chejov o a un Kafka: si se trata de explorar y poblar los Nuevos Mundos de nuestra imaginación, todos somos americanos.

ENRIQUE DEL RISCO
Septiembre, 2005.

EL VIAJE Y EL RITO

I

Pocas generaciones como esta han sido tan precozmente instruidas y tan hondamente influidas por grandes modelos cuentísticos. Y ninguna como esta ha debido encauzar su indisputable herencia genérica en cualquier cosa que no sea el cuento.

En simples términos geográficos, los narradores mexicanos abrevamos sin remedio en una poderosa tradición latinoamericana cuyo rey, con frecuencia mas no siempre secreto, ha sido el cuento. Bien es verdad que nuestros abuelos del *boom* recurrieron a la novela para ganarle a la prosa latinoamericana un reconocimiento internacional. Pero aun aquellos grandes tenían y tienen deudas con profunda raigambre en la así llamada narrativa breve. Hoy resulta difícil apreciar cabalmente a García Márquez o a Carlos Fuentes sin remitirse a los cuentos de Quiroga o Rulfo. Sin sus cuentos sempiternamente jóvenes, Julio Cortázar habría envejecido ya como envejece su *Rayuela* en los albores de este siglo. Desde una sombra cada vez más luminosa, Juan José Arreola y Augusto Monterroso siguen recordándonos que, en materia de narrativa latinoamericana, se llega primero a Cervantes a través de los cuentos de Borges.

Fueron naturalmente los textos de estos autores los que en buena medida empujaron a los noveles autores de los años ochenta a estimar la literatura y a decidir que también ellos podían ser algún día parte de su tradición. Así, al benévolo estigma cuentístico de nuestra geografía se añaden numerosas marcas temporales que vinculan a esta generación con la narrativa breve. Incorporados a los programas de enseñanza secundaria, los grandes cuentos latinoamericanos llegaron a nosotros como auténticos clásicos, tan importantes como los relatos de Poe, Chesterton o Maupassant. Condenados a formar parte de una generación supuestamente frívola y desideologizada por el fracaso de nuestros mayores, quienes nacimos en los años sesenta hallamos en la literatura la utopía que la historia parecía habernos negado. Lectores voraces y autores precoces, iniciamos con el cuento y sobre todo con el cuento el camino que a la postre nos condujo a la novela, una novela en la que sin embargo siguen privando las costuras, los tempos, los privilegios y a veces también, cómo negarlo, las fallas del cuento disfrazado de novela.

Como si nada de esto bastase para emparentarnos con el género cuentístico, también los medios masivos de comunicación hicieron lo suyo para insuflarnos un ritmo narrativo propicio para la brevedad, la ligereza y la contundencia instrínsecas al género. De la misma manera en que la radio y el cine estimularon antes a novelistas y poetas, la televisión, el cómic y el rock forjaron buena parte de nuestra consciencia creativa y sin duda favorecieron que nuestra prosa adquiriese de entrada rasgos que suelen ser más acordes con el género cuentístico que con el novelístico. En una palabra, el escritor mexicano nacido en los sesenta no tiene escapatoria: su ánimo, su ritmo y su creatividad son y serán, como en pocos casos, tan hijos de *Pedro Páramo* como de *El llano en llamas*.

II

De esta forma conjugado el sino geográfico con las marcas de la técnica y la historia, los autores mexicanos nacidos en los sesenta estábamos o al menos parecíamos naturalmente destinados a narrar con y desde el espíritu del cuento. Demasiado pronto, sin embargo, enfrentamos esa gran paradoja genérica a la que no es ajeno ningún narrador contemporáneo de occidente: mientras el cuento se erigía ante nosotros como el genero óptimo para nuestra generación y para el ritmo de nuestro siglo, la realidad nos demostraba, contra toda lógica, que el cuento no parecía ser en modo alguno el género predilecto de los lectores y, por lo tanto, de una industria editorial cada vez más dependiente de las leyes de un mercado ávido de novelas y biografías.

Vuelvo a decir que este último fenómeno es consabido y global. Hasta donde alcanza mi memoria, se ha especulado mucho sobre él y no creo que sea este el espacio para atizar la controversia, por importante que sea. Básteme decir aquí que también en México el relativo desprestigio —el prestigio sectario, si se quiere— del cuento ha sido una marca generacional, un sino que, aunado al trepidante fracaso de la alfabetización no funcional y de la promoción en la lectura en nuestro país, ha determinado no sólo el modo o la frecuencia con que se publica la narrativa breve en general, sino también, y sobre todo, la manera en que se escribe el cuento.

Aun ante la perspectiva de que un cuento cualquiera o una serie de cuentos, muchas veces al margen de su calidad, difícilmente se verán publicados en forma libresca, los narradores mexicanos no hemos renunciado a escribirlos. En todo caso, nos hemos ajustado paulatinamente a la dictadura de los únicos formatos donde sabemos que el cuento verá la luz con cierta dignidad, es decir, en las publicaciones periódicas o, en el mejor de los casos, en antologías de ciertos editores temerarios. Basta echar una mirada a la producción narrativa en los últimos años para descubrir que el cuento mexicano nace ya ceñido a las exigencias de las revistas y los suplementos donde ha sido publicado. Por ejemplo, difícilmente hallaremos en la nómina cuentística de esta generación un cuento que no tienda, consciente o inconscientemente, a la medida estándar que la prensa indica, es decir, entre los cinco y los nueve folios. Los cuentos brevísimos prácticamente han desaparecido con la memorable revista desde donde Rulfo y Valadez lo promovieron. Por lo que hace a textos más largos, también estos brillan por su ausencia ante la dificultad que imponen para ser publicados tanto en revistas como en editoriales propensas a buscar novelas extensas sobre *nouvelles* o relatos largos.

Diríase por otro lado que la dificultad de los autores para publicar colecciones unitarias ha redundado en una suerte de esquizofrenia estilística. En la medida en que el cuento está sujeto al azar y a la intermitencia de la prensa o la antología, los autores han renunciado a la idea del cuento como parte de proyectos genéricos más amplios o librescos. Así exiliado de una tradición que puede jactarse de contar en su repertorio con libros como *Historia universal de la infamia*, *Los días enmascarados* y numerosos bestiarios, los cuentos de cada autor mexicano transcurren hoy como entidades individuales y solitarias, muchas veces aglutinadas arbitrariamente y distanciadas de sus hermanas por varios años de experiencias del autor o, en el mejor de los casos, de intensa reflexión estilísca y formal. De esta suerte, los libros de cuentos en México funcionan mejor como repertorios desiguales y desparramados que como propuestas sólidas o contundentes, se trata más de biografías de su creador que de obras en el sentido más preciso de la palabra.

Acaso la mejor y más redituable solución que ha hallado el autor de cuentos para dar cauce a su obra sea la de embozar sus textos tras la máscara de la novela. Como el italiano Tabucchi, el español Vila-Matas o los ingleses Barnes y McEwan —grandes autores de cuentos, donde los haya—, diversos escritores mexicanos han terminado por escribir cuentos que parezcan novelas, cuentos engarzados unos en otros con el válido pretexto de la hibridación, cuentos incorporados en auténticas novelas en una tradición que de cualquier modo es cervantina. De esta suerte, el editor ha podido promover la obra de los autores de cuentos como si fuesen novelas, o novelas a medias, o cuentos a medias, con las ventajas y desventajas que ello significa para ambos géneros y para la literatura en general.

III

Para nadie es secreto que, en los últimos seis o siete años, la literatura latinoamericana ha sido escenario de un importante relevo generacional en el que no faltan autores mexicanos. Como en los años sesenta, esta generación pujante y emergente —y, como he dicho, podrida en literatura a falta de algo mejor— ha refrescado con obras ambiciosas, diversas y originales una narrativa que se había empantanado en las quimeras del realismo mágico. Como entonces, los representantes de esta nueva ola entraron a saco en el panorama de la industria editorial con novelas, no con cuentos. Naturalmente, la crítica y la prensa no tardaron en construir una mitología en torno a estas obras y a sus autores. Todos a una, medios y lectores les concedieron valor y originalidad, pero añadieron a sus virtudes y defectos, entre otros, un intenso deseo parricida, un reniego denodado e hiperconsciente de ubicar sus textos fuera de Latinoamerica y la búsqueda a ultranza de escenarios exclusivamente foráneos.

Al reunir el presente repertorio de cuentos mexicanos escritos por mis contemporáneos he tenido muy en cuenta esta mitología y mi deseo de contribuir un poco, si no a defenestrarla, sí a matizarla. Los cuentos que aquí introduzco —salvo, quizá, el mío, cuya presencia obedece a otros motivos al margen de mi juicio— no están aquí sólo por su calidad, sino porque han sido escritos por autores a los que considero emblemáticos, cada uno a su modo representante de la renovación a la que aludo. Me parece que juntos constituyen una muestra iluminadora de cómo y por qué se sigue escribiendo cuento en mi país. Siempre con alguna excepción, su mero agrupamiento confirma a mi entender el escenario de una literatura arraigada en el género, una literatura donde el cuento sigue siendo el rey en una dignísima corte de novelas y poemas, una literatura armada con estilos y formas más inclinados a la ortodoxia cuentística que a la experimentación, una literatura más interesada en la universalidad moderna del idioma que en los arcaísmos criollistas o la vana experimentación lingüística, más propensa a desvelar los conflictos del alma, el sexo o la historia del género humano, que a explicarles a otros quiénes o cómo somos los mexicanos. Se trata, sobre todo, de una literatura afecta al viaje y al rito: al viaje a través de la literatura, en cualquier sentido pero siempre hacia el fondo de la condición humana; y al rito como reiteración necesaria de todas las formas y todos los actos que venimos ejecutando desde el principio de los tiempos.

Me parece que todas estas coincidencias están en estos cuentos tan a la vista como las no menos notables diferencias que hacen que cada uno de ellos y de sus autores sean únicos. Les congregan, sí, importantes huellas generacionales entre las que no faltan la lectura acuciosa de los clásicos latinoamericanos y extranjeros, el humor, la pasión por el idioma y también un profundo escepticismo. Pero aun en tales semejanzas es sencillo identificar los contrastes, particularmente temáticos. Aquí, una embarcación zozobra en un mar de nadie con una tripulación que habla y pena en todos los idiomas de la tierra. Allá, una intemporal y dislocada cofradía de diletantes perpetúa ritos que lo mismo pueden ser trogloditas o masónicos. La tormenta de sensualidad y angustia que en Washington es desatada por el paso de un tornado parece el anverso exacto de un espejo donde un maltrecho periodista hammetiano envidia el amor y compadece la muerte de dos vagabundos en México. La amante de un chino en el inframundo mexicano se hermana y se deforma en una mujer sin nombre que encuentra en cinco hombres planetarios toda la soledad y todo el erotismo reinventado de la mujer contemporánea, la cual, a su vez, se descompone luego, en otro cuento, en una insanta trinidad de mujeres que juegan con un joven títere humano. Mientras un improbable inglés descubre la traición de los suyos en el destino de un sastre oriental, un entomólogo japonés lanza puentes entre sus padres y un insecto que se devora a sí mismo hasta convertirse en una minúscula bola negra.

Así unidos tal vez por sus diferencias y distanciados por sus semejanzas, nueve cuentistas mexicanos cuya única patria es su lengua y lo que han leído se desplazan a placer por todas las otras lenguas y todos los otros libros, siempre a bordo de un avión en apariencia pequeño —el cuento— que sin embargo resiste mejor que otros ciertos temporales, ciertas barreras. Desde ahora puedo asegurar que han quedado fuera de esta nómina forzosamente limitada autores que, a mi entender y al de muchos otros, merecían estar en ella. Me consuela sin embargo saber que su exclusión de esta hueste no les hará menos importantes ni detendrá un punto la fueza de la tradición cuentística en mi país, pues la altura de los que están es suficiente y puede incluso que haga más llevaderos los insomnios a los que inevitablemente debe enfrentarse el antologador.

IGNACIO PADILLA
Santiago de Querétaro. Septiembre, 2005.

COMO LA MALA HIERBA

Toda antología, según los criterios reguladores que sometan la selección, implica cierta profesión de fe. Cuando, como es común, dicho criterio es geográfico y sociocultural, quiere decir que el antologador tiene fe en que existe un tópico determinado capaz de legitimar un subcampo específico de producción literaria. Pero también puede darse el caso de que el criterio sea puramente generacional, político, temático o incluso lúdico (siempre he querido cometer una antología de escritoras pelirrojas). Por ahora he de conformarme con tres curiosas aristas que relacionadas definen un perímetro: a) Región del Caribe (insular) de habla hispana, b) autores nacidos después del año 1960, c) con al menos un libro publicado. Una observación liminar y evidente: según mi punto de vista de bípedo implume dentro del perímetro, ninguna de dichas aristas garantiza un valor literario.

Parece elemental, pero es bueno despejar el territorio donde vamos a movernos antes de dar un paso más, para que nadie ande pensando por ahí que la cuentística del Caribe insular posee ciertos rasgos definitorios y culturales que la hacen literariamente sólida. En este caso: a + b + c = todos-aquellos-escritores-que-casualmente-viven-en-espacios-diferenciados-pero-encajan-en-el-perímetro-artificial-de-la-selección. De la misma manera en que encajarían plumíferos diversos en una antología de autores que vivan sobre la línea del Ecuador. Quizá sea esto lo que define al Caribe: el inclusivismo múltiple.

Salta enseguida la pregunta capciosa: ¿para qué entonces haber forzado el criterio de una parte de la antología a la región del Caribe, según cierto rango generacional y una mínima trayectoria de sus autores? Ya es hora de defender el criterio de selección sin pretensiones totalizantes ni falsamente legitimadoras. El aspecto (a) garantiza no perdernos en la selección, y a los críticos veleidosos les indica el espejismo de la unidad sociocultural, quizá descubran algo profundo con sabor a cocoteros y cierta sabrosura letrada no exenta de relajo caribeño (allá ellos, como diría César Vallejo). También podría servir como indicador para llamar la atención de los mercaderes que pululan en el templo de la Literatura acerca de un determinado nicho de mercado (*target*, para los agentes literarios).

El aspecto (b) traza una frontera generacional que *a priori* puede hacer pensar en lo que Pierre Bordieu llama *habitus* autorales: gente que nace después de la era *hippy*, postguevaristas, renegados de diversa calaña, generación X que ha crecido con la televisión, ha visto nacer Internet y ya no puede vivir sin ellos, y así sucesivamente. (Estoy seguro que a todos les gustan Los *Simpson* y *Mafalda*). Invito al lector a experimentar en la carne propia de la lectura cómo estos *habitus* marcan las obras aquí reunidas. Algo he podido extraer de este criterio (b): cuando no emigrantes confesos y practicantes, los autores del Caribe aquí reunidos demuestran cierta propensión a la ingravidez geográfica, a juzgar por sus biografías y por lo desperdigados que andan entre Estados Unidos, España y sus países exóticos. Ello me lleva a una segunda observación: no hay en sus textos nada que haga pensar que les gusta eso que llaman «identidad nacional». Los temas son marcadamente individualistas, pero también regionales. Universales y a veces vernáculos. Cínicos y a veces nostálgicos por la tierra. O sea: como un cuadro del haitiano Basquiat, vale casi todo.

Por último, el aspecto (c) nos libra de la desvergüenza en que incurren tantas antologías sobre novísimos autores (con la digna excepción de las que hacía el Dr. Salvador Redonet Cook en Cuba), donde cualquier mancebo que escriba un par de epigramas a los dieciocho años es considerado prematuramente escritor. Entonces los prologuistas terminan dedicándole más palabras de las que luego escribe el joven durante el resto de su vida (los abogados también escribieron cuentos en la adolescencia).

El lector no debió leer nunca esta presentación, porque los cuentos aquí reunidos son mucho más interesantes que lo que pueda decirse de ellos. Lo cual demuestra, al menos, que en el Caribe el género inventado por Poe goza de buena salud. Pero ya que las cosas han llegado a este punto, me siento en el deber de voltear cuidadosamente algunas cartas de presentación.

Lo primero que llama la atención de estos textos es que, sin dejar de ser «cuentos» (breves engendros pueblan las páginas de malas antologías dizque de cuentos), no desdeñan cierta encausada vocación experimental. Están bien escritos, pero tientan los límites de la ortodoxia narrativa del relato. Hay en ellos como un aire de familia lingüístico, y no porque acudan a un campo semántico común, sino porque dejan caer, como exclusivas perlas, los giros idiomáticos y el *tempo* de las voces regionales. Cada cuento demuestra vocación de universalidad: el Ti Noel caribeño ha sido desterrado del reino del mundo de estos cuentos, y su lugar ha sido copado por personajes que van desde kafkianos sujetos urbanos, hasta personajillos de una elegante erudición sajona.

Llama la atención que en la mayoría de los relatos aquí presentados se recupera un componente político, desde lo políticamente incorrecto. Y nótese que he dicho «componente» y no «función»: los autores parecen alérgicos a la denuncia pura y dura que tanto hizo padecer a la cuentística latinoamericana y del Caribe de hace veinte años. En su lugar, el ineludible anclaje referencial de los relatos parece cargar con el sino de mostrar (más que de demostrar) un lamentable estado de cosas. Por último, se agradece la avara ausencia de folklorismo literario: en el Caribe no sólo nacen mulatas y cuenteros, también florecen cuentistas virtuosos y empecinados como la mala hierba.

RONALDO MENÉNDEZ

NORTEAMÉRICA

ESTADOS UNIDOS

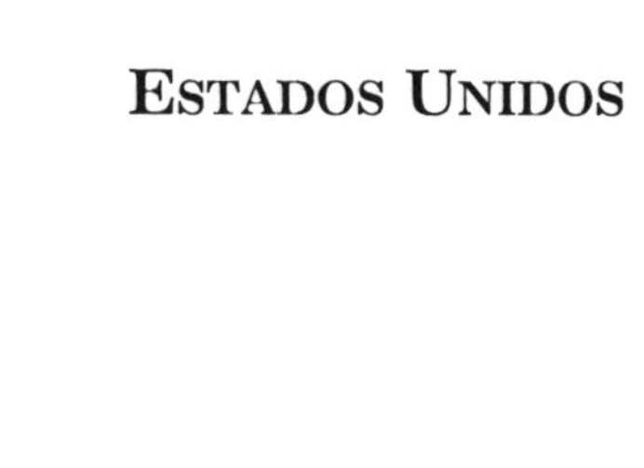

MEDIALENGUA

CARLOS AGUASACO

I

Medialengua, así me llama mi Mamá 'cause my tongue es partida en two slices. Usté me pregunta poque no sabe mi historia, poque usté recién se movió al building y no sabe nada de inglés. Además, a mí no me gusta contar my story 'cause people never listen to it completely. I suppose it is 'cause they can't mirar at my boquita con la lengua partida como la de la snake in The Bronx Zoo. Si usté me compla un ice cream de strawberry I can show you how fun it's to have la lengua partida.

II

Hoy yo no fui a la escuela 'cause I forgot to do my homework and I don't want to be embarrassada in front of los otros niños. Teachers always do that, embarrassan a los niños que no hacen the homework. But eso nunca me va a pasar a mí poque mi Mamá taught me how no quedá embarrassada. Cuando el maestro me llama in front of the class y trata de embarrassarme, yo comienzo a gritá —fucking bastard I know you are trying to fuck me and get me embarrassada in front of the class, mandinga, hijo puta, I'm gonna say that you raped me!— y entonce yo arranco a corré y corré gritando —¡Diablo, maldita vaina, coño; I hate this fucking school! Hey, el professor de inglés is trying to get me embarrassada in front of the class!—. Y yo sigo corriendo y corriendo hasta que the social worker stops me y me habla en español —Cálmate Desiree que no te ha pasado nada, don't worry about that teacher, he can't get you pregnant 'cause he is gay—. Entonces yo me recuerdo que el maestro de inglés es maricón y que tiene un boyfriend que le mete el dick por el ass y lo hace sentir feliz. Anyway, la escuela siempre abre an investigation y el maestro tiene que escribí un report of the «incident» y se va suspendido por tres semanas mientras lo investigan para asegurarse de que es maricón y que es verdad que tiene un boyfriend que le mete el dick por el culo y lo hace sentir feliz. They say que él se quiere cortá la verga para no tené más problemas conmigo y poderme enseñá a leer a Oscar Wilde que no era maricón but homosexual como siempre dice en la clase.

III

Usté tiene que aprendé inglés pa' podé encuentrar un trabajo o ¿es que se piensa quedá aquí de househusband, como una sirvienta, babysitting me all the time? No me diga que en su país no había bilingual schools. No me dé cuerda, coño, que yo no creo que en su país bilingual schools are for rich people. ¿Cierto que usté no tiene green card y que por eso se casó con mi mamá y que por eso you sleep together y usté le mete la verga por el coño y la hace sentir feliz, pero mi mamá no queda embarrassada porque usté se pone los condoms que me regalan en la escuela?

IV

—My father? I don't really remember him; they say he is in jail for tratar de matar a mi mamá. Pero yo no sé nada de nada, yo no vi cuando se agarraron a peleá ni cuando comenzaron disque to divide everything. Yo no vi cuando él se manejó crazy y comenzó a romper las cosas por la mitá con ese cuchillo que trajo cuando volvió del ARMY. Rompió la mesa por la mitá, las sillas por la mitá, the mattress por la mitá, he broke los platos por la mitá, he cut the remote control por la mitá and draw a line por la mitá del apartment dizque para no pagar two hundred and ninety nine for the divorce. Entonce, yo tampoco vi cuando mi mamá le dijo dizque she was gonna sue him for child support y él se manejó más loco y con el cuchillo empezó a romperme a mí por la mitá pa' coger his half part y darle de comer él mismo pa' que no lo demandaran for child support. Entonce llegó the police y no lo dejó terminá de romperme. Pero yo no le dije nada a nobody porque yo no soy snitch y lo metieron in jail just for tratar de matar a mi mamá.

V

¿Que qué hizo ella después que he left the apartment? Nada, sacó una piedrecita del la purse y se puso a calentarla para que oliera chistoso. Yo me puse a bailar con la boca cerrada y a tragarme la blood como si fuera el wine que mi mamá keeps debajo de la cama. They say they can coser my lengua pa' que yo no sea más una freak con la lengua como la de la snake en el Bronx's Zoo; but I like it like that 'cause people always me compla candy or strawberry ice cream pa' que yo les cuente my story, but they never listen to it completely.

(De *La sociedad de las narices rotas*)

LA RETÓRICA DEL LLANTO

PABLO BRESCIA

Give me your eyes so that I might see.
ROBERT SMITH, *A Strange Day*

El acuerdo

En la ciudad de la niebla, en la ciudad que no se ve, allí vivo yo, Miss Gloucester, el ama de llaves de Mr. Moore. Hacía tres años que la agencia de empleos, regidora de mi errático destino, me había enviado al 1 de Viscount Court. Mr. Moore residía en un pequeño estudio que se amoldaba a su carácter introvertido y taciturno. Con un tono seco, de visos autoritarios, me dijo que buscaba a alguien que se ocupara de los menesteres de su hogar, del pago de los impuestos y de alguno que otro imponderable. Yo contaba con excelentes referencias, de modo que llegamos a un diligente acuerdo:

Por intermedio del presente documento Mr. Richard Moore contrata a Ms. Ophelia Gloucester en calidad de ama de llaves, tarea que realizará de nueve a diecinueve horas todos los días, excepto domingos y días feriados. El salario mensual será de cuatrocientas libras esterlinas, cantidad que irá ajustándose a las variaciones convenidas por ambas partes. En caso de que alguna circunstancia afectara el normal desarrollo de esta relación contractual, los abajo firmantes tendrán el correspondiente derecho a modificar, en todo o en parte, los términos de este convenio.

Mr. Richard Moore *Ms. Ophelia Gloucester*

Y así me quedé a trabajar en aquella apacible casa acariciada por árboles otoñales, donde todo parecía cansino e inmóvil.

La historia compartida

En esos tiempos, Mr. Moore era un hombre muy metódico. Se levantaba a las siete y desayunaba unos huevos pasados por agua y una taza de té, jamás café; esa bebida de salvajes, se le oía murmurar a veces. Luego de escuchar el informativo en un viejo y desvencijado aparato de radio, se ponía a pintar. Mr. Moore era un artista de gran talento. Sé que parece un tanto inverosímil; lo cierto es que vivía de la venta de sus cuadros en las ferias locales (y también de una pensión para incapacitados que otorgaba el gobierno, la cual él por supuesto detestaba).

Después del infaltable té de las cinco, Mr. Moore salía de paseo con Jack, su perro. Jack —me enteré en cierta oportunidad al escuchar clandestinamente una conversación— se llamaba así en honor a un hermano muerto hacía ya varios años. Para Mr. Moore, su hermano seguía viviendo en aquel perro de ojos tristes y tal vez por esa razón era el único ser a quien ofrecía un poco de cariño. De tanto en tanto, Mr. Moore recibía la visita de sus pocos amigos que tomaban una copa de *cognac* con él y departían trivialmente sobre literatura y música. Nada parecía modificar la impertinente rutina de este hombre.

***

A primera vista, la situación parecía ser inmejorable: una buena paga, un trabajo que permitía largos ratos de ocio, una relación cortés y sin cadenas. Tomaba el metro de las ocho y media de la mañana. Llegaba a las nueve. Luego de poner en orden el estudio, lo miraba pintar. Les regalaba un poco de luz y de agua a las flores que asomaban por el estrecho balcón. Jack movía la cola con insolencia y yo, obediente, le ponía comida en su plato. En la tarde salía de compras; a veces pagaba alguna deuda. Cuando regresaba, allí estaba: pintando, sin dirigirme la palabra, sin reconocer mi presencia aunque por dentro me sintiera.

Empecé a perder la compostura. Me molestaba. Me perturbaban su desdén, su rigurosa frialdad anclada en un aura impertérrita que yo creía un disfraz, sus silencios. Adivinaba vitalidad detrás de esos ojos muertos, una vida que yo deseaba iluminar. Lo admito: quería salvarlo. Pero mis suposiciones no eran frágiles arquitecturas hechas de aire y deseo; él no me hablaba, pero sus cuadros sí. No había en ellos reflejos de la naturaleza o destellos de una primera utopía transparente; quizá las memorias de la niñez eran demasiado dolorosas. Pobladas de seres melancólicos y de intensas tormentas dibujadas en azul y en negro, sus pinturas me decían que había otro mundo posible. Un mundo que yo debía conquistar para evitar una cópula lúgubre entre la soledad y el resentimiento.

Tal vez sea una torpeza admitir que me fui enamorando casi por despecho, perseguida por un impulso redentor. A cada instante me hacían más daño los puñales disfrazados con frases de compromiso, el semblante impávido, las manos incesantes sobre la tela aún virgen. Me pasaba horas en la levedad de la contemplación. Sabía que él sabía. Jack era testigo de nuestra secreta historia de confabuladores. Entendí que debía actuar.

***

Al fin y al cabo, en esos tres años creía haber llegado a conocerlo, desde el impune desvelamiento de su intimidad, desde la inquietante angustia que le provocaba mi presencia ubicua. En algunos momentos fugaces atisbaba un dejo de placer cuando Mr. Moore abría las ventanas y el perfume del balcón inundaba el estudio. O intuía un esbozo de sonrisa en su cara mientras entrelazaba los dedos de las manos y en la vieja radio se escuchaban las sublimes sonatas. Como me considero una buena estratega, me propuse explotar esas falencias de su personalidad, contando con que todo ser humano es esclavo de su modo de sentir el mundo y de las ficciones que construye a partir de esa relación. Por este camino lo convencería de que la necesidad de mis servicios no se reducía a los menesteres de un ama de llaves.

El plan

Tomé el metro de las siete y media de la mañana y toqué el timbre del 1 de Viscount Court. El orgullo de Mr. Moore a veces lindaba con el ridículo; miró por la mirilla antes de preguntar:

—¿Qué hace usted aquí?

Habrá reconocido el perfume, pensé.

—Decidí venir antes.

Abrió la puerta con violencia y dijo:

—No contestó mi pregunta.

—Es que... pensé sorprenderlo. Venía a prepararle el desayuno.

Estas últimas palabras asumían un riesgo explícito. Los gestos de Mr. Moore denotaban una irritación mal disimulada.

—Miss G., usted sabe bien que yo mismo acostumbro a prepararme el desayuno y que no dejo que nadie entre a la cocina en la mañana. También le he informado que mis hábitos son inalterables y que valoro mi privacidad hasta límites insospechados y que...

—Ya basta —interrumpí—. No me va a impedir que venga unos minutos más temprano, ¿o sí? Descuide, no voy a cobrárselos.

Lo tomé del brazo y él lo retiró casi inmediatamente, aunque después se dejó conducir con docilidad. Entramos a la sala.

—Bien. Ahora intente ponerse cómodo mientras voy a la cocina.

—Miss G., insisto en que sería mejor...

—Si no le gusta lo que preparo, podrá tirarlo a la basura —dije, desafiante.

Había ganado la pulseada y algunos preciosos minutos. Saqué con cuidado el puñado de café que había traído oculto en la bolsa. El fluir del agua hizo un ruido que —me convencí— había sido imperceptible; puse en el fuego la cafetera italiana. Mr. Moore permanecía sentado en el comedor, entre incómodo y curioso.

Pronto el estudio comenzó a impregnarse del delicioso aroma. Nunca había entendido cómo Mr. Moore se había privado durante tanto tiempo del olor del café. Coloqué una taza humeante frente a él; ya había bajado la guardia.

—¿De dónde proviene este olor tan particular? —preguntó.

—Es café. Para mí, el aroma es indescriptible, incluso superior a su sabor.

Tomó un sorbo y asintió.

—Me gusta —dijo—. Pero tiene usted razón. Café... increíble.

—¿Qué es lo que no cree, Mr. M.?

—Que usted haya sido la que me enseñara las bondades de estos simples granos.

Observé cómo sus manos asían la taza y comenté:

—Se le ha puesto la carne de gallina, Mr. M.

—¡No es cierto! —reclamó, furioso.

—Yo creo que sí.

—Usted no debería permitirse juzgar mis estados de ánimo; me falta el respeto. Y no crea que una taza de café le da derecho a tratarme como si fuera un niño.

Su voz por primera vez sonaba endeble, insegura, hasta conmovida. Supe entonces que todo iba a salir bien.

Pasaron algunas semanas. Los resquemores de Mr. Moore se intensificaron. Pero ya no había arrepentimiento ni retroceso posibles. La riqueza cultural londinense facilitó la ejecución de la segunda parte de mi obra.

—Mr. M..., quiero hacerle una invitación.

—¿Invitación? ¿A mí? ¿Para qué?

—Eso es un secreto. Usted debe ponerse en mis manos. Lo único que puedo adelantarle es que no estaremos solos, no se preocupe.

—De ninguna manera acepto. Usted sabe que salgo muy poco, que me disgustan los paseos y las compañías que superan las tres personas...

—En estos años ni siquiera una vez nos hemos sentado a la misma mesa a compartir una cena. Créame, entiendo mi posición: soy su empleada. Pero no veo nada inmoral o incorrecto en una salida amistosa. Podemos mantener una charla, no somos animales.

—Tampoco somos amigos —retrucó él, a la defensiva.

—Mr. M., no podría concebir que usted deshonre la invitación de una dama en apuros. Me tomé el atrevimiento de comprar las entradas. Creo que deberíamos estar saliendo. Esto comienza a las nueve.

Me gustó pasear con Mr. Moore por Londres. Aunque él iba intranquilo, yo me sentía feliz de poder guiarlo, de que aprendiera a apoyarse en mí. Cuando llegamos al Royal Hall y comenzamos a ascender las escaleras, sentí que su brazo se estrechaba contra el mío, quizá por la inevitable sensación de extravío ante una geografía extraña. Sonreí, satisfecha.

Nuestra ubicación era de lo mejor: fila cinco, asientos doce y trece. Mr. Moore sentía el incesante ajetreo de los pasillos y el murmullo de lo que aparentaba ser una sola voz, anónima.

—¿Dónde estamos?

No contesté. Aparecía el maestro, que recibió un aplauso estentóreo aunque no ensordecedor. Noté un ligero sobresalto en mi acompañante. Sonaron los primeros acordes. El *allegro* con brío atravesó la sala con la vertiginosa magnificencia de lo único. Yo no miraba los ademanes del director, ni la seriedad de los músicos. Tampoco al público asistente, vestido de gala. Miraba a Mr. Moore, que permanecía con las manos sobre las rodillas, pétreo, atónito.

—La Quinta de Beethoven, alcanzó a musitar.

Sus ojos muertos parecieron revivir intentando envolverse en aquella música grandiosa. Por algunos segundos, las nubes ocuparon su mirada. Al fin, pensé. Sabía que el momento sería inolvidable: sentir a Beethoven sin la distracción de la imagen.

Al salir, me tomó del hombro. Detuve mi marcha.

—Gracias —balbuceó.

Estoy cerca, me dije.

El azar aceleró los tiempos de mi estrategia. Una tarde de invierno atropellaron al pobre Jack. El perro estaba jugando con Mr. Moore en una plaza de la vecindad; la pelota se escapó hacia el asfalto y Jack se lanzó tras ella. El conductor del auto, un hombre viejo con acento irlandés, no había podido frenar. Mr. Moore me llamó al estudio. Lo encontré con Jack en brazos. El otro había ofrecido sus condolencias y se había ido.

Yo preveía un torrente emocional que ayudara a desahogar el dolor y la impotencia, la tristeza de haber perdido a un amigo, a un hermano. Pero claro, su ama de llaves estaba frente a él, acechándolo, y Mr. Moore perseveraba en la impasibilidad de su espíritu. En silencio, cargamos a Jack hasta la casa. Mientras la mano de su dueño se deslizaba una y otra vez por el pelo largo del animal, no pude —no quise— contenerme y los abracé. Mr. Moore no rechazó el gesto de cariño espontáneo. Luego de unos minutos, me apartó de su pecho con firmeza y entró lentamente al estudio.

Acto final

Los días siguientes resultaron muy difíciles. Mr. Moore se encerró más que nunca en sí mismo; no hablaba. Intenté algún acercamiento pero fue en vano. Estamos como en los peores momentos, pensé.

Me equivocaba. Había logrado ser necesaria para él. Confirmé esta premonición cuando una mañana extrañamente soleada me dijo que deseaba conversar conmigo.

—Aquí estoy —le dije, sentándome a su lado. Se apartó un poco de mí (había que mantener las distancias, los límites). Estaba visiblemente nervioso, alterado.

—En los últimos meses, usted y yo hemos tenido una serie de acercamientos ajenos a nuestra relación laboral, lo cual ha creado en mí cierta perplejidad. Experimento sensaciones confusas e hiperbólicas, emociones que no logro explicar. Lo que yo quería decirle...

Las palabras no alcanzaron a seguir su cauce; yo había esperado tres largos años. Comencé a abrir con lentitud mi blusa color arena mientras sellaba sus labios con mis dedos. Luego, puse su mano sobre uno de mis senos. El contacto lo electrizó. Tomé con delicadeza su semblante que aparecía perdido, desesperado, y guié el fuego de la sed eterna hacia mi oasis rosado, pleno de miel y de nieve. Era el acto final. Él se inclinó a saborear mis pechos con la torpeza y la ternura de un hombre que no ha conocido aún a una mujer. Se deslizaba por mi cuerpo como un soldado novato en un campo minado.

Y sobrevino el llanto. Eran lágrimas grandes, lágrimas que se estrellaban contra mis pechos y mi cara, lágrimas que contenían la vida que se le había negado a sus ojos. Desde el artificio de la intimidad, susurramos nuestros nombres. Yo también lloraba: había logrado penetrar en esa caverna oscura a través de los otros sentidos, había podido desterrar esa inedia empozada en el alma. Ahora todo sería diferente.

Detuvo sus caricias repentinamente. Lo miré, un poco sorprendida.

—Te voy a pintar —me dijo.

Cerró todas las cortinas y atacó la tela con frenesí. Yo era la espectadora privilegiada de un irrepetible festival de liberación. Volaban el carmesí y el blanco, danzaban los verdes y los amarillos. Los trazos eran violentos e indómitos, como si un millar de espadas relucientes rasgaran el cielo en busca de Dios. Y, sin embargo, detrás de aquellas estocadas se adivinaba la amargura de lo imposible. Mi figura, en tanto, iba adquiriendo contornos extraños. Me costaba reconocerme en el lienzo: era yo, pero vista desde las sombras. Tenía en los ojos el aroma del café, en el cabello la melodía de Beethoven, en mis pechos las lágrimas de un ciego.

Exhausto, se echó a mi lado. Esa noche dormimos juntos, sin tocarnos.

Coda

Hoy no entiendo, no me explico la frialdad con la que me recibió, la indiferencia con la que me entregó el sobre que contenía mi último cheque y una nota:

La amé por un instante. Ahora viviré del recuerdo, junto a su retrato. No podría soportar que me tuviera lástima, que viviera compadeciéndose de mí. Usted logró su cometido y yo, con estas líneas, creo alcanzar el mío. Gracias por los servicios prestados. Queda despedida.

(De *La apariencia de las cosas*)

AVANT-GARDE

EDMUNDO PAZ SOLDÁN

En tiempos de literatura experimental, acaso ningún escritor haya llegado tan lejos como Wilson Fernández, que decidió crear una novela libre de la más mínima influencia de cualquier otro escritor. Escribió la primera versión sin escrúpulo alguno; luego, en busca de la pureza, la sometió a una desaforada corrección que no omitió ninguna palabra ni signo ortográfico; entre otras cosas, suprimió las palabras exento y decurso e inexorable, producto de sus lecturas de Borges; el título, *Si una noche de verano un viajero,* en el que creyó reconocer la influencia de Calvino; la metáfora que iguala al cielo con un mar de tinta, que le pertenecía a Vargas Llosa o a algún otro escritor que había influido a Vargas Llosa; cuatro personajes: uno que se convertía en un monstruoso escarabajo, uno nacido en Ítaca, uno que conocía el infierno mejor que nadie, uno que había matado a su padre y hecho el amor con su madre; diálogos elípticos, que le recordaban a Hemingway; suprimió una ciudad entera llamada Yoknapatawpha.

Desolado, comprobó que el manuscrito de setecientas cincuenta y seis páginas se había reducido a dos frases y cuatro palabras sueltas. Abandonó la idea de la novela, eliminó las cuatro palabras y pensó que aquellas dos frases podrían ser el alentador inicio de un libro de aforismos.

Las dos ciudades

Debido a la negativa de los cochabambinos a usar su ciudad como set de filmación por espacio de once meses, los productores de la miniserie *Pueblo chico, caldera del diablo* decidieron no escatimar recursos en construir una réplica de Cochabamba, del mismo tamaño que la original. Después de dos años de trabajos ininterrumpidos, la réplica fue concluida con una exactitud que desafiaba a cualquier observador imparcial a discernir cuál de las dos ciudades era en realidad la original. En la nueva ciudad no faltaba nada de la esencia de la ciudad fundada en 1574: caótico urbanismo, deprimente mal gusto, calles de pavimento destrozado, suciedad, pobreza.

La miniserie fue filmada en cuatro meses y el escenario fue abandonado: todo hacía preverle un destino de pueblo fantasma. Sin embargo, su cercanía de Cochabamba (veinte minutos) comenzó a proveerle de visitantes los fines de semana. No se sabe cuándo se instalaron en él los primeros habitantes, lo cierto es que apenas iniciado, el flujo no se detuvo: a fines de 1988, Cochabamba se había convertido en una ciudad fantasma. Todos sus habitantes vivían ahora en la ciudad réplica.

¿Por qué los cochabambinos han cambiado su ciudad por una copia exacta, no por algo mejor o peor? Se han arriesgado un sinfín de explicaciones en busca de la comprensión de dicho fenómeno; una de ellas, acaso la más lógica, conjetura que es muy posible que ellos, con su traslado, hayan logrado la de otro modo imposible reconciliación de dos deseos en perpetuo conflicto en cada ser humano: el deseo de emigrar, de cambiar de rumbo, de buscar nuevos horizontes para sus vidas, y el deseo de quedarse en el lugar donde sus sueños vieron la vida por vez primera, de permanecer hasta el fin en el territorio del principio.

Es muy posible. Pero esa es una explicación más, no la explicación. Nadie sabe la explicación, nadie la sabrá.

Los caminos

Los treinta y siete caminos que salen de la ciudad me llevan a casa. Puedo elegir aquel en el que debo atravesar una ciénaga y un bosque encantado para llegar a ella. Puedo elegir aquel que bordea precipicios pasmosos, o el que se compone únicamente de un puente colgante de balanceo aterrador, o aquel en el que siempre me cruzo, a las tres de la tarde, con la mujer que amaré de por vida y que jamás será mía. En suma, puedo elegir: siempre llegaré a casa.

Pero esta es una libertad ilusoria: la elección es de forma, de decorado, no de fondo: ¿existe libertad si todos los caminos me encuentran y no hay uno, uno solo que me extravía? Ah, sería de un placer voluptuoso, único, el momento en el que, sabiendo que existen tres o cuatro caminos en los cuales me puedo perder, deba decidir por dónde volver a casa. La duda me atraparía, y quizá terminaría confiando al azar mi elección, o quizá no y haría lo posible para extraer de mi razón la decisión perfecta.

No debe descartarse la posibilidad de que por sentirme en desacuerdo con un mundo en el que todos buscan encontrarse, yo me quiera extraviar. Entonces: el gozo que sentiría cuando, al cabo de dos o tres días, mi casa no se divisara en el horizonte y estuviesen prontos a arribar una nueva noche con su cortejo de cosas desconocidas, un nuevo día con su cortejo de descubrimientos. El gozo que sentiría.

El aprendiz de mago

Había una vez un aprendiz de mago que trabajaba en un circo pobre y que lo único que deseaba en la vida era el reconocimiento caluroso, los aplausos de su escasa audiencia. Sin embargo, una y otra vez algunos trucos le salían mal y de uno y otro sector del público surgían los abucheos y las risas. Podía soportar esa respuesta con estoicismo, pero a veces, cuando las risas se tornaban en crueles carcajadas, su paciencia se desvanecía y en su rostro se instalaban, inequívocos, los furiosos trazos de la cólera. En ese instante los payasos y los trapecistas y sus demás compañeros sabían que comenzaban los problemas, pues él no tardaría en recurrir a su único truco infalible, el de hacer desaparecer la ciudad en que se encontraban, y se dirigían con prisa a sus carromatos, a empacar sus pertenencias y preparar la abrupta huida. Él anunciaba con humildad el último truco de la noche, lo cual motivaba la exasperación de las carcajadas; el acto era finalmente consumado, algún curioso se asomaba a la puerta del circo y era verdad, la ciudad había desaparecido.

Por cierto, todavía no dominaba el arte de hacer reaparecer las ciudades, era un aprendiz de mago que, a lo sumo, lograba con dificultad el retorno de algunos barrios, algunas plazuelas, algunos monumentos, algunas avenidas. Sabía que necesitaba años de experiencia, pero también sabía que su orgullo jamás le permitiría soportar las burlonas carcajadas de la audiencia, aunque aquello le costara, ciudad tras ciudad, la desaparición de todo vestigio de civilización.

(De *Desapariciones*)

MY BRAVE FACE

JOSÉ MANUEL PRIETO

—Cállate, pajarita de las nieves —exclamó Dalmas—. Aquí nadie atrapa a nadie. Esta es una charla entre amigos. ¡Ponte de pie y deja de trampear!

RAYMOND CHANDLER,
Pasarse de listo

—Bien, amigo: haremos un largo viaje juntos y no quiero malentendidos. Mi nombre es Rudi y esta es mi señora madre. Hay una cantidad de tipos antipáticos allá afuera, en el pasillo de este maldito vagón, y puedo felicitarme por ver una cara inteligente en mi cupé. Pero no quiero confusiones, un trato demasiado familiar. No se estila eso entre mis gentes. Ahora, en cuanto este infierno comience a rodar, nos tomaremos unos tragos y, antes de separamos, si logras merecértelo, te dejaré mi teléfono. Desde cualquier lugar donde se te ocurra caer en un embrollo, siempre podrás llamarme.

(¡Basta, nene! ¡Está bien ya, lumbrera! ¡Diablos!, ¿podrías cerrar esa maldita puerta, precioso? ¡Excelente, lindo!)

Rudi era pequeño como un niño y escondía una mirada torva bajo el ala de un sombrero demasiado grande para él. Por su tez morena, al instante reconocí en él a un gitano. Sin embargo, me aclaró que al mencionar a «sus gentes» se refería a los moldavos. Negaba ser gitano porque habría abandonado el aduar y sus trapacerías de raza, aunque, por lo visto, conservaba una sangre nómada que aplacaba con viajes en tren. Con su enrevesada manera de expresarse buscaba infundir miedo, y no niego que, al principio, cuando aún no le había calado a fondo, logró su propósito o más bien lamenté haber ocupado un mismo cupé con aquel gitano y su madre.

No deseaba complicaciones a última hora. Subí a mi litera y desde allí espié el andén por si aparecía algún agente. Para colmo, Rudi se dio cuenta de que yo era extranjero. Preguntó mi procedencia y al responderle yo cuál era mi país, elogió nuestra halterofilia, deporte de gente pequeña y forzuda como él, quien también lo había practicado. Por un segundo aparté la vista del andén para observarle efectuar un amago de envión. Quiso mostrarme más, pero le detuve con un gesto: en la vía vecina un expreso se había puesto en movimiento. No. Éramos nosotros, nuestro tren, que a la media hora dejaba atrás los arrabales y se lanzaba raudo a tragar leguas de los espacios nevados.

Mi destino era Siberia Occidental. Cada estación superada era como un lastre que liberábamos para salir del radio de acción de la *militsia* capitalina y volar sin temor por el reino soñoliento de la *militsia* provincial; incapaz de sospechar en mí a un infractor de las estrictas leyes migratorias que prohibían el desplazamiento sin visado por el vasto territorio de Moscovia. A Dios gracias, para viajar en tren no exigían identificarse, y esto me había permitido tronzar el vasto lienzo continental de la legalidad socialista con innumerables viajes de incógnito. Demasiadas fugas para un carácter en formación como el mío, sin exacto conocimiento del bien y del mal; demasiados engaños en Moscovia, demasiadas leyes que desbancar: todo sordidez en aquel mundo desbordante de capotes ministeriales y guerreras con bocamangas ricamente bordadas.

Después de cansarme con una insulsa cháchara sobre botines de piel, Rudi me dijo:

—Iré al vagón restaurante por los tragos que te prometí. Enseguida vuelvo.

Su señora madre, grande como una mole, me estudiaba en silencio, dudando si delatarme, dudando si ajusticiarme. Violando las precauciones que siempre observaba durante mis desplazamientos clandestinos, salí a tomar aire a la plataforma del vagón. Al poco rato, Rudi abrió la puerta proveniente del vagón delantero. Traía varias botellas fuertemente apretadas contra el pecho. Yo valoré en serio la posibilidad de caer en la anabiosis necesaria para aquellos largos viajes por entre la monotonía de la nieve; pero algo habría de cambiar mis planes. Durante el corto trayecto de la plataforma al cupé, Rudi comenzó otra tirada bravucona: le habían provocado en el restaurante y había dado a tentar el filo de su maldad. Yo le escuchaba, ya superado el susto inicial, casi convencido de que era inofensivo. «Bien, amigo —le había preguntado al mozo del restaurante—, ¿quieres besar uno a uno los postes que nos quedan hasta la próxima estación?» Lógicamente, aquel había desaprobado tal perspectiva. Temía resfriarse con la garganta al viento y no insistió en cobrarle el doble del precio por la bebida. Hubiera creído su historia tratándose de una sola botella, pero era demasiado vino para ser cierto. Los mozos de los restaurantes también parecían haber sido escogidos entre los bares más afectados por las balaceras del Chicago de los años treinta: todo peligro, frío que se colaba por las ventanillas mal cerradas, bamboleos del vagón. Aturdido por esos saltos bruscos, descorrí equivocadamente la puerta del cupé vecino. De momento no comprendí mi error. El lado contrario de nuestro tren era alumbrado por un sol muy rojo, ya sobre el horizonte, y todo el cupé estaba iluminado por una viva luz. Sola, sentada enhiestamente, una mujer, un rostro de mujer, un segundo sol que se volvió lentamente hacia mí.

(Este encuentro conmovedor —para llamarle por su justo nombre—, justamente de esa emoción, lo conté años después enmascarado en el corto relato de un viaje —también en tren— por la estepa. Al escribir aquel primer cuento estepario (que no llegué a publicar), aún no tenía el dominio suficiente de mis nervios para llevar al papel el recuerdo de una visión que me cortó el aliento, que me inmovilizó en la puerta de aquel cupé. Alguien me contó de un hombre que había perdido el sentido en una situación semejante.)

Yo no, yo me mantuve en pie, pero ella tenía una cabellera morada que la envolvía como un halo, una mascarilla completamente blanca del blancor del yeso, unos labios pintados en naranja y un lunar de aplicación, y era el rostro paralelo más bello que yo hubiera visto nunca. Digo paralelo porque su belleza provocaba un efecto similar al del rostro ingenuo de una muchacha simplemente hermosa. El suyo, sin embargo, era un rostro trabajado por una tradición, y resultaba de difícil aprehensión por esta misma causa. Una falda negra también perceptiblemente difícil —del llamado corte bombillo— cubría sus piernas hasta las rodillas.

Al verme allí parado, Rudi se asomó por encima de mi hombro y, tras estudiar a la muchacha un segundo, le saludó con vigorosos movimientos de cabeza. Acto seguido, haciendo un aparte, me llamó hacia el pasillo. Sin poder ver el fantasma que acompañaba a la extraña, Rudi había notado únicamente a una mujer sola en un cupé vacío. Con el rostro de Rudi cuchicheante a dos palmos del mío, di un corto paso mental hacia atrás y lo estudié a mi vez. Él no había hallado nada fuera de lo común en aquel cupé porque vivía en la misma dimensión que los raros afeites de la muchacha. Ambos parecían dos arlequines sacados de un baile de máscaras, del aquelarre de un carnaval. Las miradas altaneras, el donaire de su lento desplazarse a la vista de todos... Confieso que la proposición que Rudi me hizo —su torva mirada clavada en mí— no me disgustó del todo. Bueno, me dije para justificarla, me habían obligado a estar fuera de la ley, a ser una suerte de fugitivo. Deseaba un aprendizaje feroz que me permitiera salir sin un rasguño de cualquier contingencia, de las miles de trampas que a diario se abrían ante mí. Tenía tan sólo veinte años y deseaba templarme.

En la próxima parada Rudi saltó al andén y volvió con unas manzanas. Durante su ausencia yo había espiado todo el tiempo la cabellera morada de mi vecina, su desplazamiento al rojo. Por fin pedimos permiso para entrar. Nos presentamos como viajeros aburridos. Rudi trajo una guitarra de nuestro cupé y, tras unos vasos de buen vino, entonó unas romanzas gitanas con magnífica voz de tenor... y de ladrón de caballos, y le echaba miradas de fuego a la muchacha.

La cual resultó tener un nombre puramente tártaro: Alfía y era uno de los vestigios de la Horda de Oro que todavía se encuentran diseminados por la estepa: el nombre de una aldea perdida (Ordinsk), la piel traslúcida de sus dedos que me tendió en un saludo como si no le pertenecieran, ajenos. Su mascarilla llegaba hasta la piel delicada del cuello y el paso era, lógicamente, brusco. Nada sorprendente, pero le había descubierto de improvisto en el momento justo del saludo y me tenía hechizado la presencia de su verdadera identidad bajo su apariencia alucinante.

¡Ah, sí! Era como una de esas máscaras inexpresivas del teatro Noh, que cubre el rostro del artista mientras aquel se pasea por la rampa recogiéndose los faldones del kimono, una sombrilla de turgente papel caligrafiado en la otra mano... La sombra del jeroglífico se recortó contra su rostro, ya rayado por las otras de las nervaduras de la sombrilla. Asustada, temiendo ser descubierta (obviamente ya había aquilatado mi alma volátil), dio un paso en falso. Por un momento vi resplandecer su limpio cutis tras su máscara; emitió un quejido de desilusión, levantó su velo: allí estaba por fin. (Para mí, no para Rudi.)

El sol de su verdadera existencia (el tercero visto por mí aquel día) me deslumbró. Sin entrar a valorar la cantidad de literatura que había conformado su máscara ni mencionar aquí las cartas que mucho después, durante meses, recibí de ella —un asombroso dominio del arte epistolar, dulzura extrema—, era Alfía una de esas mujeres esplendorosamente bellas que en Moscovia conforman un *continuum*: la estresante presencia de mil mujeres bellas en el metro, beldades cinematográficas que operan fuentes de soda en cafés de segunda, los insondables ojos azules de mujeres maduras (manguitos de visón, pestañas iridiscentes).

Los ojos de Alfía, fijos en los míos, no tardaron en cubrirse de lágrimas. Ya estábamos algo tomados. Rudi era un simple ladrón de caballos y su gruesa señora madre tal vez no era su madre. Me incorporé de golpe.

—Bien, Rudi —dije dirigiéndome a las cortas manos del hombrecito y dispuesto a llegar a fondo como uno de esos exaltados adolescentes de Dostoievski—, ya hemos bebido bastante y no creo que, viéndome en pie, persistas en la idea de desvalijarme y en tu plan de maltratar a Alfía. Ni la benzedrina, ni ninguna de esas drogas que agregaste a nuestro vino nos ha hecho efecto, como ves.

Alfía, como si hubiera leído a Chandler, exclamó:

—¡Perdiste por esta vez, Rudi! ¡Ponte de pie y deja de trampear! —y regurgitó un globo de su esófago con todo el vino que le habíamos suministrado, que le había suministrado yo mismo antes de pasarme a su bando. Lo llevaba sujeto a un hilo que mordía y era un expediente secreto de los presos rusos para pasar vodka de contrabando a los calabozos.

Rudi palideció y, sin proferir palabra, extrajo del bolsillo de su saco dos manzanas drogadas con las que pensaba dormirnos del todo. Mordió demostrativamente sus dos mitades sanas y protestó:

—¡No es cierto! ¡Estas manzanas están sanas!

Era un niño indudablemente, pero un niño malvado. Airado, ocultando a duras penas su irritación, bajó la ventanilla del cupé, arrojó las manzanas a la oscuridad en fuga y se volvió hacia nosotros. Respiraba entrecortadamente, furioso por haber sido sorprendido: «¡Si ahora mismo nos iba a contar sobre "el arma de la venganza", una novedad de la defensa antiaérea que obligaba a aterrizar a los cohetes enemigos!». Descorrió con violencia la puerta, salió con paso decidido al pasillo y, una vez allí, debió respirar hondo y maldecir su frustrada alianza conmigo.

Yo también quise irme, pero sentí la delicada mano de Alfía posarse en mi hombro. Sonreía. Había decidido darme una corta lección de intensa perversidad. Extrajo de su bolso unas gafas oscuras, anchas como un antifaz, y se las puso sin dejar de sonreír: el refinamiento de una obra de arte.

«Nunca intentes violentar a una mujer con el rostro cubierto por una máscara.» (Agrego aquí esta sentencia que, lógicamente, Alfía no profirió, pero que es un bonito parlamento para la Twentieth Century Fox y para este cuento.)

Se había hecho el manicure recientemente. Me di cuenta cuando el rojo de sus uñas contrastó violentamente contra su piel. A la altura de sus senos y de su pelvis mostraba otros dos espacios blancos, otras dos máscaras. Era como si hubiese quedado desnuda, pero nunca lo estuvo en realidad. Meses después, al ir recibiendo sus cartas, sólo recordaba aquel rostro inasequible y deseaba encontrarle otra vez para verle su cuerpo cubierto de un bronceado total, procurado a la orilla de uno de esos inmensos ríos de Moscovia.

Varios kilómetros más tarde, al detenerse el tren por un minuto, me despertaron unos gritos provenientes del cupé vecino. Era Rudi que juraba y gritaba a voz en cuello:

—¿Pero me vas a dejar trabajar en paz? ¡Cualquiera nos tomaría por gitanos!

Alfía ya estaba vestida. Cuando el tren se puso nuevamente en marcha, los faros de los expresos al encuentro o los débiles focos de los apeaderos alumbraban su rostro a intervalos. Por un segundo encendió la pequeña lámpara de la cabecera de su litera y se retocó la pintura de sus labios y el delineado de sus ojos.

Esa tarde ella había aguardado, en el andén de una pequeña estación, el paso de un convoy de presos. Debían hacer una corta parada allí provenientes de unas barracas muy frías y el trabajo agotador de derribar árboles. La muchacha había esperado todo el día el convoy y por un amigo que cumplía sentencia. A la tarde, al ver que no lograría su propósito de verle, abandonó la estación y se internó en la pequeña ciudad provincial. En la misma peluquería de sillones desvencijados en la que, tras su larga estancia entre los partisanos, Yuri Zhivago se hace cortar el cabello, se tiñó el pelo de aquel morado subido que escandalizó a la vieja peluquera. Se había aplicado el maquillaje ya en el cupé. Le daba los últimos toques cuando yo abrí la puerta por error. No había tenido tiempo de llorar, de que se le descorriera la pintura. Sólo aquellas lágrimas al reconocerme.

Me puse de pie y forcejeé con la ventanilla que tan fácil había cedido al tirón de Rudi. Quería poner *mi bravo rostro* a la corriente de aire, para que se curtiera con el cierzo. Esperaba que alguna otra máscara, quizás de hielo, me protegiera para poder avanzar impávido, mi intrépido rostro hendiendo la sordidez. (No mencionaría la entrevista frustrada de los jóvenes —ambos eran cómplices de un robo de ciertas actas judiciales— si no temiera tener que arrepentirme después por querer eludir el verdadero drama de la vida real.)

***

Cuatro años después, tras otro largo viaje en tren, descendí a una tarde de verano de un día muy caluroso y de un pueblo muy viejo. Cuesta abajo, buscando las aguas de un gran río, atravesé despacio el polvo dorado de su aire hasta que me detuve frente a una cabaña de troncos, junto a la orilla. Dando un rodeo por entre la hierba crecida del jardín, alcancé el fondo de la casa y empujé suavemente la puerta de la cocina. Nimbada por los apagados reflejos de cacerolas muy bruñidas, atónita, sin querer creer en mi aparición (llegaba yo desde muy lejos) me miraba una mujer, las palmas de las manos aplicadas a sus mejillas. Horas después, durante el interminable crepúsculo de ese día, sentada ella a una tosca mesa (dos grandes tablones para opíparas cenas con carne de ciervo, un padre cazador, seis hermanas y una madre), recostado yo a la jamba de la puerta, sorbiendo té y estudiando la masa verdiazul de los pinos en lontananza, aguardé a que Alfía diese fin a la lectura de una traducción al ruso de este mismo cuento. Historia que era una versión falsa de un viaje en tren en el que la había conocido. Cuando hubo terminado, apartó los pliegos y me dijo:

—Creo que te entiendo perfectamente. No escribo, pero sospecho que también me resultaría difícil abordar cualquier episodio de mi vida —nuestro encuentro incluido— sin ceder a la tentación de escurrir el bulto. Has falseado hasta lo indecible la historia insignificante y simple de aquel viaje. Por lo visto, sigues temiendo algo, y optas por ocultarte como dices que haces al principio de tu cuento. Según lo entiendo, se trata de una huida interminable, de un intento de eludir la responsabilidad de escribir sobre lo que verdaderamente te interesa, cubriéndolo todo con gruesas capas de literatura. ¿Qué objetivo persigues con esas inválidas alusiones a un mundo desbordante de capotes y con la tímida denuncia sobre el juicio apañado? ¡Y todavía agregas que no quisieras tener que arrepentirte! Bueno, aún te queda ojo crítico para verte forcejeando, inútilmente, con el tema. Sin embargo, también deberías reconocer la falta, imperdonable a mis ojos, del absurdo toque erótico y del tono detectivesco o mejor, gansteril, del relato. ¡Escribe abiertamente, aunque sea por una vez en tu vida, sobre lo que realmente te preocupa! ¿Por qué escondes mi rostro, alterado por el desespero, bajo una pueril máscara? Eres valiente cuando escribes que casi pierdes el sentido al verme, pero me defraudas al eludir mencionar lo que te conté durante más de tres horas (completamente vestida, por supuesto), y te limitas a hablar de «barracas muy frías». ¡Ah, eres extranjero y con esto basta! Allá no hay gitanos ladrones que viajan en tren y no se requiere de visado para internarse en el país. ¿Y eso es todo? Ven, padrecito, quizás soy injusta contigo. Cenemos de una vez. No te preocupes.

(De *Nunca antes habías visto el rojo*)

UN DÍA MORTAL

ENRIQUE DEL RISCO

Ah, la trascendencia. Siempre me ha seducido la idea de que, aun en circunstancias bien distintas a las que les dieron origen, se entendiesen y disfrutasen mis escritos. A veces voy más lejos. Incluso más allá del fin de la vida inteligente en el planeta. Me preocupa que los probables lectores de todo el universo, en todas aquellas palabras encadenadas Dios sabe con cuánto trabajo, no sepan apreciar el significado profundo que les he querido dar. Imagino que un batallón de arqueólogos intergalácticos luego de remover treinta toneladas de escombros —aunque no creo que usen nada que se parezca a nuestros sistemas de medidas— encuentra un libro que comienza diciendo —y es un ejemplo—: «Desde que nací he vivido en una dictadura». Aunque encuentren junto a mi libro un diccionario bilingüe y la otra lengua sea la de los excavadores dudo que entiendan qué quiero decir exactamente con esa frase. Dudo que en un diccionario aparezca esta definición. «Dictadura: Estado de cosas que de desaparecer podría ser la peor noticia para algunos y la mejor para otros». Habría que añadir que aunque en mi país mucha gente supone la caída de la dictadura como una especie de lotería colectiva (y ahí temo que los extraterrestres no tengan idea de lo que significa «lotería») nunca se han decidido a comprar billetes todos a la vez.

Es bueno hacer una aclaración. Aunque esa —la de la lotería— sea la mejor noticia que yo pueda concebir, no es que todo el tiempo piense en ella, como mismo nadie está todo el tiempo pensando en que le va a tocar la lotería real, la de los premios en metálico. En cambio, cuando escribo es difícil que hable de otra cosa, aunque me preocupe legar una imagen demasiado sombría de mi época a los futuros lectores galácticos. Sucede una cosa. En otras partes del planeta cuando un escritor decide ser maldito, habla mal de Dios (o sea, una entidad responsable de todo lo creado) o se sumerge en las más oscuras circunvoluciones del sexo que es la facultad que más acerca y aleja a los hombres de su creador. En cambio, yo debo resignarme a echar pestes de ese engendro estepario que es una dictadura. A veces, sin embargo, me tienta la idea de describir pura y simplemente un día que haya considerado especialmente feliz. No muchos, pero ha habido.

Uno de esos días lo recuerdo con especial frecuencia. Iba a ser el primero de mis vacaciones en ese verano. Cleo y yo habíamos acordado con una pareja de amigos encontrarnos a orillas del mar y por la noche asistir juntos a un concierto. Los baños de mar son una especie de rito veraniego que muchos identifican con la apoteosis de la diversión. No soy de los que piensan así, pero encontrarme con amigos a orillas del mar me resulta tan agradable como para otros meterse dentro.

Pensábamos salir temprano de la casa. Cada cual iría en su bicicleta. Mientras Cleo preparaba el desayuno aproveché para echarle aire a mi bicicleta. Ese día el tipo que cuidaba la bomba y cobraba el aire no era el del sombrero y cara de boliviano sino otro, flaco y con pelos colgándole por toda la cara, que con derroche de ímpetu me sostuvo la bicicleta mientras yo alimentaba los neumáticos. No le di propina.

Cuando regresé a casa, Cleo aún no había preparado el desayuno. Le estuve gritando un rato. Luego me dijo que colgara la ropa que habíamos lavado la noche anterior. Cuando terminé, desayunamos. Me metí en el baño mientras Cleo cuidaba de que no entrara con algún libro. En unos cinco minutos salí. Cleo me recordó que debía llenar un cubo para descargar el inodoro, privado de agua corriente desde la noche de los tiempos. Fui a llenar el cubo al tanque del patio. Era un trayecto de casi veinte metros que incluía tres giros de noventa grados. Antes de entrar al baño, mientras ejecutaba el tercer giro, salpiqué un poco. Luego elevé el cubo hasta la altura del pecho y desde allí dejé caer el agua con la tenue esperanza de que un sólo cubo resultara suficiente para dejar limpia la taza. Toda la mierda se sumergió tras el impacto del agua. Pensé que era un tipo con suerte. Cleo se asomó. Me miró. Quedaban unas virutas de excrementos. Fui a buscar otro cubo.

Quince minutos después ya estábamos con las bicicletas en la calle. El cielo estaba limpísimo. Mientras pedaleábamos empecé a hablar de la película que habíamos visto la noche anterior en la televisión.

—Es patético ver aquellos viejos caerse una y otra vez, pero a pesar de todo lograban conservar cierta gracia — se trataba de la última película de la más conocida pareja cómica de la historia del cine. Cleo estuvo de acuerdo. Pedaleábamos a buen ritmo. A la altura del zoológico decidí hacer la última visita a mi trabajo antes de salir de vacaciones. Se me habían quedado unas cosas allí.

—Mira la hora que es —advierte Cleo.

Después de dar vueltas por unas cuantas callejuelas entramos en el cementerio. Allí trabajaba yo. La de INFORMACIÓN se extrañó de verme por allí. Subimos a las oficinas. No había nadie. Encendí el ordenador y lo preparé para imprimir un par de cuentos. Busqué unas hojas en el armario y de paso cogí un par de libros que pensaba leer en las vacaciones. Coloqué una hoja en la impresora. Mientras esta empezaba a aullar pasé a la oficina de la jefa. Allí estaba Cleo, agachada, orinando en una maceta adyacente al escritorio de la jefa. De la maceta nacía un tronco seco que había sostenido alguna vez una enredadera y ahora sólo incomodaba su uso como orinal femenino. Me asusté, comprobé que la puerta estaba cerrada y me reí, por ese orden. Cleo sólo se rió y terminó de orinar. Fui hasta la impresora y cambié de página. Luego repetí la operación seis o siete veces hasta que nos fuimos.

Rumbo a la costa, a la entrada de un puente, vendían pizzas caseras. Estaban más caras que nunca así que compré dos, una para cada pareja. Entonces recordé que mi hermano también iría y compré otra. Cuando llegamos a la costa, el Wichy y Mabel ya estaban allí. Mabel chapoteaba en el agua mientras Wichy cuidaba las cosas. Supongo que Wichy dijo algo simpático a nuestra llegada pero no recuerdo de qué se trataba. Wichy es lo más simpático que conozco. Le pregunté si había visto a mi hermano.

—No. Parece que te conoce bien y quiso llegar después para no aburrirse con nosotros.

Después de eso, todos se fueron al agua, menos yo que voluntariamente me ofrecí a vigilar las bicicletas y la ropa. Antes de ir al agua, Cleo me quiso exprimir un grano junto a la nariz pero como no la dejé me dio un beso y se fue. Al rato llegó Leif, mi hermano. Venía solo, como siempre lo estaba antes de conocer a su novia actual. Solo y con su pelo hasta la mitad de la espalda. Ambos somos trigueños pero su piel es más oscura que la mía. Siempre fue así, pero la diferencia se acentuó después que hizo el servicio militar en la estación de radares de un cayo. Entre el sol y las radiaciones lo dejaron casi negro. Sólo con el tiempo se ha ido aclarando.

Al rato le pedí a mi hermano que se quedara cuidando las cosas mientras iba a comprar vino. Vacié una botella plástica que traíamos con agua y salí en una bicicleta. Estuve un buen rato dando vueltas hasta que descubrí junto a un árbol a tres tipos junto a una paila de aluminio. Uno de ellos llevaba uniforme de camarero. Era un negro al que le faltaba un diente de proa. Arriba. Le pedí que me llenara la botella. Durante todo el tiempo que tardó la botella en llenarse, el camarero y sus acompañantes daban jubilosas muestras de entusiasmo hacia el vino de naranja que me vendían. Al regreso, mientras pedaleaba me di un buche. Estaba agrio. Más agrio incluso que lo acostumbrado en estos casos, pero se dejaba tomar, quise concluir.

Cuando regresé a la costa, mi hermano estaba registrándome la mochila. Le tiré un poco de vino y Leif simuló ponerse furioso pero estuvo muy poco convincente. Nos lanzamos patadas y puñetazos durante un rato. Wichy por fin salió del agua. Leif le pasó el vino. Wichy protestó, dijo algo simpático que tampoco recuerdo y yo le dije que no jodiera, que el vino se podía tomar. Estuvimos intercambiando insultos hasta que decidí echarme al agua. Atravesé bastante rápido la distancia que hay entre la repulsión y el placer de tener el cuerpo envuelto en agua de mar fría. Nadé hasta Cleo por debajo del agua y la pellizqué sin sacar la cabeza. Finalmente salí y estuvimos jugueteando un rato más hasta que empezamos a sentir hambre y salimos.

Wichy sacó unos tamales. Cada uno cogió el que a partir de ese momento sería su tamal. Mi hermano, después del primer bocado, concluyó:

—Están mortales.

En la jerga de aquellos días se asumía lo mortal como algo tremendamente bueno. Anticipo que esa definición estará en contradicción con lo que opine el diccionario que sostenga el futuro arqueólogo en sus tentáculos. Es curioso que se haya escogido justamente una palabra que designa la incapacidad de vivir eternamente, de trascender, para significar más bien lo contrario. Por supuesto que aquel día no llegué a hacer esa reflexión.

—Están mortalísimos —dije, remachando la incongruencia. Luego saqué las pizzas y permanecimos un rato más en los arrecifes hasta que decidimos ir a casa de mis padres. Cleo le dio su bicicleta a Wichy y montó en mi parrilla. Al llegar, mi madre se asustó. En una dictadura de las de poca comida, la llegada repentina de cinco bocas resulta un evento angustioso por necesidad. Intenté calmarla enseñándole las lascas de jamón y de queso que había traído Wichy y un paquete de espaguetis. Dejé los espaguetis hirviendo y fui a mostrarle a Wichy unos libros de pintura que acababan de regalarme. Wichy es pintor.

Pido disculpas si los aburro. Está claro que la felicidad es disfrutable únicamente por quienes la viven. Contarla siempre resulta aburrido, incluso si los destinatarios son arqueólogos espaciales. Prosigo. Comimos los espaguetis. Antes le había peleado a Cleo por haber tirado el agua de los espaguetis. Ella estuvo un rato furiosa. En aquellos tiempos yo aprovechaba el agua de los espaguetis para preparar un consomé con el que obtenía un éxito aplastante.

Luego de la comida seguimos hojeando libros de pintura hasta que alguien propuso jugar fútbol. Todos, excepto mi madre, salimos a la calle. Sólo de vez en cuando pasaba alguna bicicleta. Esa es una de las ventajas de una dictadura sin combustible. Nos dividimos. Mi hermano, Wichy y Mabel formaron un equipo. Mi padre, Cleo y yo, otro. Se supone que estábamos en desventaja. Las piernas flacas y desparejas de mi padre no son el instrumento más apropiado para jugar fútbol pero, así y todo, ganamos. Cleo anotó tres goles. Corría como endemoniada tras el balón desinflado y le daba patadas cada vez que podía. Fue algo hermoso. Lo que se llama una bella escena familiar. Después del tercer gol mi hermano decidió cancelar el ímpetu futbolero de Cleo, que acabó dejando la piel de una rodilla en la calle. Fuera de eso, la caída no tuvo mayores consecuencias pero el partido terminó ahí. Aun así el juego fue el momento culminante del día. En medio del partido, mi madre salió a anunciarnos que una tía suya había llamado. Según la tía un grupo de delincuentes estaba rompiendo los cristales de las tiendas del centro de la ciudad. No le dimos mucha importancia. Todavía faltaban dos goles de Cleo y su caída.

Luego nos fuimos bañando uno a uno y nos preparamos para ir al concierto. Se trataba de un cantautor que jugaba constantemente a pasarse de listo. Ese es un arte muy apreciado en las dictaduras. Así y todo casi nunca dejaba de ir a sus conciertos. Cuando terminé de bañarme, mi hermano me llevó hasta la habitación que entonces usábamos de biblioteca. Tenía en la mano un rollito de papel de estraza. No había que poseer una intuición excepcional para suponer que el rollito estaba relleno de marihuana —*cannabis sativa* para los botánicos de la Vía Láctea y alrededores— así que me apresté a perder mi virginidad al respecto. Empezamos a fumar y pronto concluí que el juego consistía en aprovechar al máximo todo el humo posible. No noté ninguna sensación especial cuando terminamos con el segundo porro. Antes que dijese nada, mi hermano me advirtió que las expectativas de los primerizos terminaban arruinando el placer. Decidí que ya era hora de partir. Ya salíamos con las bicicletas hacia el teatro cuando pasamos frente al televisor en el que daban los titulares de las noticias del día. Un locutor con rostro severo hablaba de disturbios provocados por elementos antisociales. Una situación ideal para incluir esta frase: «Todos nos miramos y comprendimos que algo grave ocurría». Yo incluso lo dije en voz alta. La nuestra era una dictadura discreta y, si se anunciaba oficialmente algo así, por necesidad debía tratarse de algo serio. Seguimos mirando. En las imágenes que aparecieron en la pantalla —en blanco y negro, los colores no entraron en la casa hasta dos años después— no aparecía nada que se remitiese a los anunciados disturbios. No. Apareció el dictador —toda dictadura tiene el suyo— recorriendo triunfalmente el lugar de los hechos. En auxilio de los semiólogos de cualquier rincón del universo, aclaro que eso significaba que cualquier cosa que hubiese podido ser ya no lo sería. Todo seguiría igual, bien o mal según el punto de vista del observador, y sin peligros para la salud del *status quo* vigente. Se hacía tarde para el concierto así que salimos con las bicicletas mientras mi padre daba instrucciones a mi hermano de cómo no quería que le devolviesen la suya. El teatro quedaba cerca, a unos quinientos metros de donde nos habíamos bañado por la mañana. Dejamos las bicicletas en casa de un amigo que finalmente no se decidió a acompañarnos hasta el teatro.

En el teatro había poca gente y aún menos policías. Sólo tres o cuatro, cuando lo normal —sépanlo de una vez, etnólogos de toda la galaxia— era que en un concierto de dicho cantante hubiese al menos un centenar. En el vestíbulo encontramos conocidos y nos explicamos unos a otros que la policía debía haberse concentrado en el lugar de los hechos y que mucha gente no se había atrevido a ir al teatro. Parecía ser cosa seria. Alguien habló de dos muertos. Finalmente entramos.

El concierto estuvo bien. Muchas de las canciones se podían bailar y mi hermano y yo bailamos con todas. Nunca intentaría culpar a la marihuana. Siempre soy de los que más baila en los conciertos. (Estudiosos de la literatura terrestre. Los conciertos se concebían generalmente para ser oídos, así que bailar era una licencia tal vez excesiva que tomábamos cada vez que se podía.)

Al terminar fuimos a recoger las bicicletas a casa de mi amigo. Hablamos durante un rato del concierto y de Lo Otro. Al final regresamos a casa. Supongo que mi madre estaría preocupada pero no recuerdo mucho al respecto. Acomodé a Wichy y a Mabel en mi habitación y bromeé un rato con ellos, saliendo y entrando varias veces seguidas. Ya en ese momento debí haber pensado que el día no podía haber ido mejor. En la sala cubrí el suelo con una manta y allí nos echamos Cleo y yo. Estábamos demasiado cansados y todo lo que podíamos hacer era dormir, y dormimos.

Hasta aquí los hechos. Puede que ese día se haya pronunciado alguna frase ingeniosa o algún chiste de buena casta, o haya sucedido alguna otra cosa digna de ser contada pero no quiero que mi memoria juegue conmigo y termine contaminando los recuerdos de aquel día con los de otros igualmente felices. El motivo que tengo para intentar ser tan preciso al respecto es este. Sucede que en las semanas siguientes fuimos comprendiendo que ese día una buena parte de la ciudad había comprado boletos de la lotería en la que el premio gordo era el fin de la dictadura. El número evidentemente no salió. Pese a todo no lamento no haber comprado algún billete. Tengo razones que creo buenas.

En general no estoy de acuerdo con los argumentos —muy razonables todos— con los que se intenta explicar el hecho de que tanta gente haya decidido comprar su billete de lotería al mismo tiempo. Las causas que generalmente se señalan existieron antes y después y nunca han resultado suficientes para que tanta gente decidiese probar suerte. A mí, en cambio, no se me escapa que la magia que nos acompañó ese día tuvo algo que ver —aunque en el fondo pienso que mucho— con que tanta gente diera rienda suelta a sus impulsos. La falta de conciencia —se sobreentiende que social— con que me conduje aquel día no debilita mi argumento sino justamente lo contrario. Revísese cualquier acontecimiento histórico y se encontrarán en él una suma de hechos de escasa uniformidad. Ni siquiera la aparente consecuencia de sus actores garantiza la eficacia de sus gestos, sino que a menudo todo sucede del modo menos previsible. No obstante intenté repetir la experiencia, al menos en los hechos básicos —baño de mar, comida, fútbol, marihuana y concierto—, pero siempre faltó algo.

Varias veces fuimos al mar o a conciertos pero nunca, ¡nunca!, he logrado reunir a los protagonistas de aquel partido de fútbol en la calle.

Si reproduje antes todo lo que recuerdo de ese día es porque pensaba que en la alquimia de todos aquellos detalles residía la explicación, la verdad última de aquellas horas, pero al final ha triunfado el lado racional sobre el místico. La única verdad que encierran todas nuestras acciones de aquel día es la felicidad. Ahora sospecho que esa felicidad quiso ser inconscientemente compartida por el resto de la ciudad del mejor modo que le fue posible. Si escribo esto —entiéndanlo bien, estudiantes de filología terrestre de todo el universo— es porque he abandonado toda esperanza de repetir la experiencia. Entre nosotros —Cleo y yo— y el resto de los participantes en aquella historia, hoy media un océano, y de momento dudo que se repitan aquellas circunstancias. No obstante, espero que ese día de felicidad no haya sido en vano y quizás, dentro de medio milenio, en algún planeta lejano caiga una dictadura.

(De *Lágrimas de cocodrilo*)

MEDIA NARANJA

FERNANDO RIVERA DÍAZ

La relación con Mariana, pensándolo después, fue sólo una franca simpatía, un ardid de los sentidos, y en el fondo, un deseo intenso por poseerla. Pero entonces no lo sabía.

Era una de esas muchachas serias que pensaban con claridad. Siempre iba al punto y, aunque tuviera ya una respuesta para alguna cosa, me consultaba como si de mí dependiera lo que hiciera.

—¿Crees tú que mamá Peta deba volver a casarse? —me preguntó una vez. Mamá Peta era viuda y ella su única hija.

La mayoría de las veces le respondía que sí o que no según me pareciera, pero otras veces era mejor permanecer callado, porque si coincidía con ella, sonreía y se mostraba satisfecha, pero si ocurría lo contrario, me miraba compasivamente, comprendiendo lo equivocado que uno estaba.

Estudiaba para enfermera. Cuando se ponía el uniforme blanco de las prácticas, destacaban su cintura fina y sus piernas largas, bastante delgadas, que cruzaba encajando justamente la corva y la rodilla; sin embargo el atractivo mayor e insobornable lo tenían sus ojos, grandes y negros, dentro de los cuales uno sentía que se perdía.

Durante la época en que salimos juntos, iba a su casa por las tardes; doblaba por una esquina de Ayacucho y entraba un poco agitado en Jerusalén, donde ella vivía. Pero antes que aquella esquina, la estrecha calle bajaba como un pasillo inmenso hacia el puente de Grau, salvando el exiguo caudal del Chili, y luego subía por la otra margen como una cinta, hasta perderse en las siluetas del horizonte. El sol se escondía por allí, y a esa hora sólo se notaba una media naranja como una moneda de fuego ingresando a una alcancía. Tiempo después supe que aquello fue un presagio de lo que posteriormente ocurriría.

Una tarde, dejándome resbalar por aquella esquina, embriagado por la inminencia del encuentro con Mariana, reparé en un hombre que volteaba apresurado la esquina, girando automáticamente el torso como un soldado que cambia la marcha y guiado por un bastón plegable, detector de los bordes del mundo en la punta de los zapatos; llevaba unos lentes gruesos, oscuros y delatores, que me confirmaron una corazonada de misterio en el pecho. Todo aquello durante el clic instantáneo de un parpadeo. Y un poco más adelante, lo vi reunirse con una mujer que tenía el rostro desencajado como una careta, obviamente deformado por el fuego. La nariz incrustada al medio era una inmensa gota de carne; un ojo diminuto, sin cejas ni pestañas, movía una bola oscura dentro; y la sonrisa imposible quedaba frustrada por una mueca permanente. Más alta que él, llevaba la línea exuberante del cuerpo apenas contenida por el vestido.

El hombre la besó muy natural en el lado bueno de una mejilla y conversaron unos instantes en un tono íntimo, distinto al familiar. Después, con el bastón plegado, la tomó por el brazo y caminaron juntos hacia el puente Grau.

No es que uno fuera rematadamente ingenuo entonces, o por el contrario, un cínico demasiado ávido de situaciones escabrosas, pero el encuentro me produjo una impresión aplastante, que me llevó a tropezar con varios peatones de Jerusalén. ¿Eran realmente una pareja? ¿Tendrían hijos o estarían conociéndose? Mariana y la serenidad de sus ojos negros, Mariana y el cruce sensacional de sus piernas, Mariana y, ¿crees tú que una debería vivir sola?, desaparecieron arrancados violentamente. Y más adelante, deambulando con una burda sensación de optimismo, me topé con el escaparate de una librería. En un extremo una tarjeta mostraba en la cubierta a un muñeco peludo, casi un erizo, redondo como una pelota, de ojos dormidos y boca golosa. Lo habían colocado delante de las piernas de una mujer con tacones. En la parte superior decía con letras gordas: «¡Quiéreme un poquito!»; y como una revelación sentí que la escena de la esquina se repetía.

***

Mariana no era una muchacha indiferente, a lo sumo un poco egoísta como cualquiera, pero ni fría ni indiferente. Cuando algo le interesaba observaba el hecho con atención o lo escuchaba completamente concentrada, pero cuando no, ponía una máscara de cortesía y dejaba que las cosas le atravesasen sin dejar ninguna huella; al final sonreía, y con la más ingenua simplicidad derivaba a un nuevo tema.

Por eso cuando le conté lo ocurrido en una esquina, me escuchó con la intensidad de la mirada en punto medio, y comentó a la ligera:

—¿Qué sorprendente puede ser la vida, no?

Enseguida pasó a su curso de inyectables, donde le estaba yendo tan perfectamente bien, incluso trajo una naranja y con su hipodérmica hizo la demostración impecable de una intramuscular sobre una nalga. Luego, con una hebra de temor en la voz, habló sobre la vieja de Enfermería Clínica que reprochaba los uniformes levantados tan arriba de las normas; y de ahí cambió a los interminables veranos en Lima, en los que se divertía enormemente con los primos y las charadas y los días en la playa. Finalmente terminó abriendo un paréntesis con la bandeja del té como siempre, y con las rosquillas de maíz que había horneado mamá Peta en la mañana.

Después de aquel remanso del té, el recuerdo de la pareja en la esquina se había esfumado. Entonces empecé a pegarme a ella, movido por las oleadas de su perfume dulzón que le sentía por el cuello; y me vi envuelto nuevamente en aplicar la fórmula, sobre todo para no reprocharme después que tal vez ese hubiera sido el momento.

La fórmula consistía en consultarle a Mariana sobre algo que conocía perfectamente bien, y que además le gustaba demostrarlo, como problemas que se presentaban en las articulaciones o qué hacer para subir y bajar la presión en determinados casos. Mientras ella me explicaba cuidadosamente, mis dedos reptaban minuciosamente por su cuerpo, hundiéndose en ciertas cavidades y adormilándose adrede en otras protuberancias, llevando el deseo irresistible de entramparse en aquellas zonas sensibles que anteriormente había detectado. Pero en realidad nunca llegué hasta ahí, porque un segundo antes de culminar el recorrido, me tomaba de las muñecas alejándome con una firmeza incorruptible. Pasado aquel intento de rigor, me abrazaba pasivamente a ella y la escuchaba hablar hasta que el fin el mundo nos sorprendiera.

Pero aquella noche fue Cecilia quien nos interrumpió discretamente, venía como siempre por el horno eléctrico para sus tortas de vainilla. Conversó con Mariana, líquida y con su eterno aspecto de muchacha buena; mientras yo pensaba qué haría si Mariana se quemara el rostro, o ella si yo quedara ciego.

***

La semana siguiente descubrí que la pareja de la esquina se encontraba a diario (los observaba de pasada hacia la casa de Mariana). Se saludaban como dos chiquillos primerizos que, del brazo o de la mano, sólo quisieran pasear por los alrededores del puente Grau. Un día, alcancé ver al hombre una cuadra antes de su encuentro. Caminaba impaciente y desatendiendo las bruscas vibraciones que el bastón le señalaba; cuando, por un largo trecho, chocó con varios peatones en un zigzag que lo lanzó de uno a otro cuerpo y que lo obligó a dar dos pasos de cuclillas para recuperar el equilibrio. Luego continuó como si nada. Quedé realmente impresionado.

Al otro día, en el pasillo de entrada de mi casa, intenté caminar con los ojos cerrados hasta el patio, pero a los cinco pasos temí chocar con algo y los abrí de inmediato. Incluso probé con una venda, y sólo conseguí golpearme la espinilla con el macetero de la yerbabuena. Entonces desistí, era obvio que aquel hombre había desarrollado una destreza particular para caminar de esa manera. ¿La habría aprendido desde niño?, ¿le habría sido difícil hacerlo? Rápidamente me vi punzado a saber lo que le habría ocurrido, cómo habría vivido, y sobre todo: ¿por qué corría así, tan abiertamente, a reunirse con la mujer? Estuve horas enteras moviendo el asunto en la cabeza, y me resultó inevitable extenderme a ella también: ¿por qué con él?, ¿desfigurarse así el rostro? ¿Cómo?

Entonces, con la voluntad de un cazador de insectos, me propuse recoger cada detalle de sus encuentros, los que después fui clavando con un alfiler en la infinita pared de las posibilidades: los trajes grandes y gastados de él, los lentes oscuros que ocultaban ¿la desorientación de una mirada o la opacidad de unos ojos nebulosos?, la mano nervuda conduciendo el bastón, el temblor de los labios antes del beso inicial; los vestidos altos y las faldas ajustadas de ella, el cabello largo corriéndose como una cortina por el rostro, y el rostro agachado contemplando las puntas desbastadas de los zapatos.

Después de varios días me sentí como un antropólogo con una tibia perforada y un collar de dientes entre las manos, pero a diferencia de uno verdadero, no supe qué hacer con ellos. Saturado de minucias y hostigado por una sensación de infidencia abandoné el asunto, además porque la mujer empezaba a sospechar; y para no quedarme atrapado a la mitad, le abrí de par en par una ventana a la imaginación. De manera que durante dos semanas largas y afiebradas, encajando fragmentos aislados de escenas, fabricando anécdotas del pasado y endosando probables sensaciones, se fueron hilvanando dos historias razonables.

***

Pudiera haber escogido otros nombres (labor incómoda y renuente), pero de haberlo hecho es probable que la balanza de la imaginación se hubiera inclinado hacia otro lado. Por aquella época, ya hacía varios años que no veía a Agustín, prolijo aliñador de embutidos a quien había criado desde chico mi abuela. Pero recordaba bien su aspecto, y me pareció tener un aire lo bastante familiar con el hombre de la esquina, como para darle a este el mismo nombre. Su mujer, Teresa, a quien nunca llegué a conocer, me proporcionó el otro nombre. Mi abuela se refería a ella como una mujer demasiado voluptuosa y demasiado silenciosa para Agustín, que prácticamente era mudo, y le disgustaba sobre todo que se hubiera cargado con nueve hijos. Sólo con ese breve resumen de la abuela, la vislumbré precisa.

En casa de Mariana, le conté a ella y a Cecilia, que estaba de visita, cómo había conseguido aquellos nombres, pero Mariana (debía haberlo previsto), me miró recelosa, comentando: «¡qué manera de perder el tiempo!»; y de otro lado, Cecilia no hizo más que mirarme sorprendida. De manera que volví solo al rumor de mis cavilaciones.

Algo no muy claro (una sonrisa fácil, cierto engreimiento en el tono de la voz) pareció indicar que Agustín, el doble, había sido el menor de una larga prole que ya había abandonado el hogar; y desde esa huella, salvando el abismo de la incertidumbre, pude continuar. En la primera página de un nuevo cuaderno de notas, escribí lo siguiente:

Agustín había nacido en la oscuridad permanente, ocasionando desde sus primeros días una enorme preocupación a sus padres que ya entonces pensaban retirarse a tomar el sol en el patio de la tarde. Pero ellos, desgastados más por las tensiones de toda una vida de muchos hijos que por el tiempo, se sintieron incapaces de criarlo. En el breve lapso de una decadencia, Agustín, casi abandonado, articuló de manera natural un mundo donde los sonidos provocaban las formas y llenaban los espacios y donde imaginó los colores por el efecto que producían sus nombres en los oídos (porque además, de no haber sido de esa manera, sino que conociera la luz de los colores, al reconocer, cuarenta años después, el rostro desfigurado de Teresa, hubiera podido compararlo con algunos rostros armónicos que hubiera tenido fijados como fotografía en su memoria, y quizás nunca hubiera pasado de una aséptica conversación con ella). Hasta que la hermana menor de su padre, una tía solterona, diligente y olorosa a jazmín, se encargó de atenderlo. La tía, movida por el evidente desamparo del pequeño Agustín, le calentó el lecho con su cuerpo, mientras le desbordaba la fantasía con historias de paisajes y personajes increíbles de pura voz. Con el paso del tiempo, forjando la independencia de los hábitos y la habilidad del reconocimiento de los rostros, fueron transgrediendo la supuesta fraternidad de la piel. Y antes que ella reaccionara, se diera cuenta de quién era y lo que estaba haciendo, lo hizo recorrer la geografía de pechos y caderas, dejándolo encendido como un foco para siempre...

La historia se agotó en ese punto, y adelanté algo sobre Teresa, a quien supuse le fue muy duro. El fragmento sobre ella fue mucho más breve:

Cuando Teresa había sido una niña, atraída por el velo del humo que se elevaba sobre la cocina, se volcó una olla de agua hirviendo en la cara, apagando por completo su evidente carácter tumultuoso. Y desde ese momento, entre los médicos y el desencanto de sus padres, creció discreta, pegada al silencio, y a la distancia del alboroto infantil de los patios. Al terminar la primaria, se encerró en su cuarto escudándose de los rostros que murmuraban con lástima y horror su nombre. Y una mañana, violentada por el rencor, decapitó con una tijera el trío de muñecas lloronas que descansaba sobre un anaquel de su cuarto, que en un arranque de impotencia y desesperación le habían regalado sus padres. Tiempo después, enmarcada en la soledad de una ventana, y con el cuerpo brotado enérgicamente como un resarcimiento natural, se abrió a la presión de uno y otro muchacho, por la fría hojarasca de un amor enmascarado.

Nunca llegué a escribir cómo se conocieron, ni siquiera llegué a imaginarlo, y ambas historias, que debían unirse en una, quedaron paralizadas para siempre. Quizá porque nunca tuve la tranquilidad suficiente o porque el desenlace real apareció de improviso, o también porque ocurrieron ambas cosas a la vez.

***

A Mariana le importaban poco mis especulaciones, además de estar enfrascada en preparar la estadía de Tina y Diego, los primos de Lima que llegaban para dentro de unas semanas. Como sería su primera visita, aprovechaba las tardes libres para preparar los exámenes y adelantar trabajos en casa de una compañera, y así poder estar libre durante la estadía. Y a la salida de allí, pasando por el centro de la ciudad, averiguaba fechas y horarios de centros turísticos que visitar, los cuales anotaba en una libreta donde planeaba un extenso raid de excursiones y salidas.

Mientras la esperaba, algunas veces llegaba Cecilia y nos poníamos a conversar, más que rompiendo, derritiendo el hielo: me había visto durante una función de teatro callejero en la Plaza España (ella iba con una amiga), que por supuesto a ella también le gustaban las películas de ciencia ficción (así juntos y a la distancia del horno eléctrico que se solía prestar), y que de chica había escrito unos poemas tontos que todavía tenía guardados en un cajón. Me preguntaba si yo escribía o sólo era un lector de novelas gruesas como ella, pero entonces llegaba Mariana, agitada por el trajín y con algunos encargos para mamá Peta, y le plantaba deliciosamente una mirada de sospecha. Cecilia se despabilaba del sofá, ignorando la beligerancia por completo, y se despedía rozándome fugaz con un beso en la mejilla.

***

Hasta ese momento había tratado de interesar a Mariana, aunque sin éxito, en la relación de Agustín y Teresa, y poco después a Cecilia con el resultado en blanco. Pero cuando descubrí una mano de Agustín resbalando decidida sobre las caderas firmes de Teresa, resolví no hablar con nadie más del asunto. No lo olvidé, por el contrario, aquello me hizo entrever lo que sucedía explícitamente, pero que hasta entonces sólo percibía en la superficie como un simple escarceo sentimental.

Ocurrió en una de las frecuentes coincidencias de la esquina, cuando Agustín empinó sus botines torcidos para darle un beso a Teresa. Le bajó una mano exploradora por la espalda hasta quedarse atado a su cintura, y, después de un ligero balanceo por la caminada, le deslizó la mano abierta, estirando las falanges al máximo para redondear la voluminosa curva de atrás. La mujer se liberó rápidamente con el antebrazo y sin protestar, en un movimiento que parecía ser habitual.

De aquella escena se desprendió fácilmente una continuación. Las manos turbulentas de Agustín, alentadas por un rechazo inconsistente y detenidas sólo después del roce inicial, en una suerte de maniobras incitantes de avance y retroceso. Nada costaba imaginarse, unas cuadras más abajo o pasando el puente, un hotelito discreto en una calle de geranios y silenciosas paredes de sillar, una habitación casi desnuda, la cama de sábanas percudidas, y el velador con sobrecitos rotos dentro del cajón. Lo demás fue casi un vuelo (movido por mi propio deseo y por la forma que tenía Mariana de sentarse reclinada sobre una pierna), una reconstrucción ritual mirando con los dedos el cuerpo de Teresa, torneándolo pedazo a pedazo de piel, sintiendo su olor inflamar el aire y bombear la sangre y levantando su sabor por la línea húmeda que cosquilleaba sobre la piel. Ese ligero hormigueo que fue girando hacia el ardor, y que a Teresa la hizo mirarlo por un instante con el regocijo de saberse no vista (por él que la buscaba gozoso por arriba), antes de ceder a la avidez largamente incubada durante noches solitarias de carencia y desamor. El vuelo se extendió hasta Mariana, hasta el sofá afelpado de la sala y su cuerpo ahogado por el mío, así de improviso, como imaginaba que aquel hombre que subía tenaz sin mirar el rostro tácitamente vedado; pero Mariana, con el pelo derramado sobre el brazo del sofá, se negó prevenida. Un espasmo del hombre como un atisbo que pudiera hacer creer que la felicidad se toca, y Mariana rechazó firmemente, postergándolo como otras veces, ahora para después de lo de Tina y Diego, para después como entonces iba siendo todo, lo mío y lo nuestro, cavando un foso alrededor de su castillo.

***

Para ser jóvenes, Tina y Diego eran dos hermanos almibarados, cálidos, pero con un brillo de segregación en la mirada. Nunca intervinieron entre Mariana y yo, pero a su llegada nuestra situación se deterioró. Naturalmente, el asunto habría estado bien si se hubiera planeado para cuatro. Pero no. Sólo ellos tres fueron a visitar el Molino de Sabandía, sólo ellos tres se bañaron en las piscinas de Tingo y fueron al baile de tercero de Enfermería juntos, sobre todo porque nos sentimos como hermanos, decía Mariana, porque entre cuatro, tú sabes, no se sentirían cómodos.

La furia la aplacaba con Cecilia. Hablábamos largamente y por lo general sobre películas (porque ahora Cecilia ya no iba a casa de Mariana por los encargos, sino a conversar directamente conmigo). Una tarde me contó una en la cual un tipo llegado del espacio, artillado de superpoderes, hacía miles de cosas buenas. Yo la había visto varias veces por lo que no me interesó, poco a poco, con la necesidad de olvidar el tiempo, la fui derivando hacia películas de terror que por entonces me empezaban a gustar. No tuve tiempo de enfocar alguna en especial y extenderme con tranquilidad, porque ella se levantó de improviso, y me dijo si me acordaba de una, aquella en un cementerio donde los muertos se levantaban de sus tumbas y caminaban así como ella lo estaba haciendo en ese momento; dando unos pasos rígidos como un robot y con las manos colgando de las muñecas. Hizo una enorme mueca desfigurándose el rostro y caminó retorciendo las piernas como tornillos, muy graciosa; y luego que se destrabó, porque ya no podía resistir más el cuerpo así, nos reímos cómplices hasta lagrimear. Fue tanto que salió mamá Peta alarmada (lo que nos cortó la risa de inmediato), y sin saber qué hacer, se comportó como una verdadera mamá Peta, preocupada porque le estaban conversando la pareja a la hija. Y para no quedarse callada, nos dijo fingiendo una súbita extrañeza, que en verdad era muy raro que se demoraran tanto esos chicos.

Hasta que una noche, pasadas las nueve, en medio de una conversación con Cecilia sobre una espectacular cacería de vampiros que pasaban en el Fénix, llegaron Mariana y los primos. Disculpándose ella porque después de la pelea de toros se animaron a comer una pizza en un rinconcito de la Plaza de Armas, y el tiempo, ¡qué barbaridad!, había pasado volando; habló cansada y con los ojos enormes llenos de cosas vistas. Y yo, sentado solitariamente en el sofá, mirándola rendida sobre uno de los brazos en el otro extremo, mientras los primos se iban para adentro y Cecilia se escurría tranquila hasta la puerta, pensé con envidia en Agustín, que todos los días imaginaba que se iba al encuentro definitivo con su mujer. No sé cuánto tiempo estuve así, pensando y contemplándola esbozar un resumen de la jornada. Lo que me hizo descubrirle un extraño tono en la voz, un inusual movimiento de labios, un temblor en las aletas de la nariz, un brillo distinto en los ojos; devolviéndome ajeno a una nueva Mariana que desprendía algo más que la habitual derrota por el cansancio. La miraba tan cerca, pero del otro lado de la vitrina, y entonces fue que me despedí, seguro de que no habría de volver por allí. Diciéndole en un exabrupto que las cosas terminaban, que a veces uno se confundía y creía lo que no era, se cegaba y no miraba el verdadero rostro, que era mejor así y que me iba para siempre. Ella me miró asombrada dándose cuenta de que la cosa iba en serio, pero luego se controló y sus ojos se contrajeron con determinación.

Por parte de ella, también se percibía la diferencia que no se quería. No hubo más que decir. Por la calle caminé aligerado, aunque la bola pesada de una desazón empezó a cerrarme la garganta.

Llegué a la esquina de Ayacucho ablandándome, vacilando y con indicios de volver atrás. A esa hora el tránsito comenzaba a ralear y los pocos peatones se refugiaban impacientes en las esquinas. Después de cruzar la calle, volvía la mirada hacia atrás, titubeando, y vi venir a la pareja.

Agustín se aferraba tenazmente de un brazo de Teresa, hablando acelerado y con la mirada extraviada en la pared. En la esquina lo vi llorar en silencio, resistiéndose a continuar por su cuenta. Entonces Teresa le desplegó el bastón y lo empujó del hombro obligándolo a seguir, y así lo hizo, pero regresó después de unos pasos y comenzó con una letanía intermitente. Ella intentó calmarlo, le habló serenamente, pero él movía la cabeza negando sin escuchar, y se volvió a prender, obstinado, del brazo de ella. La gente se detuvo a observarlos, por lo que Teresa lo condujo del brazo y caminaron calle arriba.

Los seguí. Antes de llegar a una nueva esquina se detuvieron. Con el cabello cubriéndole casi por completo el rostro, Teresa volvió a empujarlo; pero Agustín se resistió plantándose como si mirara el suelo y empezó desaforado a soltar un río de palabras incomprensibles. Teresa no le respondió, sólo atinó a empujarlo de un brazo y unos instantes después se retiró caminando como de puntillas. Más que solidaridad fue compasión lo que me impulsó a cruzar la calle y acercarme a Agustín (porque después de todo Mariana siempre había sido ella misma, con un foso alrededor de su castillo), para decirle neciamente que sabía cómo se sentía. Me callé en el acto, en un aturdimiento de suspenso. Y el hombre, volviendo el oído como una antena parabólica, me soltó un bastonazo en la espinilla remontándome a una brusca sensación anterior y de inmediato se marchó con el rostro endurecido.

***

Bosquejé algunas explicaciones para aquello que se perfilaba como un final sorprendente, pero entonces, alejado por mi fracaso personal y sin el calor de antes, gradualmente se me fueron esfumando. No regresé más donde Mariana y sólo nos vimos un par de veces confundidos entre la gente. Una vez desde la ventanilla de un ómnibus al paradero y otra a la salida de un hospital, acompañada, ella, de un grupo de estudiantes.

Volví a pasar por aquella esquina varios meses después, en que fui por Cecilia, para asistir, como era de imaginarse, al estreno de un drama medio dulzón que era el género al que habíamos derivado. Cecilia y yo volvimos a salir juntos otras veces, sosteniendo una relación que se extinguió sin haber nunca comenzado. Y en una de aquellas, bajando hacia el puente Grau, le señalé, yo mismo sorprendido, cómo Agustín doblaba impaciente la esquina, para encontrarse ahora, sonriendo alborozado, con una mujer gorda, de pies grandes y bigote espaciado.

(De *Barcos de arena*)

MEMORIAS DE LAURA

DIEGO TRELLES PAZ

Comenzaré diciendo que soy Laura y no Laurita, como me llama papá, y que este cuaderno *Loro* a rayas en el que escribo y que me ha costado sólo cincuenta céntimos, es mi diario. Claro que a mí también me gustaría tener uno de esos preciosos diarios que llevan en la portada una foto de Garfield junto al perrito ese al que se le cae la baba. Pero no. ¡Qué pensarían los del barrio si me ven con una de esas cojudecitas de colores que tienen las mocosas! Ni pensarlo, no quiero ni imaginar cómo me jodería el Gordo si supiera que voy a escribir sobre ellos y además me muero de roche. Por esa razón le he puesto en la tapa un *sticker* de la «U» que me regaló mi hermano José y si me preguntan, les digo que es mi cuaderno de inglés y ya.

Se supone que debo escribir aquí sobre el chico que me gusta. Eso es lo que le he visto hacer a Mili en el suyo. Mili es mi mejor amiga. Su papá es mi padrino y también es el representante de José en el fútbol. A José todos le dicen «Maravilla». Todos, menos yo: para mí es José y punto. Cuando la «U» gana, los del barrio vienen a casa a celebrar y mi papá se queda hasta tarde con mi padrino Augusto y con mi mami que siempre termina borracha sentada sobre el sofá. Mi hermano apenas se queda un rato. Aunque Luciano, Guajira, el Chato, el cholo Julio y el Mango, que son los únicos de la «U» por aquí, le piden siempre que se quede a tomar, él prefiere irse a dormir y así es mejor porque José ya no toma como antes, como cuando vivíamos en Trujillo (ahí lo hacía siempre, igual que papá y mamá que hasta ahora no paran). Pero José ya no es como ellos. Ni bien el Manucci lo contrató dejó de tomar, y ahora tampoco puede porque es famoso: si lo ven tomando lo sacan del club y ahí sí que nos jodimos porque nos quedamos repobres. Pero ya me dio mucha lata hablar tanto de ellos... Bueno, ¿en qué estaba? Ah, sí, de Mili que tiene su diario también y cuando se queda a dormir lo trae y en las noches antes de acostarse, la muy huevona se pone a escribir lo mismo de todos los días. Siempre trata a su diario de «querido», lo cual me parece cojudísimo, y cuando se queda dormida me pongo a leer todo lo que puso en el día. Por eso sé que cuando niega lo que siente por Luciano, miente. Y también por eso, me han dado ganas de tener un diario. Para mentir igual.

Me he dado cuenta de que no he puesto la fecha en esta primera hoja. No sé tampoco qué día es hoy pero estamos en verano y ya tengo quince. Mañana me voy a ir a la playa con todos pero no voy a fumar. La próxima vez que escriba no voy a olvidarme del día.

Febrero 12

¡Sí fumé! ¡Ja! Pero lo hice sólo para molestar al Chato... ¡y el muy maldito me arrochó! Lo cual me llega porque pensé que le gustaba. Es decir, sé que le gusto porque Mili me lo ha dicho y siempre que hace algo, todos lo molestan conmigo y él se pone rojísimo y tartamudea como que «no». ¡Ja! No habré visto cómo me mira, como si tuviera pena de no atreverse a decírmelo. Si me lo dice, voy a chotearlo a propósito para vengarme de lo de la playa (que ni piense que esto se va a quedar así). Claro que no es que no me guste. Admito que Mango es más churro pero no sé cuál de los dos me gusta más. Luciano también es simpático pero se jura el gran pendejo, al que le liga con todas. Me lo agarraría sólo para molestarla a Mili (no sé por qué si no me ha hecho nada). A veces me siento una mierdita con ella, aunque la verdad no me importa mucho. Mili me lo perdonaría todo.

Febrero 15

Qué locura enamorarme yo, de tiiii...Qué locura fue fijarme justo, en tiiii...Y mi voz tiene tu nombre, enredado en mis temores... Esta canción de Eddie Santiago me encanta. El que mejor la baila es el negro Raymond. Me di cuenta de eso en mi fiesta que gracias a José salió maldita. El vestido que me regaló me quedaba lindo. ¡Qué bueno es mi hermano! todas las demás me miraban con una envidia y de lejos fui la más bonita, incluso mejor que la piraña esa huachafita asquerosa de la Beatriz que no sé quién la invitó pero ahí estaba ella, coladasa la muy víbora y detrás de José, dándole para que tome... ¡Ajjj, cada vez que me acuerdo! Como si no supiera que está ahí la pendeja sólo porque mi hermano está en la «U» y ni que decir de las rucasas esas de Echenique que se vinieron y un poco más y se tiraban a todo el equipo. De lo peor. Pero, bueno, ya no me importa porque igualito me divertí y estuve bailando con Mango y el Chato, que se peleaban por sacarme, y para molestarlos yo bailaba con el negro que para qué baila mostro.

Mili me ha dicho que Eddie Santiago va a venir a tocar al Bertolotto. Si viene, voy. El Cadete me ha dicho que es un coquero, que lo escuchó cantando en La Feria del Hogar y la voz se le iba porque estaba recontra duro pero yo no le creo, Guajira es súper exagerado... aunque de repente es cierto, pero no me importa, igual voy a ir. Los que sí se han vuelto unos coqueros son todos los del barrio y creen que una no se da cuenta. El Dogo por ejemplo se ha vuelto un malogrado, se puso toda la fiesta a jalar en mi baño y mi tía Yola se dio cuenta y lo botó. Pero mi papá, que para variar estaba ebrio, lo dejó entrar de nuevo... ¡Ay mi papá! Siempre es así, buena gente cuando chupa. Mientras no le quiten el trago, no se amarga nunca. Si mi mamá fuera así, el José no la andaría gritoneando y escondiéndole el trago.

Yo no pienso jalar. Fumar sí. El negro Raymond ya me enseñó a rolear y hasta sé hacerlo cuando no hay papel, con un cigarro. El día de mi santo le rompieron la boca al Chato pero no lo vi volado. Yo quise rompérsela a Mili pero no le dio la gana y se molestó conmigo. Ya no me habla y por eso tampoco viene. El que nunca falta, aunque mi hermano se fue con el equipo a Arequipa, es mi padrino Augusto. Se queda tomando con mamá hasta que se queda dormida en el sofá. Luego él también se duerme ahí. Mi papá, si no está con ellos y vuelve luego, los encuentra y no dice nada. Se echa a dormir a donde caiga. Así es él. No se amarga nunca.

Febrero 20

¡Lo logré! ¡Mili fumó! Dice que no sintió nada y que le parece una sonsera pero lo sigue haciendo. Lo único malo es que cuando todos fumamos empiezan a vacilarla feo. El Gordo le dice mostra y todos se ríen. Yo misma me río de puro estonaza que estoy. Y es que le ponen unos apodos que no aguanto, se me sale la pichi de la risa. Luego me da pena. Algunas veces la he escuchado llorar de noche, pero por las mañanas hace así como si nada, como si una no se diera cuenta. Ya me confesó que le gusta mucho Luciano y que por él haría cualquier cosa. Yo me hice la que no sabía y no se lo he dicho, pero ayer le pregunté a él lo que pensaba de Mili y me dijo que le parecía horrible y que no se la agarraría ni duro porque no se agarraba serranas. ¡Qué imbécil! Reconozco que Mili es feíta, pero no es justo lo que le hacen. La próxima vez que la jodan voy a molestarme en serio. Ya no pienso agarrarme a Luciano. Nunca.

Marzo 1

Ayer fui a ver a Eddie Santiago con Mili. Guajira tenía razón, no canta igual que en el disco y además... ¡estaba durísimo! Tenía unas muecas horribles y cada dos segundos tomaba agua. Mejor no hubiera ido, menos mal que no pagamos. La noche fue rara. Fueron todos menos el Chato y eso me jode porque ahora se las está dando de indiferente conmigo. Igual me llega. Estuve bailando toda la noche con Mango, que es tan lindo, y al final dejé que me besara un poquito (cuando te enteres, Chato, ¡cómo te va a arder!). Mili ha cambiado mucho desde la vez que fumamos y eso no me gusta. Anoche salimos un rato del Bertolotto con el Raymond y el negro pendejo nos ofreció tiros. Yo no quise, Mili jaló. Y no una sino como cuatro veces que su cara se iba deformando y ya un poco más y se parecía a la de Eddie Santiago cuando estaba cantando. Qué tan dura se habrá puesto que terminó agarrándose a un pata de Pando que estaba más feo que ella y no quiso regresarse conmigo cuando se lo pedí. Incluso la muy cojuda me llamó cobarde por no haber jalado. Me las va a pagar. Ya verá...

Marzo 15

O sea que la pendeja muerta de hambre cree que va a venirse a meter en mi familia contándole cojudeces a la gente sólo porque el José se la tira. ¡Pobre de ella si piensa que mi hermano va a atracar con esas de que está en bola! ¡Cuántos infelices se habrá montado la víbora y cree que la gente no se acuerda de sus andadas en el Crazy, seguro le sale marrón el bastardito ese! ¡No lo voy a permitir, hermanito! Te lo juro que la piraña no nos la hace y todo flaco y ojeroso que andas ahora por su culpa, y ya y poco te quitan el puesto que cuidado te sientan en la banca de nuevo José. ¡Cuidado! Y si es tuyo pues que se joda por perra, que ya me han contado los del barrio que el Tiroloco, ese gringo pastelero de la Begoya, también se la andaba tirando. La muy mugrienta. Pero no te lo voy a decir, José. Aún no. Ya verás cómo todo se soluciona. Si no, le pego.

Marzo 22

¡Qué días para asquerosos fueron los de este verano! El colegio empezó, todo me sale mal. No voy a escribir nada sobre mi hermano porque ya no tengo. Allá él si quiere cagarse la vida con esa pendeja. Total, a nadie le importa en esta casa. Lo único que despierta a esos dos zánganos es el trago. Me enferman. Y el barrio ni que decir. ¡Mili se ha vuelto una ruca de lo peor y para colmo apoya a la Beatriz (si será hipócrita la maldita)! Ya no voy a parar con ella. Goyito, que es un amor de gente y, aunque es hombre, no lo parece y además le gusta mucho cuando le digo que se le ve regia usando mi ropa, me ha contado que medio barrio se la ha tirado y bien que se lo tiene merecido. Me dijo que el primero fue el hipócrita de Luciano y que después fue el Gordo, su primo. También me contó una cosa que no puedo creer porque es una asquerosidad. Que una vez, en el último piso de la quinta del Dogo, en uno de los baños de triplay esos horribles, ¡se la tiraron entre los tres! Pobrecita. Pobre de mi padrino Augusto si se enterara. Al menos eso cuentan ellos y Goyito lo sabe porque anda ahí, como una loquita cada vez que Guajira llega de la escuela militar. No le importa que abusen de él, que le peguen, que lo traten mal. Si Guajira sale, él sale. Dice que se han hecho amigos, que cuando no están los demás lo trata bien y le da consejos para que se defienda. Me da pena Goyito, ¡venirse a enamorar del Cadete! A mí no me importa que sea maricón, al contrario, yo le cuento todo y él me aconseja mejor de lo que lo hacía la Mili. Me ha dicho por ejemplo que sabe que el Chato todavía se muere por mí, que se le nota. Estoy confundida porque pareciera como que me ignora. Y el Mango... ¡A veces ni me mira el maldito! ¿Será que ya no eres bella, Laura? ¿Será que ya no les gustas?...

Mayo 5

Voy a escribir porque estoy triste y además porque no tengo otra cosa que hacer. La «U» perdió otra vez y José ya no juega. Si se queda sin trabajo seguro que voy a tener que buscar uno. Lo he visto deprimido porque en un diario, así grandote, pusieron: «Maravilla Lescano es fumón»... ¿¡Fumón!? Mi hermano no es fumón, si lo fuera yo lo hubiera sacado hace rato. Mi padrino le dijo que iba a demandarlos pero lo hizo borracho y mi mamá, que para variar estaba reebria, comenzó a decirle fracasado. ¡Cómo la detesto a veces! Lo curioso es que no me siento mal por hacerlo. Cuando vivíamos en Trujillo una vez le dije puta y me hizo comer ají. Estaba chiquita y, para no darle gusto, me lo comí sonriéndole. Cuando ya no me veía, me puse a llorar. No sé si alguna otra vez he llorado por su culpa. Creo que fue la última.

Mayo 10

Mañana es el santo de Guajira. Todos los malogrados van a ir y de seguro que el Chato también. Últimamente está viniendo a verme. Parece que ya se le fue la cólera por lo del Mango. Lo malo es que está medio raro, parece que se le ha dado por leer o algo así y ahora me habla en difícil y ¡hasta me trae unos papelitos con versos! El otro día me prestó un libro de cuentos de un tal Bryce Echenique, pero yo se lo devolví bien rápido porque leer me aburre. Aunque uno de los cuentos se parecía a este diario y ese fue el único que leí. Yo nunca he ido al Country Club, por cierto; pero el chico del cuento, Manolo creo, se moría por una chica que conoció ahí y le cayó de lo más lindo. El chico que me caiga así, poniéndose debajo mío o arrodillándose como si fuera su reina, me va a tener. Claro que si mañana me cae el Chato, así se tire de cabeza, voy a decirle que no, sólo para molestarlo. Pero si me cae el Mango...

Mayo 11

Hoy es la fiesta de Guajira y Goyito le ha comprado una billetera. Dice que es su oportunidad, que va a decírselo pase lo que pase. Pobrecito. Espero que no ocurra nada...

***

La coca se terminó y, a esas horas de la madrugada, el único que puede abastecer al contingente es Quimper. Para nadie es un secreto que la cocaína más adulterada de Magdalena la vende el ex policía. Las botellas y los hombres yacen en desorden sobre el jol de la casa de Guajira y, si Goyito no se hubiera ofrecido a poner los cinco soles, nadie podría seguir jalando. Dado el silencio, el trabajo se distribuye tácitamente, en dos grupos. El Dogo silbaría bajo el balcón de Quimper; y el resto, incluida Mili con la pequeña suma de dinero reunida, se encargaría del combinado de Pomalca con Coca-Cola.

Sobre el mueble y de bruces, Guajira descansa la borrachera con el polo humedecido por su vómito. El cassette de Hombres G, que Laurita ha olvidado antes de desaparecer de la fiesta con Mango, sigue dando vueltas y Goyito no tarda en encontrar *Un par de palabras,* la única canción que inevitablemente lo remite al Cadete quien ahora yace inconsciente. Es pues él, inmerso en esa casa de mitad de cuadra que había observado durante tantos insomnios desde su propio cuarto. ¿Cuántas veces se imaginó adentro? ¿Por cuánto tiempo ansió tener al amado dócil e indefenso como ahora? Observa con detenimiento la dureza tallada de sus rasgos: la curvatura saliente y angulosa de sus pómulos, el grosor de sus labios, su cabeza rapada y aún menos marrón que su piel. Sí pues, no había duda, serranos y rudos, así le gustaban.

Antes de voltearlo y presumiendo que el tiempo es escaso, se asegura de cerrar las cortinas. De los cajones de su cuarto, extrae un polo verde con motivos militares y lo coloca sobre el suelo mientras se acomoda de rodillas frente a él. No siente asco cuando su antebrazo derecho hace contacto con el líquido viscoso que se va desprendiendo de su polo. Con una toalla va limpiando lentamente el torso desnudo de Guajira que apenas exhala haciendo un leve ruido. Se detiene. Con la yema de los dedos se atreve a tocar la punta de una de sus tetillas y, al ver que la única respuesta del Cadete es un gemido, el cual no vacila en interpretar como evidente signo de excitación, resuelve seguir bajando como por un camino que lo conduzca hasta el fin. El muerto abre los ojos. Las manos de Goyito, que habían manipulado su cierre y estaban en el proceso de desabrocharle el botón, se detienen y manifiestan su pánico con un temblor apenas perceptible. Lo mira. La certeza de un golpe impide las disculpas. Contrario a sus predicciones, el Cadete calla. Mira asombrado pero no del todo disconforme y hasta parece alentarlo con la mirada a que prosiga. Goyito no atina a moverse, no dice nada. El miedo trabaja para él como un aliciente perverso que le impide el retroceso. Cuando una de las manos de Guajira toma la suya y la coloca sobre su vientre, Goyito siente discurrir su libido sin abyección ni culpa. Una fuerza inconcebible hace que los pantalones de Guajira bajen hasta la rodilla y, del mismo modo, su calzoncillo guinda. El miembro nervudo y excitado del Cadete recibe la delicadeza de una mano pequeña que se mantendría inmaculada, de no ser por uno que otro toqueteo previo con un amigo de familia.

El gemido quejumbroso de Guajira alerta al Dogo, que regresaba con éxito de la misión con Quimper y había resuelto aplicarse un par de tiros antes de ingresar. El moreno asoma la cabeza por uno de los ventanales que no llevan cortina, cuando Goyito ya había introducido en su boca la verga de Guajira y subía y bajaba en un vaivén lento mientras este le iba cogiendo de los cabellos. Tiene que morderse los labios para no reír y, aunque su estado de dureza no debería permitirlo, se excita observándolos. El Cadete empieza a balbucear frases ininteligibles, tiene los ojos cerrados. Antes que interrumpirlos, el Dogo decide inhalar y, oculto, sólo observa.

Shhp... shhp... shhp... Hasta abajo... Todo, todo... *shhp... shhp...* ¡Cabro pendejo eres!, ¿no?... Borracho me agarras, y arrecho... *shhp...* Esto sólo lo haría contigo, Guajira, no sabes... ¡Chupa, carajo! ¡No hables!... *shhp... shhp...* Cabro conchatumadre, carajo... *shhp... shhp...* Me vienes con billeteras y terminas así... *¡cof! ¡cof!...* Ya te atoraste ¿ah? conchatu... ¡Tú quieres que sea como tú! ¿ah?... ¡No... no!... Eso quieres, so mierda, eso quieres... No, en verdad no... ¡Mentiroso!... ¿Quieres que pare? Ya no quiero... ¡Cállate carajo! ¡Chupa! ¿No querías chupar? ¡Ahora chupa pues, pendejo, y atórate por rosquete!... *shhp... shhp...* Conchatumadre ahí... *shhp...* ¡Ya vas a ver! Cuando termines... Guajira, mejor me voy... ¡Chupa o te pego mierda! ¡Chupa!... *shhp... shhp...* Así... así... así... *shhp...* Así... todo... sigue, sigue... *shhp...*

Impávido, a través del ventanal, observa el Dogo el acto sin asomo de arrepentimiento. Se diría que en algún momento pensó en entrar, pero hay algo que lo mantiene adherido a ese recoveco oscuro por donde espía, una incierta fascinación que no cuestiona y en la que sólo puede reparar observando. Quizá sea esa extraña mezcolanza de colores lo que logra cautivarlo, el roce de dos cuerpos distintos que se violentan en sumo acuerdo. O quizá no, quizá sólo esa curiosidad interior que le hace preguntarse el por qué no puede compartir con ellos el mismo trámite. ¿Qué le impide entrar en todo caso? La excitación no cede pero acaso, sólo desde detrás del ventanal, podrá mantenerla. Unos pasos lo alertan, la figura tambaleante del Gordo asoma lentamente. Sus muecas, en plena oscuridad, son más perceptibles que toda su enorme cara. Cuando llega, intenta pedirle tiros al Dogo sin advertir lo que ocurre.

No puede gritar porque la mandíbula se le va de costado, pero apenas divisa la escena, su cuerpo oscilante atraviesa la puerta a trompicones. «¡Maricón de mierda! ¡Te cagaste!» Goyito no alcanza a voltear la cabeza, el primero de los golpes que recibe, a la altura de la sien, es tan violento que hasta su grito de dolor se eclipsa. Guajira intenta levantarse, el pantalón que tiene hasta las rodillas contribuye a que se tropiece solo y caiga. El Dogo intenta detener al Gordo cuando el grupo encargado del licor, que había escuchado los gritos desde la esquina, entra a toda prisa sin prever que la gresca se libra entre sus propios amigos. El Chato queda afuera.

—¡Te vamos a matar por pendejo!

—¡Qué pasa, Gordo, suéltalo! ¡Por qué chucha le pegas, estás loco!

—¡El cabro conchasumadre le estaba chupando la pinga!

—¿A Guajira?

—¡Sí, carajo, sí!

—¡Rosquete de mierda! —golpea Luciano—. ¡Así son los maricones! ¡Vamos a exterminarlos, carajo!

—Aaay... ¡auxilio!... Aaaay...

—¡Déjalo, mierda! ¡No seas abusivo!

—¡Tú cállate, Mili! ¡Llévense a esta puta de acá!

—¡Te cagaste, Gordo! ¡Le voy a decir al cholo que te saque tu mierda!

—¡Suéltenlo, oe!... ¡Suéltalo, carajo! ¿No ves que está hasta el culo?

—¡Me ha faltado el desgraciado! ¡Saca mi pistola, Luciano! ¡Voy a matar al rosquete!

—*¡Negro, agárralo al Gordo, carajo! ¡Tranquilo, Guajira! ¡Ya párala pues cuñao, por favor, párala!...*

—¡Llévatelo, llévatelo, Dogo, que lo matan!

—Que se lo lleve otro huevón, el Dogo tiene los falsos, no sale ni cagando...

—Ya pasó barrio, vamos a chupar. A chupar.

—Sí, sí, ya pasó, ¡salud, carajo!, ¡salud!

—¡Salud!

***

En una de las bastas de su pantalón de corduroy, el Dogo tiene escondido uno de los dos falsos de cocaína que ha robado al grupo. El herido no puede caminar pero él lo sostiene apoyando su antebrazo alrededor del cuello. La calle está vacía. Goyito bota sangre por la nariz y solloza en silencio. El Dogo tiene presente la imagen del herido momentos antes del ingreso del Gordo. Se ríe solo. Sabe lo que ha ocurrido pero no piensa aclararlo. Goyito tampoco se lo exige. Lo deja sembrado en la puerta de su casa y da tres golpes fuertes a la puerta antes de partir corriendo. A media cuadra de la fiesta decide abrir el falso y está buscando una tarjeta cuando lo divisa a una distancia media. El Chato está sentado en el escalón que precede la entrada a la quinta del Gordo, tiene ambas manos tapando su vista y una botella de cerveza a medio llenar entre los pies. Mira el suelo. «Parece como si estuviera llorando», piensa el Dogo. Antes de introducir el polvo en su nariz recuerda que, hacía un par de horas, Laurita y el Mango habían partido de la fiesta en esa misma dirección.

Mayo 12

Me siento extraña. Sucedieron tantas cosas en una sola noche que me falta cabeza para pensar en todo. Me gustaría no hacerlo. Pero, ¿cómo? Estoy confundida y me siento una mierda con el Chato y también conmigo. No debiste jalar, Laura. No debiste desaparecer de la fiesta. ¡No debiste dejar solo a Goyito! Lo he ido a buscar tres veces y no ha querido salir. Seguro le han pegado esos abusivos. Nadie se atreve a contarme, Mili no me habla... ¡Ajjj! ¡Qué mal me siento! ¿Qué pensará el Chato ahora de mí? ¿Qué pensará el Mango después de lo de anoche?... Laura Lescano, ¡qué perra eres! ¿Qué vas hacer cuando los veas?... No vas a salir nunca más de tu casa. Tampoco vas a volver a jalar. Si sigues así, te vas a volver una ruca y todos te van a llamar Mili.

Mayo 15

Suficiente. Tres días encerrada ha sido mucho castigo y además no he fumado nada. Voy a volverme loca si no salgo. Si me dicen algo, voy a hacerme la cojuda. Total, si el Chato quiere resentirse, allá él, y si el Mango les ha dicho algo y no piensa caerme, no me lo agarro más (¿o sí?). Lo que me da roche es que no me acuerdo de mucho. Sé lo que hizo y también sé que me gustó que lo haga... Pero de lo otro que me pidió... No sé, tengo miedo que me duela... Mili me dijo hace tiempo que sólo duele al comienzo y que no sale mucha sangre. Sé que no lo va a hacer, pero si el Mango me cae y me lo pide, lo pensaría un poco. Total ya tengo quince. Pero no me va a caer...

Junio 4

Desde que estoy con Mango he descuidado un poco este diario. No he escrito por ejemplo cómo me cayó. No fue como lo hubiera esperado pero, al fin y al cabo, lo hizo y eso es lo importante. El Chato me cayó más bonito y además lo hizo antes. Pero le dije no y qué pena me dio porque contuvo las lágrimas hasta que me fui. Hubiera sido horrible verlo llorar. Me dijo algo que no he olvidado, algo así como que lo más espantoso del mundo es cuando la persona que adoras te dice que te quiere sólo como a un amigo. Yo nunca he adorado a nadie, pero me gusta estar con Mango aunque a veces es un poco egoísta. A veces me da por pensar que está conmigo sólo para molestar al Chato. Ellos siempre compiten en todo. Pero soy un poco tonta por hacerlo, sé cuánto me quiere. No le he contado a nadie en mi casa que estoy con enamorado. Se lo diría a mi hermano, pero quieren sacarlo de la «U» con todas las estupideces que ponen los diarios y está muy deprimido. Además, desde que la pendeja de Beatriz vive acá, no le hablo mucho y ya va a nacer Renzito, su hijo. No me importa si mi mamá lo sabe. En realidad, no me importa nada de ella. Ni siquiera si se va con mi padrino Augusto y ya no vuelve.

Julio 1

Lo despidieron. Dice que ya no va a jugar más y se pasa el día discutiendo con mi mamá y durmiendo. Ha vuelto a tomar también. Estoy muy triste. No aguanto lo de José, me da mucha rabia lo que le han hecho. Mi padrino le ha dicho que hay otros equipos, que la «U» no lo es todo. Pero yo sé que no va a volver, que es el fin. Si sigue tumbado en el sofá, pronto voy a tener que salir a buscar trabajo para ayudar en casa. No me gustaría que mi hermano se entere. Ahora que Goyito ya no sale y que el Chato se ha alejado del barrio, creo que no voy a extrañar mucho a nadie. Espero nomás que me quede un poco de tiempo para ver a Mango por las noches. Desde que me lo pidió y aguarda por mi respuesta, son las noches lo que más espero.

[De *Hudson el redentor (y otros relatos edificantes sobre el fracaso)*]

BOYFRIEND

SANTIAGO VAQUERA-VÁSQUEZ

Dos noches seguidas y Alina no ha apagado la luz de su habitación. Sé que no puede dormir por lo que pasó. La imagino caminando por su habitación, pasando de un lado a otro, a veces mirando por la ventana hacia la calle. No fuma, pero la imagino con un cigarrillo en la mano, fumando fumando. Ella espera. Sale a la cocina, busca algo para comer aunque no se le antoja nada. Camina y espera. Sé que no duerme porque yo tampoco. He salido las últimas noches para transitar por el vecindario. Cuando paso por su apartamento, veo que tiene la luz prendida. Espera que Julián regrese o que yo le toque la puerta.

Sé que se lo dijo. Estábamos en el parque del vecindario. No estaba contenta. Exigió que nos regresáramos juntos a mi apartamento. Me negué. Quería terminar la relación. No me sentía a gusto con nuestra relación. Habíamos pasado un par de meses juntos y yo ya no quería. Se enojó mucho. Me dijo que le había dicho a Julián.

Pero no le dijo con quién.

En una relación entre maridos nunca quise ser el tercero. Nunca quise ser el Boyfriend de una casada. Nunca quise tener una relación a escondidas, besos furtivos en los parques, cenas en lugares donde no nos conocían, citas en hoteles baratos, el sentimiento de culpabilidad. Nunca quise vivir con la paranoia de que me estaban vigilando.

Estoy acostado en la sala. Las cortinas cerradas. Miro hacia el techo. Tiene flequitos brillantes mezclados entre el estuco. Parecen estrellas. De niños mi hermana y yo nos pasábamos horas en el techo de la casa, mirando las estrellas. Buscábamos las *shooting stars*. Viviendo en el campo podíamos ver muchas. Ciertas noches hasta veíamos los satélites. Ella se ríe cuando le hablo de esa memoria. Mamá en la cocina, esperando que bajáramos del techo.

Empecé a pensar en Marisa, mi ex mujer. Cuando nos conocimos podríamos pasar horas y horas hablando de música o de cualquier tontería que se nos ocurría. Música. Siempre había música. Café Tacuba. The Cure. Cornelio Reyna. New Order. Abba. Pixies. Leonard Cohen. Santana. La música que escuchábamos. Ella y yo, armando nuestro *soundtrack*. Así era con Marisa, una facilidad entre nosotros dos. Conectábamos. Pensaba en llamarle, pero no sabía qué le diría.

Incluso después había un enlace entre Marisa y yo. Hablábamos de tener un bebé, de comprar una casa más grande, de planear un futuro juntos. Pero se fue. Ella lo dejó todo. No fue porque tenía Boyfriend. Eso había pasado antes, casi al principio de nuestro matrimonio. No me lo quiso decir, pero yo sabía. Se le notaba en la manera que hablaba. Los dos se vieron un par de meses. Creo que ella fue quien terminó. Así de rápido, un día estaba él y otro día no. La perdoné, aunque quizá no lo debería haber hecho ya que al final lo tomó como una evidencia más de que no tenía ningún interés por ella.

Forever, me dijo cuando nos casamos. No sabíamos que *forever* era un término muy largo.

Después de Boyfriend se volvió como antes conmigo. Pero a los dos años se fue. Esta vez no por un novio. Se dio cuenta de que no quería estar casada. Y se fue.

Los cuatro habíamos sido grandes amigos. Íbamos al cine, a cenar, de compras. Julián y yo nos quedaríamos en el balcón tomando cervezas mientras que Alina y Marisa se sentaban en la mesa del comedor, hablando de varias cosas.

Más bien era amigo de Alina, a quien conocí en la escuela donde trabajábamos. Ella daba cursos de composición —descomposición, me dijo la primera vez que la conocí en el Teacher's Lounge—. Yo dirigía el club de fotografía. Había trabajado unos años en una compañía de *software,* pero las horas largas me habían llevado al insomnio y a la terapia. Marisa casi no me aguantaba en esa época. Estaba con Boyfriend. Para salvar mi cordura, dejé la industria y decidí volverme maestro. El *stress level* no era tan alto como en la compañía y tuve suerte de caer en una escuela privada donde terminé como director de un pequeño centro de computación. Necesitaban también un director del club de fotografía.

Como siempre había tenido interés me ofrecieron el puesto. Marisa siempre se quejaba de lo que gastaba en equipo fotográfico, me decía que como no era profesional no podría justificar los gastos. Cuando le comenté que iba a dar clases de fotografía en la escuela, no sabía qué decir. Ni mi hermana, que sí era fotógrafa profesional.

Después de recibir el puesto, fui directamente a ella para que me diera un curso intensivo.

Al segundo día como maestro conocí a Alina en el Teacher's Lounge, el refugio para los maestros. Cuando era joven siempre tenía interés en lo que pasaba en el Lounge. Me imaginaba a los maestros fumando como locos, jugando billares o metidos en intensos partidos de póquer. No sé por qué pensaba que el Lounge sería como una taberna. Cuando entré, me quedé un poco decepcionado. Para una escuela supuestamente adinerada, el Lounge no era gran cosa. Parecía más bien una improvisación de la administración. Como que al construir la escuela se dieron cuenta de que no había ningún lugar de reunión para los maestros y decidieron convertir un rincón olvidado con muebles reciclados de otros salones. Una mesa destinada para una clase de *kinder* servía como mesa central; una vitrina para una clase de biología terminó como estantería; un fichero de la biblioteca sirvió para almacenar lápices y otros objetos pequeños, como paquetes de azúcar y de café. Alina estaba sentada en un sillón hojeando una revista. Cuando me miró por primera vez alzó la ceja. Como leyendo mis pensamientos, me dijo, *Yes, this is* el fabuloso Teacher's Lounge.

No llegué a conocer a Boyfriend. Creo que viajaba mucho. A veces recibíamos tarjetas postales de varios lugares del mundo en las que sólo venía nuestra dirección y nada más. Ni estaban dirigidas a nadie. La primera que llegó fue un día en que yo estaba trabajando en casa. Bajé al buzón y encontré la tarjeta. Cuando regresó Marisa le comenté de la tarjeta rara que recibimos, una postal de Brasil. Ella lo miró y casi no podía contener su emoción. No me dijo nada y salió de la cocina. Llegaron varias más, no estoy seguro cuántas, ya que las otras siempre las encontraba metidas en algún sitio. Luego estaban las llamadas que contestaba y no se oía nada. Después de un rato colgaban. En esa época Marisa viajaba mucho también. Decía que era por lo de su trabajo

A veces en el trabajo me ponía a reír de lo estereotípico de ellos. Las llamadas, las tarjetas postales, los viajes de ella. Sentía que estaba viviendo una *really bad movie*. Al mismo tiempo encontraba que no podía dormir.

Después de unos meses se terminó la historia de Boyfriend. No sé cómo, ni por qué: sólo que Marisa empezó a hablarme como antes. Nunca me pidió disculpa, ni yo se la pedía. Vivíamos los dos como si nada hubiera pasado. Meses después, dejé mi trabajo y me volví maestro.

Cuando Alina y yo nos hicimos amigos, Marisa se burlaba acusándome de tener una *girlfriend.* Nos reíamos de ese chiste. Casi siempre me lo decía antes de que fuéramos a la casa de ellos. Me amenazaba con decírselo a Julián o me decía que la tenía en su lista de posibles obstáculos para nuestra felicidad.

Nunca le dije a nadie de Boyfriend. Ni a mi hermana que le cuento todo. Ni lo hice por la vergüenza de que me habían puesto los cuernos. Simplemente no le daba mucho pensamiento a eso, el episodio fue en el pasado y no me daban ganas de revivirlo. Según todos, Marisa y yo teníamos un matrimonio perfecto. *A typical, and autoctonous brown couple* en California. Hacíamos buena pareja y cuando estábamos en cenas con colegas, siempre dábamos la impresión de estabilidad. Después de las funciones, diría algún chiste bobo y ella haría una mueca. Era un juego perfecto.

Lo único fue que yo me lo creía también.

Ya la conozco, le diría a Julián. Espero su salida de su apartamento, caminar hacia mi edificio y tocar a la puerta. Me va a meter una madriza y no me voy a defender.

La primera vez que lo hicimos fue en un hotel de San Diego. Estábamos en un encuentro nacional de maestros. No quería ir, no quería pasar cuatro días con maestros de diferentes escuelas. Me parecía la cosa más aburrida. La directora de la escuela me obligó a ir con Alina como representantes de nuestra comunidad escolar. Lo único que me interesaba era la posibilidad de turistear por San Diego y luego cruzar la línea para perderme un rato en Tijuana. La tercera noche fuimos Alina y yo con unos maestros a un restaurante italiano en el Gas Lamp Quarter. La cena estuvo bien, me pasé la noche contando anécdotas de mis experiencias como programador de *software.* También estuve ligando a la mesera, una tal Bonnie. Cuando me paré para ir al baño, me pasó su número de teléfono y su hora de salida.

Encaminé a Alina a su hotel. Para ahorrarme un poco del dinero que me había dado la escuela, me quedé en un Comfort Inn barato. No sé si fue por los tragos o por la atención que había recibido de la mesera, pero sentía una euforia rara. En el camino le comentaba a Alina de la mesera, le preguntaba qué debería hacer, si regresar al restaurante cuando saliera o llamarle más tarde. Supongo que por las bebidas me sentía más animado, jamás me había aventado a ligarme a alguien de una manera tan obvia. Me sentía eléctrico. Ella no me decía nada, sólo me escuchaba en mi *flow*.

Al llegar a su puerta, me invitó a pasar. Había decidido regresar al restaurante para encontrarme con Bonnie, pero todavía faltaba un rato para que saliera. Entré a la habitación. Alina cerró la puerta detrás de ella, cuando me di vuelta para verla, se me acercó y me abrazó. *I'm drunk*. Y tú también, me dijo. La tuve en mis brazos y le miré los ojos. Vi cómo se acercaban, cómo se cerraban. Me dio un beso y me susurró, Tú no necesitas a esa. No le regresé el beso y me aparté. La detuve pero seguía acercándose mientras empezó a quitarse el vestido.

Caímos en la cama. Después empezó a llorar y se encerró en el baño. Me salí de la habitación y me fui a buscar un bar.

No sabía que ella y Julián estaban teniendo problemas. Él estaba muy metido en su trabajo, había dejado de tocarla y casi nunca hablaban. Le decía que no tenía nada de qué quejarse. Ella pasaba las noches esperándolo en cama, pero él lo pasaba frente a su computadora, trabajando hasta la madrugada. Las noches en que llegaba temprano a la cama, se quejaba de estar demasiado cansado. Esto me lo dijo después de que me había montado en el *faculty bathroom*.

Fue terrible cuando se fue Marisa. Alina y Julián pasaron mucho tiempo conmigo, me sacaban al cine, o me invitaban a cenar. No querían que me quedara solo en casa. Al principio aceptaba sus invitaciones pero después de unas semanas inventé la excusa de que tenía mucho trabajo en casa. Empecé el largo proceso de encerrarme. Dejé de dormir otra vez, pasaba horas enfrente de la tele, o sentado en la mesa del comedor, o caminando por las calles. Siempre intentaba disimular que todo estuviera bien durante mis clases. Durante la semana siempre me cuidaba la apariencia, pero los fines de semana dejaba de afeitarme y ducharme.

A los dos meses de no oír de mí, mi hermana vino a buscarme. Estaba preocupada, sabía que la estaba pasando mal cuando me escondía del mundo, entraba al internet y no lo dejaba hasta horas después. Me decía, Te vas a quedar bizco, *boy*. La humanidad es la soledad, me dijo. Quedarnos solos es ponerte frente al abismo, marearte, conocerte. Mi hermana estaba intentando consolarme pero me deprimía más.

Después de esa primera vez, Alina regresó en tren a casa y yo me quedé en San Diego, con el pretexto de que iba a pasar unos días con unos amigos en Tijuana.

Dos semanas después me pidió un aventón porque su carro estaba en el mecánico. En el camino me dijo que quería que fuéramos a mi apartamento, para pasar un rato. Le dije que no. El día siguiente era sábado, al mediodía estaba tocando mi puerta. Me dijo que me había traído algo para comer. Cuando entró a la casa abrió la gabardina que llevaba puesta, no llevaba ropa. Vamos, me dijo, Julián está trabajando *and I need to pass some time with someone.*

Nos juntábamos por lo menos una vez por semana. Siempre era lo mismo, le decía que no y terminábamos juntos en la cama. Al fin, le dije que ya no podía. No la dejé que se acercara y finalmente se dio cuenta de que hablaba en serio. No hablamos por casi una semana.

Mi hermana no se sorprendió cuando le dije lo de Alina. Estábamos en la sala, acostados y escuchando un compact de PJ Harvey. Le dije que me estaba acostando con Alina una vez por semana. Me contestó que ya lo sabía porque había dejado de hablar tanto de ella. Sabía que no estábamos peleados, entonces llegó a la conclusión de que nos habíamos vuelto amantes.

—¿Y Julián? —me preguntó.

—No sé —le contesté—. Tampoco sé si me siento tan culpable por él o si porque en el fondo los años de vivir con una madre católica me han hecho un fanático.

Se rió. Miraba hacia el techo y le pregunté si se acordaba de la vez que estuvimos en misa y me quedé dormido. Mamá se enojó mucho. Nos acordamos de las veces en que salíamos a acostarnos en el pasto para buscar las estrellas fugaces. Después de un largo silencio, me dijo, Y se suponía que tú eras el hijo modelo de la familia.

Después del divorcio Marisa se regresó a Texas para vivir cerca de su familia. Por un tiempo mantuvo contacto conmigo. Me llamaba para hablar, o para pedirme algún consejo. Cosa que me pareció chistosa ya que durante nuestro matrimonio nunca me pidió ninguno. Yo le seguía la onda, era lo que esperaba de mí.

Nunca le dije que había sufrido por su partida. Nunca le dije que extrañaba esas caminadas que antes hacíamos por las tardes. Nunca le pedí perdón por haberla llevado al punto de conseguir un Boyfriend, de haber pensado que ella era tan fuerte que no necesitaba que yo le preguntara algo tan sencillo como si estaba bien, o cómo se sentía.

A seis meses de su partida las llamadas cesaron. Se había cansado porque ella siempre hacía el esfuerzo de buscarme. Quizá me estaba retando. Pero no se me ocurrió. Nunca la llamé. Ahora me han entrado unas ganas de llamarla. Escuchar su voz. Hablarle de las noches en el campo, el cielo cubierto de estrellas.

Alguien toca. No quiero abrir. Estoy a gusto. Acostado en el suelo de la sala. Pensando en las estrellas fugaces. Soñando con flotar de espaldas en el mar. Mirar hacia arriba. Me gustaría cruzar el mar así, de espaldas, cobijado por las estrellas que a la vez se reflejan en el agua. Tocan otra vez. Insisten. Pero no pienso contestar. Estoy flotando en un mar de estrellas.

(De *El libro que nunca te escribí*)

EL DESTELLO EN EL ESPEJO

NAIEF YEHYA

—Este pinche cuarto huele a orines —se dijo una vez más.

Encendió otro cigarro. Exhaló el humo con fuerza mientras miraba por la ventana. No había mucho que ver. Azoteas grises, tanques de gas oxidados, tinacos decrépitos. Soplaba un viento fuerte que columpiaba las copas de los esqueléticos árboles que destacaban entre las construcciones. Pensó que no tardaba en llover.

—A ver si así se limpia un poco el aire de este mugrero de ciudad —dijo exhalando el humo.

Sintió un pequeño mareo, quizá debido al esfuerzo que había hecho pero tal vez por el hambre. No había comido nada desde la mañana y pronto oscurecería. La televisión estaba encendida sin sonido. No tenía control remoto. En los pocos canales que captaba había una telenovela, caricaturas, un programa de deportes extremos y otro de concursos que se veía con mucha interferencia. Un tipo se revolcaba en un líquido pegajoso. No logró entender de qué se trataba esa prueba pero tampoco le interesó demasiado. Se escuchaban carcajadas entre la estática, todo el mundo parecía divertirse excepto el participante. Volvió a bajar el volumen. Le dolía un poco el brazo izquierdo. Pensó que lo único que le faltaba era que le diera un infarto en un hotel jodido. Caminó hasta el otro extremo de la habitación donde estaba su maletín, de una de las bolsas sacó un paquete de medicinas. Entró al baño. Accidentalmente pateó el bolso gris de burda imitación piel. Llenó un vaso en el lavabo. Tragó dos pastillas y bebió todo lo que había en el vaso. Al salir del baño estuvo a punto de tropezar nuevamente con la correa del bolso.

Iba de un lado al otro de la habitación. Volvió a mirar por la ventana. Regresó al baño, revisó su rostro en el espejo. Se lavó la cara una vez más. La toalla estaba tirada en el suelo. Había otra sobre el tocador. Prefirió usar esta última. Se dejó caer sobre la cama pesadamente. Se cubrió los ojos con las manos. Escuchó el ruido que venía de la calle, era como un quejido compuesto de una infinidad de sonidos. En la tele había otro concurso. Por alguna razón estaban dinamitando a los participantes. Tras una explosión un tipo salió manchado de hollín de entre una nube de humo, se tambaleaba de un lado a otro de la pantalla y luego se dejó caer al suelo. Todo el mundo aplaudía y la conductora reía a carcajadas. Aparentemente el concursante había perdido. Miró durante un rato pero no trató de entender. Abrió el cajón de la mesa de noche. No había biblias como en otros hoteles un poco más caros y un poco menos destartalados. Del fondo polvoso del cajón sacó unas fotografías tomadas con una polaroid. Encendió la lámpara que tenía a su lado.

Sentada en el borde de la cama una figura femenina posaba con las piernas cruzadas. Llevaba un vestido amarillo con un escote amplio. En la mano derecha sostenía la cámara con la que había tomado la foto de su propia imagen en el espejo del tocador. El reflejo brillante del *flash* había dejado un destello en buena parte de la foto, ocultando la cara de la persona. La envejecida colcha de la cama se veía aún más vieja y manchada en la foto.

En la segunda foto la persona estaba parada cerca de la ventana. La cámara apuntaba muy bajo por lo que el encuadre era deficiente y había cortado a la persona de la frente para arriba. Sin el cabello era evidente que el fotografiado era un hombre vestido de mujer. Fumaba con una larga boquilla. Sus ojos parecían enfocados en la puerta y tenían una expresión de angustia que se quería mirada sensual. Traía puesto un vestido floreado de nylon que le quedaba obviamente apretado. En la siguiente foto el hombre estaba sentado en el sillón. Tenía las piernas abiertas y las pantimedias blancas brillaban bajo la falda. Miraba fijamente a la cámara. En la otra estaba inclinado sobre la cama levantándose el vestido con una falsa naturalidad que tenía algo de grotesca. En la muñeca destacaba un enorme reloj de acero muy poco femenino. En las otras fotos la persona traía puesta una minifalda negra y una blusa blanca con encajes. Una se la había tomado a sí mismo sosteniendo la cámara en la mano y extendiendo el brazo lo más posible.

Para la otra, se había hincado y se chupaba el dedo índice con los labios pintados de rojo intenso. La peluca se le había desacomodado.

Aventó las fotos al cajón y lo cerró. Encendió otro cigarro y fumó en silencio con la vista fija en el cielo que se había puesto azul oscuro. El inconfundible olor a orines había impregnado todas las paredes del cuarto. Se puso de pie trabajosamente, se dirigió al baño y cerró la puerta esperando de esa manera impedir el paso del hedor. Volvió a mirarse en el espejo, apagó la tele y salió del cuarto.

Caminó media cuadra hasta la avenida Puente de Alvarado. El aire se sentía fresco. Miró indeciso a su alrededor. Se dirigió hacia Reforma pero no había caminado ni una cuadra cuando una mujer un poco ancha y tan alta como él pasó a su lado, lo miró fijamente a los ojos y le dijo:

—¿Qué, vamos al hotel?

Se detuvo, sonrió y miró su reloj. La mujer permaneció inmóvil a su lado. No tardó mucho en decidir. Aunque tenía hambre, pensó que no le tomaría mucho tiempo satisfacer esa otra necesidad insatisfecha.

—Pues vamos —respondió y le señaló el camino al hotel Rex.

La mujer tendría unos treinta y cinco años, parecía un ama de casa humilde que se hubiera arreglado un poco para salir al cine. Traía puesto un vestido corto y sujetaba su bolso rojo con firmeza. La respuesta del hombre la tomó por sorpresa y más cuando él, con desparpajo y seguridad, trató de llevarla en dirección de su hotel.

—Vamos mejor a este otro —respondió ella señalando un edificio gris que lucía un letrero roto que decía Hotel.

—No, yo no soy de aquí y me estoy quedando en el Rex, no voy a pagar doble.

—Es que no se puede, tiene que ser en este.

—Bueno, pues entonces ni modo.

Se despidió con un movimiento de la mano izquierda y una sonrisa. Prosiguió su camino hasta que la mujer lo alcanzó y lo sujetó por el hombro.

—Ándale pues, vamos —dijo la mujer mirando el piso.

—¿A mi hotel?

—No, al otro.

—No, entonces no.

—Órale, vamos a tu hotel. Nomás porque ya va a llover —dijo resignada con el desgano de alguien que ha tenido una muy mala tarde y casi cualquier ofrecimiento es bueno.

Con un gesto de afectada caballerosidad hizo una reverencia señalando el camino. Llegaron a la habitación sin cruzar palabra.

—Qué feo huele. ¿Ya ves? Hubiéramos ido al otro hotel.

—¿Está mejor que este?

—Uy sí. Es más limpio. Van a ser cien, a menos de que quieras algo especial.

—Está bien.

—¿Quieres algo especial?

—No. Soy una persona muy simple.

La mujer corrió la cortina y comenzó a desvestirse dándole la espalda y mirando la pared. Él encendió un cigarrillo y se desabotonó la camisa.

—Acuéstate, ahorita vengo —le dijo a la mujer y entró al baño.

Regresó desnudo. Ella estaba sentada sobre la cama deshecha. Apagó el cigarrillo y se tumbó a un lado de la mujer. Respiró profundo, giró sobre su brazo derecho, extendió la pierna y terminó agachado a cuatro patas sobre la mujer. Ella se dio cuenta de que no tenía una erección, extendió la mano y le agarró el miembro. Él se apoyó en los hombros de la mujer mientras ella trataba de excitarlo manualmente.

—¿Quieres que te la chupe? Te cuesta veinte pesos más —dijo un poco inquieta porque sus caricias no parecían tener efecto.

—No, sigue así.

—¿Qué, estás nervioso o no se te para?

De pronto él levantó el torso bruscamente, quedó arrodillado sobre ella y le dijo que lo soltara. Se puso de pie, encendió la tele y subió el volumen. Había una telenovela. Ella se cubrió con la sábana.

—¿Qué pasó? ¿No te gusta? —dijo con un tono que sonaba a inocencia.

—Sí, nomás espérate.

Regresó a la cama y volvió a ponerse en la misma posición. Ella trató de masturbarlo pero él la detuvo. Le acarició la cara y el cuello.

—¿Tienes hijos? —preguntó mientras le masajeaba los hombros.

—¿Para qué quieres saber? —respondió ella.

—Para saber si debo sentirme culpable.

Antes de que ella pudiera decir algo las manos del hombre ya estaban haciendo presión en su cuello. Él rápidamente movió las piernas para sujetarle los brazos bajo sus rodillas. Su rostro se puso pálido. Luchó por liberarse pero el peso del hombre era demasiado para su fuerza. Trató de gritar pero en lugar de eso apenas logró emitir unos quejidos suaves. Él miraba la pared para evitar ver los ojos de agonía de la mujer. Pronto ella dejó de resistirse. Todavía hizo presión durante un rato más. Dejó de apretar paulatinamente, asegurándose que ya no se movería. Luego puso su cara contra la nariz de la mujer para sentir si aún respiraba. No sintió nada, pero de todos modos puso una almohada sobre el rostro e hizo presión durante unos minutos. Hizo a un lado la almohada y se dejó caer en la cama al lado de la muerta. Descansó unos minutos, y cuando estuvo seguro de que sus manos ya no estaban temblorosas se puso de pie. Levantó el cuerpo tomándolo de los brazos y lo puso cuidadosamente en el piso. Empujó el cuerpo inmóvil para meterlo bajo la cama. Por más esfuerzos que hizo no logró ocultarla. Se detuvo para recuperar el aliento y vio que un brazo femenino se asomaba debajo de la cama por el otro lado. No había suficiente espacio para esconder tres cuerpos. Volvió a acomodar el primer cuerpo lo mejor que pudo, pero cuando terminó de meter a la última mujer, la cabeza amoratada de la primera estaba nuevamente a la vista. Cuando trataba de amontonar los cuerpos descubrió una enorme mancha húmeda bajo el cuerpo de una de las muchachas. Se mojó los dedos en el líquido y lo olió.

—¡Ah chingá! Orines postmortem —se dijo un poco sorprendido.

Después de batallar un rato logró acomodarlas a las tres. Puso nuevamente el viejo cubrecama y revisó que ningún miembro sobresaliera debajo de la cama matrimonial. Al terminar le dolía otra vez el brazo izquierdo.

—Un pinche infarto, eso es lo que me va a dar a mí un día de estos.

Bajó el volumen de la telenovela a la que no había puesto ninguna atención. Recogió la ropa de la mujer y la puso sobre la cama al lado del bolso rojo. Se puso primero las pantimedias rojas de nylon, las cuales le quedaron bien. Tenía una erección. Se miró en el espejo, se puso el *brasier* y de inmediato se puso el vestido que era casi de su talla. Antes de terminar de abrocharse los botones sudaba excitadísimo. Se maquilló a toda prisa, se puso la peluca y los zapatos de tacón. Corrió a sacar la cámara polaroid del maletín. Esta vez tendría más cuidado de que no se le viera tanto el vello de los brazos. Se sentó sobre la cama con las piernas cruzadas. Encendió un cigarrillo al que le había puesto la boquilla, pero antes de oprimir el disparador de la cámara recordó que traía puesto el reloj de acero. Se lo quitó, oprimió el botón temporizador que le daba quince segundos antes de disparar. Cruzó la pierna, enderezó la espalda, miró hacia la ventana con el cigarro en la boca y exhaló el humo. Por fin había comenzado a llover. La luz del *flash* inundó el cuarto 202 del hotel Rex.

(De *Historias de mujeres malas*)

México

BOLA NEGRA

MARIO BELLATIN

El entomólogo Endo Hiroshi decidió, cierta mañana, dejar de comer todo aquello que pudiera parecerle saludable al resto de las personas. Tomó la decisión luego de la noche de insomnio —provocado, quizá, por el recuerdo de la vieja cocinera de la casa partiendo hacia la Caravana de los Seres Desdentados[1]— que siguió al banquete de bodas de sus padres. Durante aquella noche había sentido, entre dormido y despierto, la desaparición de sus brazos y piernas provocada por la voracidad descontrolada de su propio estómago. Fue tal la agresividad que mostró aquel órgano, que Endo Hiroshi, con las primeras luces del alba, ya se sentía miembro del bando de aquellos que comen sólo para estropearlo. De los que pretenden transformarlos en órganos casi inservibles. Endo Hiroshi conocía, de cerca, historias de jóvenes que morían mostrando una delgadez extrema por negarse de pronto a comer ni un grano de arroz. Algunos decían que muchas de aquellas inapetencias eran causadas por una desilusión amorosa y otros que se producía por seguir de una manera estricta la imposición de las modas que provenían de Occidente. Por el contrario, sabía también de hombres y mujeres que comían hasta hartarse, mostrando en sus corpulentos cuerpos la imposibilidad

---

1. Costumbre arcaica a la que deben someterse los ciudadanos que han perdido completamente la dentadura.

de abstraerse al desenfrenado deseo de representar, dentro de sí mismos, el universo entero[2].

En su familia, en más de una ocasión, se habían dado las dos situaciones opuestas. Incluso, se presentó el caso de unos primos, mellizos, en el que la hermana se consumió producto de la anorexia, y el hermano se convirtió en un destacado luchador de Sumo[3]. Endo Hiroshi recordaba, además, las historias de los años de guerra que oyó de niño, en ellas se hacía referencia a una escasez tal, que muchos llegaron a matar por una ración de arroz o un trozo de pescado[4]. Escuchó, también, relatos de la existencia de carne de roedor envuelta en delicados sushis, y de jóvenes que se dedicaban a atrapar moscas para después consumirlas a manera de mijo[5]. El impacto de esos cuentos motivó que el entomólogo Endo Hiroshi adquiriera, desde pequeño, un espíritu que, de cierta manera, mezclaba una suerte de aversión y reverencia hacia la comida.

Por esa razón, nunca estuvo de acuerdo con aquella expresión extranjera, que afirmaba que la cocina de su nación parecía estar hecha más para la apreciación visual que para ser consumida[6]. En casa de sus abuelos, donde pasó parte de su infancia porque a sus padres les estaba prohibido vivir juntos, no se acostumbraba desperdiciar ningún comestible. Incluso, muchas veces —basados principalmente en el libro de enseñanzas del Profeta Magetsu—, se implementó una peculiar manera de preparar los alimentos, que consistía en enterrar los ingredientes varias horas seguidas en medio de piedras encendidas con leña o carbón. El Profeta Magetsu, monje del que se dice no tuvo una sino muchas muertes, concebía la creación del universo como un obsequio de la madre tierra a los elementos constitutivos del cosmos, entre los que estaba incluido, por supuesto, el ser humano. Durante un viaje que hizo

---

2. Creencia popular, entre los caldeos asirios principalmente, de que en el cuerpo humano estaba contenida la totalidad de las esferas celestes. Se cree, gracias a recientes estudios de corte psicológico profundo, que en el hombre existen remanentes de esta convicción como símbolo de superioridad social.

3. Tipo de lucha deportiva que tiene como fin celebrar los tiempos de cosecha o de abundancia. Se practica sobre todo en regiones que se rigen por el calendario solar.

4. El pez por el cual la gente cometió un mayor número de asesinatos fue el lenguado.

5. Hasta el día de hoy aparecen de cuando en cuando, en los diarios, casos de comerciantes que venden moscas tostadas en lugar de semillas comestibles.

6. Ver revista Newsweek nº 234, pág. 56.

al África, invitado por la sociedad de entomólogos de la que formaba parte, Endo Hiroshi debió consumir todo el tiempo alimentos empaquetados, que compró en un negocio que le recomendaron los miembros de la asociación a la que pertenecía. Realizó aquel viaje llevando en sus maletas botes, platos y vasos de plástico que contenían distintas recetas de alimento deshidratado. Endo Hiroshi sólo debía agregar agua hirviendo a los recipientes para conseguir así una cierta variedad de comidas que, de algún modo, guardaban un lejano parentesco con las que originalmente se consumían en el país. Esta excursión fue bautizada, por el entomólogo Endo Hiroshi, como «El largo viaje del agua hirviendo», pues fue fundamental en la trayectoria la presencia de teteras y de estufas portátiles, que le permitieron no sólo alimentarse de forma adecuada sino, además, tomar el té a la manera tradicional. Endo Hiroshi habría podido prescindir, por varios días, de la comida pero, mientras estuviera despierto, le era prácticamente imposible dejar de tomar té por más de cuatro horas seguidas. Algunos entomólogos le aconsejaron que aprovechara el viaje y probara uno de los tantos insectos comestibles que se consumían en la región que visitaban. Desde las hormigas comunes, que eran servidas bañadas con miel dentro de cucuruchos de papel, hasta la pulpa de ciertas tarántulas de patas azules, que vivían sólo en la copa de los árboles[7].

Mientras iban deglutiendo estos especímenes, era común que los miembros de la expedición hablaran de las propiedades nutritivas de los insectos. Algunos años atrás, ciertos expertos, principalmente el científico Olaf Zumfelde de la Universidad de Heidelberg, construyeron una tabla donde se detallaba la cantidad de proteínas de los invertebrados que era asimilada, de manera inmediata, por el cuerpo humano[8]. Sin embargo, Endo Hiroshi no probó nada distinto a los alimentos envasados que había comprado en su país. Continuó con la travesía llevando consigo, siempre, sus comidas empaquetadas, el té, su tetera y la pequeña hornilla que funcionaba con pilas. Faltando unos días para el final del viaje, en el que trabajó con su diligencia habitual, halló un extraño espécimen que se creía extinguido. Mejor dicho, encontró un ejemplar desconocido, pues el único del que se tenía memoria, el Newton Camelus Eleoptirus, era de otro color. Logró guardarlo en la mejor de las

7. Se trataba de las tarántulas *Larpicus* fosforescentes, que únicamente existen en el este de Namibia.

8. Consultar Tabla Zumfelde. Disponible en la Sociedad de Nutriólogos de Berlín.

condiciones posibles, y sin decirle nada al resto de la expedición, lo llevó consigo en el viaje de regreso.

Una vez desembarcado, se fue directamente al laboratorio que tenía montado en la parte trasera de la que después sería casa de sus padres[9]. En ese entonces, sus padres aún estaban solteros y vivían separados. Pese a esta situación, los miembros de la familia se encontraban todas las noches en esa casa, que habitaba Hiroshi desde la infancia, para rezar las oraciones del monje Magetsu. Endo Hiroshi, sabía que el hallazgo del insecto era fundamental para su carrera de entomólogo. Su nombre, Hiroshi, iba a ser utilizado, a partir de entonces, para nombrar siempre a la especie cazada. Según sus conocimientos, y los de otros muchos investigadores, el insecto que se conocía era azul y no rojo como el que había encontrado. Hiroshi Camelus Eleoptirus, sería el nombre que llevaría esta nueva variedad. Pero, cuál no sería su sorpresa cuando al abrir la caja de plástico encontró sólo una pequeñísima bola negra en lugar de su insecto. La bola era tan minúscula, que incluso fue curioso que se diera cuenta de su presencia. La caja había sido diseñada especialmente para transportar ejemplares de esa naturaleza. Es decir, insectos de pequeñas y medianas proporciones. Las fabricaban, exclusivamente, para los miembros de la sociedad de entomólogos a la que pertenecía Endo Hiroshi. Estaban hechas de tal modo, que los insectos atrapados podían vivir mucho tiempo en su interior. Era impensable, entonces, que se hubiese escapado el eleóptero encontrado la semana anterior. Endo Hiroshi lo había visto, por úlima vez, en el aeropuerto de Nairobi antes de abordar el avión de regreso. Dentro de la nave le había echado otra ojeada, y el día anterior, inmediatamente después de instalarse nuevamente en su casa, lo había estado contemplando largo rato, pero esta vez bajo unas lentes de entomólogo[10]. En esa última ocasión, estuvo comparándolo no sólo con el Newton Camelus Eleoptirus, que aparecía en una ilustración del libro de insectos que siempre llevaba consigo, sino con una serie de tratados especializados que llenaban la biblioteca de su estudio. Fue tal la impresión ante la ausencia, que no reparó en la llegada de sus padres, quienes, a partir del regreso, sano

9. Según la tradición del profeta Magetsu, bastante incomprensible en el mundo occidental, los señores de una casa no podían sostener una vida marital hasta que la más anciana de las mujeres del servicio no perdiera el último de sus dientes. Este hecho no les negaba el derecho a tener hijos.

10. Se usaron unas lentes Stewarson, importadas por la Casa Tenkei-Marú.

y salvo, del hijo, se preparaban a reanudar las oraciones en la sala principal de la casa. Durante las semanas que había durado el viaje al África, no habían tenido otra alternativa sino la de rezar en el propio templo del Profeta, que se levantaba en las faldas del monte principal. Tuvieron que hacer, por eso, fatigosos ascensos. Pero las cosas no podían ser de otro modo. Era tal la prohibición, que los padres no solamente estaban impedidos para, sin estar casados, vivir juntos, sino que ni siquiera podían permanecer un minuto en la casa principal sin la presencia del hijo.

Hiroshi escuchó que lo llamaban, querían seguramente saludarlo pero lo más importante era que los ritos no podían comenzar en su ausencia. Shikibu, la vieja sirvienta, terminaba en esos momentos de preparar la gran olla de arroz blanco, que se ofrecería luego de la ceremonia. Desde que había cumplido los quince años de edad, el cuenco de arroz que se servía después de las oraciones era el único alimento que Endo Hiroshi consumía durante la jornada. Arroz y, como se señaló, varios litros de té. Cualquiera hubiera dicho que esa dieta lo pondría delgado y débil, pero su lozanía demostraba lo contrario. Como los viejos monjes, incluso como el mismo Profeta Magetsu, un cuenco de arroz diario era comida suficiente para atravesar la vida entera. Respecto a esta idea, se dice que una de las muertes del Profeta Magetsu, al parecer la definitiva, ocurrió cuando el Profeta decidió permitir que su cuerpo fuera el alimento de su propio cuerpo[11]. Para dejar huella del proceso, en el que su carne desapareció gradualmente para, curiosamente, convertirse en una huella de su misma carne, contó con la presencia de su discípulo, Oshiro, quien escribió en un gran pergamino de papel de arroz, disponible actualmente para quien quiera consultarlo, las palabras que su maestro le fue dictando durante el proceso. Cada día, el maestro se limitó a pronunciar una palabra. Curiosamente, la última puede ser traducida como *paz*. Resulta extraño que un ser de la altura espiritual del Profeta Magetsu, al final de un proceso de muerte tan complejo como el que llevó a cabo, hubiese pronunciado una palabra cuyo sentido, para muchos, puede resultar más que obvio.

Antes de comenzar el ritual de adoración al Profeta, tanto los padres como Endo Hiroshi debían proceder a revisar los dientes de la anciana cocinera. Los padres siempre fueron los más interesados en aquella inspección, pues sólo podrían casarse, y gozar a plenitud su con-

11. Ver el libro *Catecismo Sagrado*, de la secta Hiro-Sensei.

dición de señores de la casa, cuando aquella mujer perdiera la dentadura completa. El día en que no pudiera volver a comer, la cocinera moriría por inanición durante el viaje solitario —un camino sin fin que debía iniciar en uno de los tantos caminos que rodean al monte principal—, que tendría que emprender la misma noche de la celebración de las bodas de sus señores. Bastaba que en la inspección de la dentadura se detectase la ausencia de todas las piezas, para que de inmediato se iniciaran los preparativos de la celebración. Por lo general, dos días después estaba todo consumado. Los señores ya eran marido y mujer. Durante esas jornadas, la anciana, por supuesto, no habría probado ni un grano de arroz del banquete nupcial, estado que sería fundamental para que, en su camino a la muerte, las acciones se precipitasen lo más rápido posible.

Unos minutos después, luego de los saludos de rigor y de presentar sus respetos a la imagen del Profeta Magetsu, se procedió a la inspección de la boca de la cocinera. Todavía no era el momento de comenzar las oraciones en regla, era importante, para encontrar el tono adecuado de practicarlas, saber si se oraba conociendo que la cocinera contaba con piezas molares o no. Endo Hiroshi, en esa ocasión, no les dio ninguna importancia a los ritos, pese a que los cumplió a cabalidad. Estaba consternado con la desaparición del insecto. Pero, como fiel devoto, debía disimular lo más que pudiera. Se había puesto su tradicional túnica y, después de saludar a sus padres como lo debe hacer cualquier hijo que regresa de una larga expedición, les comenzó a arrojar, a sus cuerpos tendidos, el agua correspondiente —que iba sacando de un pequeño cuenco de madera—. Los padres, luego de los saludos, se habían acostado en el suelo, boca abajo, cuan largos eran. Cuando se terminó aquella parte del ritual, notaron la ausencia de la cocinera. Los padres intuyeron, al instante, la verdad. Se dirigieron rápidamente a la cocina, y allí encontraron a la anciana, escondida detrás de las leñas del fogón. Como lo presumieron, al abrirle la boca descubrieron que la última muela, que los había tenido en vilo cerca de tres años, había desaparecido.

Mientras la vieja sirvienta suplicaba y se negaba a separar nuevamente las mandíbulas, que había logrado cerrar, Endo Hiroshi, quien había seguido a sus padres hasta la cocina, pareció comprender entonces lo sucedido con su insecto. Entendió que la minúscula bola, que había hallado en lugar del exótico ejemplar, se trataba de una especie de estómago del insecto. Esto era una forma de decir. En realidad, parecía ser nada más que el bicho deglutido por sí mismo. No podía serle extraña una teoría semejante. No en vano había pasado casi toda su vida, exactamente todos los momentos que le dejaba libre su profesión de entomólogo, adorando al monje Magetsu. Se había repetido, en su pequeña caja, el proceso por el que había transitado el monje antes de morir de manera definitiva. Aquella pequeña bola tenía que ser una masa informe, conformada por los elementos que habían constituido al pequeño bicho. Los gritos de la anciana fueron desgarradores[12]. Los padres se mostraron inflexibles. Finalmente, la anciana calló —mostró, de pronto, un repentino silencio, que pareció ser una rotunda aceptación de su destino—. Los padres pudieron entonces, tranquilamente, discutir los preparativos para la boda. Hablaron, principalmente, del banquete. Parecía ser lo que más les preocupaba. Servirían comidas tradicionales. No habría toques modernos, salvo los besugos ofrecidos a los recién casados antes de que comenzase la ceremonia. Había que pensar en el cocinero que tuviera la maestría suficiente para preparar el Besugo fantasma[13]. La receta consistía en destazar el besugo hasta dejarlo descarnado pero vivo, para luego introducirlo en una pecera que sería puesta en el centro de la mesa de los novios. La pareja de recién casados comería la carne mientras el pez seguía nadando, moribundo, mostrando sus órganos internos a todo el que quisiera verlos. Como señal de buen augurio para el matrimonio, la comida debía durar el tiempo exacto que tardaba el pez en morir.

El entomólogo Endo Hiroshi corroboró aquella noche sus sospechas. Luego de que condenaran a Shikibu y que realizaran los ritos para el Profeta, ya en su habitación y con la ayuda de un microscopio, vio que, efectivamente, el insecto parecía haberse consumido a sí mismo. Sin razón aparente, experimentó un acceso de náuseas. Vomitó. Mientras tanto, en la planta baja, sus padres continuaban con los planes. A partir de entonces, la madre podría, además de arreglar la casa a su gusto, pintar sus dientes de negro, y el padre, aparte de comenzar a dar las órdenes para el funcionamiento del hogar, estaba en el derecho de ir al dentista para hacerse extraer, de una vez por todas, la parte frontal de la dentadura. Esas características, los dientes negros y la ausencia de dientes en la parte anterior, eran los símbolos de encontrarse en posesión de una vida plena. Reflexionando en la transformación que había

12. Se dice que aquella noche algunos vecinos no pudieron conciliar el sueño.

13. Los maestros en esta técnica suelen encontrarse en la costa sur del país.

sufrido un insecto que podría haberse llamado Hiroshi Camelus Eleoptirus, nombre que de inmediato lo habría llevado a la fama internacional, decidió que, después de participar en la celebración de las bodas de sus padres, el fin de su vida iba a ser atenuar, hasta el mínimo punto posible, el normal funcionamiento de su estómago. Buscaría neutralizarlo de una manera similar a la atrofia hepática que llegan a sufrir ciertos gansos, cebados con obsesión por sus dueños, o los gatos que en ciertos países suelen ser criados en jaulas minúsculas y alimentados con maíz aromatizado con sustancias químicas.

Cuando, al día siguiente, el sol entró por la ventana, iluminando la caja de plástico que contenía aún el supuesto estómago del insecto, Endo Hiroshi decidió no sólo comerse aquella bola negra, sino también una serie de gorgojos y otros bichos que recolectaría durante la mañana. En el ropero de su cuarto guardaba, casi intacto, el traje para la cacería de orugas que se celebraba los años bisiestos. La última vez que participó en una de esas jornadas, lo hizo acompañado de su prima, la muchacha sumamente delgada que murió como consecuencia de esa delgadez, y de su primo, el obeso luchador de Sumo.

(De *Obra reunida*)

MANUAL DE AUTOAYUDA PARA CHINOS

ROSA BELTRÁN

Para Casandra y Federico

Conoces a una mujer que te propone un negocio a ti, Huni, el rey de los negocios turbios. Está pensando en patentar un muñeco que cuando le jales la cuerda abra los brazos y diga: «¡Eres la única mujer en mi vida!», «¡Oye, estás flaquísima!» y sobre todo, «¡Discúlpame!».

—¿Y sabes por qué? —te pregunta—. Porque los hombres se la pasan ofendiéndote y nunca te piden perdón de nada. Están incapacitados para sentirse culpables. Y en realidad, para hablar de sus sentimientos.

Da un trago a su coca light y te pide que lo pienses. Está convencida de que ese negocio haría mucho por las mujeres.

Tú asientes, en principio divertido. Te le quedas viendo de arriba abajo como si la escanearas. El busto perfecto, el cabello largo y crespo, la cinturísima. Hasta ahí te permite ver la mesa del Sanborns. Tiene una risita agradable y ojos chinos, no porque sea china sino porque está sonriendo todo el tiempo. Te imaginas a tu socio del negocio de importaciones cuando se la describas:

—Huni: es justo lo que te recetó el médico.

Observa sus labios moverse mientras te platica de cuánto la han ofendido los hombres, de cómo se aprovechan siempre, ve sus manos, como abanicos danzantes, como pañuelitos blancos. Sus uñas limpias. De pronto, vuelve las tuyas una caja y guárdalas adentro. Ella se sorprende aprisionada, te sonríe. Parece una actriz. Es raro que tenga ese trabajo de judicial, que sea parte, como ella misma dice, de los «cuerpos policiacos». Para nada se parece a los roperos armados que llegan sin avisar a quitarte tu mercancía. «¡A ver, pinche chino, viene todo!», y luego no se aparecen por meses. Ella no. Ella es linda y cariñosa. Y sobre todo: es leal. Te avisa con tiempo. Te propone un acuerdo. Un porcentaje.

Intercambia una mirada furtiva, deja sus manos libres y obsérvalas volar al bolso azul claro. Cuando saque el cigarro y te pida fuego, sorpréndete de que una muchacha tan joven y tan bonita fume.

—¡Ay, Huni, pero si en tu país se la pasan fumando todo el tiempo! —te dice.

Aclárale entonces: es tu país de origen, pero no de cultura. Desde que llegaste a trabajar a la Samsung tú te hiciste a los modos de aquí. Tus costumbres son las suyas.

Ella de inmediato niega:

—No, Huni, eso de traer saldos y colocarlos como si fueran mercancía del año no lo hacemos aquí. Ni lo de andar imitando todo lo que tenga marca. Nosotros no tenemos esas costumbres. Porque si las tuviéramos, ¿para qué íbamos a comprarte a ti tus cosas, a ver?

Obsérvala juntar los labios como si fuera a chiflar o a darte un beso; mira cómo le da otro sorbito a su coca light.

Te dice que por eso tienes que traerte todo de allá: los monitores de los videojuegos que colocas en las papelerías y en las farmacias, los dizque relojes Rolex y las falsas bolsas Louis Vuitton, las llaves mezcladoras de agua. Escúchala y recuerda el gesto de incredulidad que puso cuando le regalaste las zapatillas de terciopelo falso. «Vesace», dijiste, y la erre se te atoró. La gracia con que se las puso, tomando cada una por el talón, su empeine acojinado.

—Pero lo que traes es ilegal, Huni —te dice y retira el vaso de refresco—. Tú lo sabes. Se llama «contrabando».

Di: oh oh oh cerrando los ojos, haciéndolos más chiquitos, asintiendo. Y ahora, mírala: en su traje de comando, en uniforme, según le pidieron ese día, acercándose a ti para que le enciendas el cigarrillo. Una sola pieza negra, lustrosa. Una pantera. Acciona el zippo que sólo tú sabes que no es zippo, observa cómo ella le da una calada honda al cigarro y te dice: «gracias».

—Las que la adolnan —respóndele aprisa.

—Ay, Huni, seguro eso les dices a todas.

Niega con la cabeza, muéstrate divertido, pero entonces ve cómo se acerca y te aclara: ella no es una cualquiera. Esto sí quiere que lo entiendas bien. Tú lo entiendes. Ella se relaja entonces, vuelve a su posición original y te explica: su abuela era multimillonaria, nacida en Nueva York, sus padres se la trajeron en un barco con una nana y una vaca suiza. Después perdieron todo, no te dice bien por qué. Da una calada a su cigarro y añade: su papá no era rico, pero sí muy guapo y muy bohemio. Jugaba fútbol, se asoleaba.

—Era muy seductor —suspira.

—Con lazón —respondes, y ella no pregunta con razón qué, sino que da un último trago a su coca.

—¿Sabes qué, Huni? —te dice de pronto, apuntándote con un dedo—. Ojalá esa boca dijera lo que verdaderamente piensas, algún día.

***

En los operativos es tierna, te acaricia la mano debajo del mostrador donde guardas la escuadra calibre veintidós por si sus compañeros o el abogado quieren pasarse de listos. En la oficina es formal y atenta, te contesta el celular aunque esté ocupada. Habla con el agente aduanal, te busca la manera de que puedas introducir el producto. Y sobre todo: te avisa. Te da los pitazos siempre. Entre ella y tú hay un acuerdo: sólo se llevan lo peor de la mercancía incautada en los operativos. El treinta por ciento. Tú sabes que ellos la venderán después y que nadie les dirá «pinches chinos transas», aun así los miras llevarse las cosas y sonríes. Sonríes y aguardas.

En las prácticas de tiro es la mejor.

—¿Cómo le haces? —le preguntas.

No bebe. No fuma. Bueno, sólo a veces. Un poquito. Le gustan los chocolates.

Después de cuatro operativos, un cateo mayor y dos idas al cine te acuestas con ella. Te parece el número adecuado de salidas. La llevas a tu casa.

—¡Pero si esto es un palacio! —exclama encantada al ver la cochera verde de mosaico, la cama con dosel, el barecito frente a la cama donde tienes todo tipo de licores.

Tú respondes:

—Y tú, la leina.

—Ay, Huni —te dice.

La abrazas. Es tan joven. Nueva como un embarque de bolsos de plástico recién manufacturados. Llena de promesas.

Hacen el amor y entonces ella acomoda un par de almohadas en la cabecera, se sienta cómodamente en la cama, te pide que le pases los chocolates y tras llevarse un arlequín de limón a la boca te dice:

—¿Sabes qué, Huni? En el fondo eres un romántico. Si el comandante me preguntara: «¿Quién es ese chino que siempre anda haciendo negocios chuecos?», yo le diría: un romántico.

Entrechoca las copas de champaña. Di:

—¡Salud!

Abrázala apasionadamente. Bésala. Dile que sus pies son un par de peces dorados.

Cuando ella se quede tendida boca abajo, desnuda y exhausta, ve a la estancia, pon esa música que tanto te gusta, de cinco notas, y recorre con el dedo su espalda. Ella se da vuelta. Te dice el nombre de su marido. Se llama Rolando García. Antes era el director del departamento de licencias y permisos, ahora es comandante de la PGR. Cuando te pregunte: «¿Qué piensas?», no digas: «lárgate de una vez» ni «pinche puta». Tómala suavemente de una nalga y di:

—Depende. ¿Clees que nos dalía un pelmiso, tu malido?

Ella finge una sonrisa.

—Es que no quiero que te sientas mal por esto —dice.

Brinca de la cama, da una patada de Tae Bo. Sonríe.

Di:

—Huni es un chico duro.

Cruza los brazos.

***

En los siguientes encuentros, ella pone cara de preocupación.

—¿Por qué no me dices lo que sientes? —te pregunta.

Te mira profundo a los ojos.

—¿Huni, por qué no me muestras tus sentimientos?

Mira la camisa que se le desabotonó. Mira sus pechos.

***

Cuando vivías con tus padres creías que amante significaba una prenda de vestir masculina, algo para lucir cuando uno sale a pasear, como unas mancuernillas Giorgio Armani. Ahora sabes que una amante puede ser cualquier cosa menos unas mancuernillas. No puedes mostrar las muñecas y decir:

—Qué tal. Soy Huni. Esta es mi amante.

Es como tener la copia sin saber que no es el original.

Es como pagar una copia a precio de original constantemente.

***

Desde que sabes que está casada, no enfrentas el negocio igual. No miras a tu socio de la misma forma. Cuando se te ocurre algo y ella te contesta el teléfono, no puedes decirle: «¡Hola!, ¿cómo puedo legistlal la patente de la malca Hunday?», ni la oyes decir con el mismo ánimo: «¡Pero Huni!, ¿cómo vas a registrar la patente si esa marca ya existe?» No te ríes igual, no puedes contestarle:

—Existe, pelo no aquí.

Cuando sales a comer y tu socio te pide que le cuentes sobre la mujer esa que estaba buenísima no le dices «Aaay», como si fuera algo espantoso y trágico, ni «no quiero hablar de eso».

Dices:

—No tiene nada de especial —y te encoges de hombros.

—¿Cómo que no? —responde él y te mira sorprendido.

Dile con naturalidad:

—No es como un pal de mancuelnillas Almani.

—Uy, quién te entiende —dice, y de ahí en adelante guarda silencio hasta que regresan al despacho.

Es como recibir la mercancía dañada.

Es como haber sido timado por un chino.

***

Esa noche en que sabes que tendrá que irse dentro de dos horas, cuando te acaricia y te habla al oído, descubres que tu boca se mueve, de pronto, como por voluntad propia. Ella ha estado haciendo la culebra alrededor de tu cuerpo, te ha pasado los dedos entre el pelo asombrada de que sea tan negro y tan grueso. Luego se ha recostado sobre ti, sobre tu espalda. A medio lengüeteo, mientras intenta completar un círculo alrededor de tu oreja, cuando te susurra algo, te sorprendes diciéndole:

—Oye, no eles mi leina ni yo soy Huni, tu ley. Sólo soy tu amante.

***

Algunas veces van a cenar, después del trabajo. Ella vive en la colonia Crédito Constructor y no tiene casa propia ni crédito para construirla, según dice. Prefiere que no te acerques a su casa. Fuera de la PGR camina un par de cuadras para llegar a donde la recoges en tu Nissan arreglado, tú también estás arreglado. Traes tu traje rojo vino, el pelo negro recién cortado, lacio y de raya en medio, como una pequeña fuente, rapado de la mitad de la cabeza hacia abajo. Traes tus falsos zapatos Salvatore Ferragamo, tu Rolex Oyster Perpetual que es una copia idéntica. Ella viene con una camisa de flores y un pantalón café bastante brilloso. Tienes ganas de decirle:

—¿Y tu malido? ¿Qué, no te mantiene?

Te das cuenta de que quieres decirlo porque albergas una intención bien clara, una esperanza. La esperanza de que él se haya esfumado de pronto. Ella es tan blanca, tan abultada de pechos. Tan cariñosa. Se siente tan feliz de estar contigo y dormir en tu casa ese día en que él tiene guardia hasta el día siguiente. Cuando llega al auto te bajas y le abres la puerta. Ella siente algo en el asiento, levanta el trasero y saca un perfume copia Paloma Picasso. Un regalo. La llevas a un lugar especial, adornado con linternas de papel y peces nadando en peceras. Traen varias fuentes de comida y el mesero levanta la tapa sin hacer ningún gesto.

Bueno, ¿y cómo fue que te casaste con ese?, quieres empezar, y en lugar de eso ella es quien te pregunta:

—Bueno, y cómo fue que te hiciste fayuquero.

Levantas los hombros.

—Como se hace uno cualquiel cosa.

—Ay, Huni, eres tan... no sé, misterioso.

Ella se sirve bastante comida, te pide que le pases la salsa de soya, que le alcances el platón de más allá. Entonces, te revela:

—En cambio a mí, mi marido fue quien me metió en esto. Fui a pedirle trabajo sin conocerlo, me dijo qué sabes hacer y le dije: nada.

Tú sonríes.

—¿Y sabes qué hizo? Me puso de su secretaria. Pero la verdad, no daba una. Entonces me dijo: qué quieres hacer. Y me puso a expedir permisos. Yo veía la documentación, le daba una revisada por encimita a los papeles y ponía el sello. Todo muy derecho.

Ella bebe un sorbo de té verde, suspira.

—Aquí en la judicial no es como la gente cree —te dice—, ya no.

Tú fumas y la escuchas.

—Luego me aburrí de estar sentada poniendo sellos y le dije a Rolando: ponme en otra cosa porque aquí ya me aburrí. Qué quieres hacer, me dijo, y yo le contesté muy seria: mira, yo soy una persona muy entrona. La verdad. Y muy activa. Así que mejor ponme en algo más acorde a mi naturaleza. Y ahí fue donde entré al área judicial. Tomé todos los cursos que te puedas imaginar, de defensa personal, de caló. Bueno, de qué no tomé yo cursos. Hasta la fecha, sigo haciendo mis prácticas de tiro. Yo puedo desarmar a cualquier cabrón, hay partes vulnerables del cuerpo...

Tú sonríes.

—Ay Huni, no esas —te explica—... aunque la verdad no sé si son *esas* en las que estás pensando. Nunca sé lo que piensas, la verdad.

De pronto, toma tu brazo bruscamente, le da vuelta. Aparece tu muñeca sin mancuernillas.

—Aquí —te señala y te oprime la vena. Sientes un dolor insoportable—. A ver, trata de zafarte —dice.

***

Ese día está encargada de sorprender a unos introductores de pastillas Viagra y cigarros Marlboro hechos con tabaco y fibra de vidrio. Tú acomodas en algunas farmacias los monitores de los videojuegos que te enviaron armados en un contenedor. Más tarde la recoges cerca del aeropuerto.

—Tengo una pena muy grande, Huni —te dice, sombría—. Mi hermano está en el hospital, y van dos meses que no he pagado la mensualidad de la camioneta. Tengo semanas con la despensa vacía.

Luego, cuando están en tu casa, añade:

—En la policía no se gana tanto como crees. Es demasiado riesgo.

Quieres preguntar:

—Pol qué no te sales.

Pero en lugar de eso la miras impertérrito.

—Ay Huni, ya sé lo que estás pensando. Que por qué no me salgo, ¿verdad? Pero dime, a ver: y quién me va a dar trabajo. Quién me va a aceptar a mí con mis antecedentes, y en dónde. Desde aquí puedo estar más o menos protegida, pero no creas. Hay mucha gente que quiere matarme.

—¿Y tu malido? —preguntas.

Su marido es muy recto, muy organizado. Y la ha ayudado mucho.

Tú das otra calada a tu cigarro, asientes.

***

Luego de llevarla hasta su casa con una caja de falsos perfumes Dolce & Gabanna que le regalaste y dos bolsas de lona llenas de monedas (en los videojuegos te pagan con morralla), te subes a tu Nissan. Oyes el golpe de la puerta que se cierra, el ruido de la llave, después nada, los ruidos típicos de la ciudad, los autos y los microbuses, un chofer de taxi que te grita: «¡pinche chale, muévete!».

Enciende el motor y pregúntate quién eres. Quién es el pinche chale.

***

—¡Huni Li! —dice tu padre cuando por fin tomas el teléfono—. ¿Qué rayos te pasa?

Te pide pormenores del negocio de pago con mujeres que tanto han planeado, te pregunta cómo van las cosas.

—Ya casi —le dices—. Tengo el teleno casi listo.

Él te recrimina. Le explicas que no es tan sencillo, aquí no es tan natural pagar con mujeres, exportarlas menos. Lo oyes desquiciarse, hacerte las cuentas de lo que le debes, lo que cada pariente tuyo pagó allá para que te vinieras. Imaginas su rostro colorado, los aspavientos que hace con los brazos y manos mientras habla y escupe. Te pone otra vez de ejemplo al ciudadano chino Wu Yon Lin, que por dos mil cuatrocientos pesos mexicanos obtuvo el monopolio de uso de la virgen de Guadalupe. ¡Si se pudo comerciar con la única mujer que era intocable en este país, por qué no se va a poder con las otras! Tú le explicas que su razonamiento puede ser correcto pero en la realidad tiene sus dificultades, él grita de nuevo y cuando le aseguras que harás lo que sea por enviar a la primera de las chicas oyes cómo la voz se le dulcifica y crees ver a tu padre con los ojos chispeantes y las comisuras en la frente marcadas a causa de las cejas levantadas hacia arriba. Lo oyes repetir lo ricos que serán cinco, seis veces... hacerte las cuentas... Ya debes estar a punto de enviar el dinero para que el ciudadano Fo Weng Tai consiga el pasaje de la primera muchacha de ojos redondos... aunque no sea virgen...

***

Ese día le has dicho a tu socio que haga el recorrido de las farmacias por ver si hay alguna solicitud de monitores extra que pueden estar necesitando los dueños a causa de las vacaciones. A ella le has hablado por teléfono y la has pasado a recoger sin haber sido muy claro en tu explicación de por qué tenía que ser a esa hora. La llevas a un lugar que desconoce. Cuando se abre por fin la puerta del departamento, la haces pasar al saloncito en forma de ele repleto de papeles y mercancía con severos defectos que te encargas de disimular haciendo un trabajo fino, de vestidor de pulgas. Es «tu despacho». La invitas a sentarse cómodamente en el sillón de velour, le ofreces la copa de licor imitación Charteuse que les das a tus clientes. Ella prefiere agua.

Cuando vuelves de la pequeña cocina con el vaso en la mano te la encuentras observando minuciosamente los objetos que tienes ahí, revisando cada rincón, como un perro que olisquea un bulto con droga. Muéstrate solícito, jadeando entre disculpas. No tenías agua embotellada y tuviste que esperar a que saliera limpia la del grifo. Ella toma el vaso.

—Ya estamos aquí —le dices, con una sonrisa forzada.

Quieres decirle que estás dispuesto a lo que sea por ella, que has decidido dar el paso final. Quieres que te acompañe de viaje. Pero ella ha tenido la mente puesta todo el tiempo en otra cosa.

—¿Sabes? Estoy pensando en decirle a Rolando de lo nuestro —te dice.

Esto te hiela la sangre por un momento. Ella serpentea, es un dragón alrededor de tu cuerpo.

—¿Te digo lo que le pienso decir? Le diré: amor mío, hay alguien que nos divide. Huni. Por él pude pagar los abonos de mi camioneta, ayudar a mi hermano. Y ahora, fíjate, ¡quiere regalarme un departamento! —y señala con los brazos abiertos tu despacho.

Muéstrate escéptico. Dile que tu despacho es muy poco. Que tú le regalarás mucho más. En tu país tienes grandes propiedades.

—Pero tu país está lejísimos, Huni —se queja.

Se te acerca y hace un puchero, insiste en lo que va a decirle a su marido, se pone melosa, te acaricia la oreja y acercándote los pechos te dice: «Oye, Huni. Has de tener tus guardaditos, ¿verdad? A ver, dime cuánto tienes». Tú le explicas que no tienes guardaditos, sólo tu trabajo. Quieres ponerte de acuerdo en algo más espectacular, más grande: un viaje. Pero ella no quiere hablar de viajes ese día. El lugar la ha puesto ardiente, no sabe por qué, te dice, y empieza a desvestirse. Luego insiste en lo que va a decirle a su marido: «Cariño, creo que tengo que contarte algo. Estoy enamorada de Huni». Eso le dirá, te dice.

—Y qué halás después —le preguntas.

Ella te mira con atención por un momento. Luego, suelta una carcajada.

—Nada —dice—. Rolando nunca me creería que estoy enamorada de un chino.

***

Durante mucho tiempo has pensado qué es lo que podrías hacer. Y ahora sabes que todo puede solucionarse con una llamada telefónica. La haces, informas y esperas. En este país el tipo de cosas que requieren una gran planeación en el tuyo se arreglan un buen día, sin que nadie tenga que contratar a nadie ni apretar un gatillo. Lo sabes cuando te encuentras a tu socio fuera de sí, juntando las pocas cosas que tenía en el despacho.

—Ahora sí. ¡Nos jodimos! —te dice en cuanto te ve entrar.

Te muestra el periódico donde salió la noticia: El comandante Rolando García Cueto, hallado en tratos con las mafias coreanas, acusado formalmente de cohecho.

—¡Y todo por una denuncia anónima!...

Di:

—Oh oh oh.

—Sí, por un bocón. Mira, Huni, no hay nada que hacer —insiste—. Sin madrina no se puede seguir en este negocio.

Muéstrate apesadumbrado, asiente. Déjalo que se lleve los lentes Oakley falsos, sus cosas de una vez. Acepta su renuncia. Dale una pequeña gratificación sólo si es necesario.

Míralo irse. Despídete.

—Me cae que no te entiendo, Huni —óyelo decir—. ¿Sabes? A ratos hasta pienso que te dio gusto que agarraran al comandante ese. Ustedes los chinos son como marcianos.

Vuelve a sonreír.

Extiéndele la mano.

***

Y entonces, ocúpate de lo que tanto has querido. Una vez que no existe el obstáculo del marido sabes qué debes hacer. Primero llámala. Dile que tú cuidarás de ella ahora que está sola. Háblale del viaje.

—Huni, hay algo que no entiendes —te dice.

—¿Que no podlemos hacel negocio? —preguntas.

—No, Huni, no es eso.

Se toma todo el tiempo del mundo para explicártelo: de su marido se separó hace tiempo; no es su marido con quien vive. Es alguien más.

—Quién —preguntas.

Te dice el nombre: Comandante Dalia Margarita Taboada.

—Era la segunda de a bordo. Sólo la muerte o la cárcel podían hacer que la promovieran al puesto de Rolando.

Óyela suspirar.

—A mí los hombres me han herido mucho, Huni.

Ella jamás viviría con un hombre.

Quédate atónito.

***

Un día, luego de mucho tiempo, cuando te hable para informarse del próximo operativo y te pregunte cómo estás, responde:

—Bien.

Cuando insista en preguntar:

—¿Estás seguro, Huni?

Acuérdate del viejo koán: «quien siempre habla de lo que siente invariablemente habla de lo que no siente». No dudes en repetir tu respuesta.

(De *Amores que matan*)

CINCO HOMBRES Y UN DESNUDO

ANA CLAVEL

Breve eternidad

He amado a este hombre desde toda la eternidad. Apenas intenta sentarse a mi lado en el avión y ya conozco la gravedad con que se toma las cosas importantes cuando su corbata pregunta: «¿Puedo aterrizar a su lado?» Le sonrío apenada (tendré que quitar todo mi tinglado del asiento y apresurarme para que no descubra un pedazo de pan que he dejado envuelto en una servilleta por si me apremiaba —era un viaje largo— el hambre). ¿Aterrizar ha dicho? Dudo un instante. ¿Empleó la palabra para el asiento o para mi cuerpo? Su sonrisa me convence. Entre ambos ponemos orden, recogemos las migas y por fin se cala el cinturón de seguridad. Apenas a tiempo antes de las turbulencias. Entonces su mirada se vuelve un naufragio que urge mi mano: se la tiendo y comienza a apretarme como si fuera su única salvación. Cierro los ojos mientras el vértigo me crea remolinos por dentro. En el bamboleo el hombre a quien he amado desde toda la eternidad roza sus labios en mi pelo. Abro los ojos: su nariz me apunta excitada. Sigue apretándome. Casi grito cuando un tumbo del avión nos hace brincar de los asientos. Por fin regresa la calma. El avión se desliza para aterrizar. Cuando la azafata nos comunica que ya podemos quitarnos los cinturones, el hombre de mi vida me planta de súbito un beso en la mejilla y me da las gracias. Toma su portafolios y se aleja antes que los otros pasajeros comiencen a levantarse. Su figura se pierde en el pasillo. Veo su asiento vacío a mi lado. Se ha dejado una pluma fuente que debió de salírsele del saco. La acaricio y la hago manar tinta sobre mi palma. Es todo lo que me resta del hombre a quien he amado desde toda la eternidad.

Inocencias hitlerianas

«Quiero tu pubis de niña», dijo mi hombre mientras conducía el auto que nos llevaría esa noche hasta su casa. Después de recogerme en el aeropuerto se había dirigido a un restaurante donde cenamos sonrientes y silenciosos. Bueno, la verdad es que las miradas también nos alimentaron luego de meses en los que sólo habíamos mantenido contacto por teléfono y correo electrónico.

Con certeza, sólo sabía tres cosas de él: que le gustaban los autos deportivos, que no bailaba tango aunque era argentino y que le apasionaban los libros que hablaban de la memoria. Había sido arriesgado viajar para conocerlo pero me decidió su indecisión, su escamoteo de agente viajero pernoctando en diferentes ciudades, su irrefrenable postergar nuestras citas.

Una mañana tomé el teléfono y lo enfrenté: «Iré a California...». «¿Cuándo?», me preguntó sobresaltado. «Cuando tú estés...» No tuvo más remedio que aceptar.

Entre los preparativos del viaje una amiga me sentenció: «Cuidado porque los argentinos las prefieren depiladas». Ante mi sorpresa, ella insistió: «Sí, depiladas, rasuradas, ni un pelo en la sopa o cuando más una raya a lo Hitler...». Me negué rotunda: «Pues por ahí empezaremos a discrepar. O me acepta con pelos y señales o no habrá trato».

Pero mi deseo crecía conforme los días que nos separaban para el encuentro se deshojaban. Alguna vez él me había dicho que desde su departamento se veía el mar. Imaginé que mi deseo era una marejada que se alzaba hasta el piso veintidós, que mi hombre abría la puerta del balcón y que mi ola gigantesca lo inundaba.

Salimos del restaurante y jugamos en el trayecto. «Te voy a devorar toda la noche», amenazó sin miramientos. Me besaba en los altos y toqueteaba mis senos y mis piernas. Ya casi para llegar escondió su mano en mi pubis y lanzó su súplica que era orden que fue promesa: en sus manos volvería a ser púber otra vez.

Urgidos por tanta espera comenzamos a desvestirnos desde el elevador. Apenas entramos al departamento me condujo al baño entre besos y caricias sedientas. Entonces me apartó un instante para hacerse de tijeras, rastrillo, espuma. De modo que no era mentira. Obediente, lo dejé hacer. Se aplicó a la tarea de rasurarme como si podara un jardín de flores: cuidadoso, intransigente. En el espejo descubrí que mi pubis, albeante salvo por una misericorde línea central, sonreía con un virginal pudor neofascista.

Me cargó en brazos hasta la cama. Comenzó a besarme con besos cortos y saltarines. Me tocaba con una delicadeza vehemente como si fuera yo una muñeca de porcelana y temiera romperme. De pronto, se detuvo: al pie de la cama hincó la rodilla y me ofreció hacerme un pastel, llevarme al acuario, mostrarme el final del arco iris si me abría de piernas y lo dejaba contemplarme.

Mi pubis esbozó una carcajada franca, gozosa, impúdica para él. Yo me saboreaba su fascinación, su mirada eréctil que me esculpía como una estatua viviente. No pude resistir más. Al borde del naufragio, intenté atraerlo hacia mi interior para que juntos nos ahogáramos. Mi hombre dio un salto hacia atrás. Su cuerpo antes vigoroso era ahora el de un chiquillo: «Nunca he violado a una niña», gimoteó incapaz.

Una hora más tarde estaba de regreso en el aeropuerto. Me marché con mi deseo. Tan intocado como una núbil ola adolescente.

Historia sin lobo

Este hombre despierta mi hombre. Llega tarde a la cena de autores a la que he sido invitada. Inapetente, apenas si he tocado un par de bocadillos. Saluda y, entre el alboroto, queda a mi lado. Es sencillamente un encantador. Toca su flauta y ya me bamboleo y salgo de la cesta. Su olor me abre. Platicamos sin ocuparnos de los otros: de las anguilas que discurren ciegas por su deseo en un libro de Cortázar, de los mingitorios del Bar del Diego «tan inodoros y límpidos que se podría beber agua de ellos». De pronto me pasa la mano por debajo de la mesa. Descubre el bulto que sólo para algunos me crece. «No sabía que las mujeres tuvieran pene», susurra a mi oído. Siento la presión en la entrepierna, casi dolorosa, y le sonrío porque también ha despertado mi hambre. Un camarero coloca un plato de cerezas y quesos en la mesa. Tomo uno de los frutos entre mis dedos y, golosa, comienzo a devorarlo. Mi hombre se levanta y se dirige al baño. Luego de unos segundos en que contesto una pregunta de otro de los invitados, me excuso para ir al tocador. Abro el que no me corresponde. Ahí está mi hombre. No se sorprende al verme pero tiembla y se sonroja con una fiebre repentina. Me aproximo a él y le acaricio sus tímidos senos de doncella encantada. Por fin despiertan. Le digo: «Vaya, vaya... están crecidos» y me inclino a sorberlos. Mi hombre gime rotundamente abierto. Con urgencia, palpa otra vez mi bulto, cada vez más hambriento. Ahora sus ojos son una súplica ardiente. Entonces le ordeno: «Date la vuelta». Sus manos se apoyan en el borde del mingitorio mientras le confieso: «Ahora sí, voy a comerte...».

Oficios marinos

Era alto y erecto como la verga de un barco. Su profesión no estaba relacionada, sin embargo, con la marina sino con la medicina. Fue mi ginecólogo cuando estuve embarazada. Tenía manos grandes y dedos largos que palpaban mi interior. Sus ojos presagiaban la melancolía del marino que ha hurgado todos los mares en busca de la imposible perla de los vientos... Qué remedio: lo amé desde el fondo de mis entrañas. Nos citábamos cada mes; después, cada semana. No era yo la única que suspiraba. En la sala de espera del consultorio otras mujeres, flanqueadas por maridos ingenuos, aguardaban ansiosas su profanación.

Una vez, cercano el parto, me auscultó y mi vientre curvo se precipitó en leves oleajes. Su rostro emergió excitación entre mis piernas mientras deslizaba dos de sus largos dedos. «Ya casi...», susurró a modo de promesa.

Yo quería estar en mis cinco sentidos cuando tuviéramos por fin el esperado encuentro: deseaba un parto psicoprofiláctico, sin anestesia, sin la violencia de ser rasurada, sin corte quirúrgico para evitar desgarramientos. Él me escuchaba con paciencia mientras desviaba la vista hacia el ventanal de su oficina como el vigía que sabe que, aunque la encuentre, no dará jamás con la tierra prometida: antes de mí, de cada cien mujeres que lo intentaban, sólo una llegaba al final. Las enfermeras y el constante repiqueteo del teléfono nos interrumpían. Pero sí: él me ayudaría y juntos arribaríamos a buen puerto.

El plazo se cumplía. Lo desperté en la madrugada y quedó de alcanzarme en el hospital. Su ayudante me auxilió con las respiraciones mientras el anestesista intentaba seducirme con la promesa de aminorar el dolor. Pero no era para tanto: cada centímetro de dilatación me traía a la mente la brisa de su mirada. Por fin llegó y me alzó en brazos para cambiarme de posición. En realidad, me izó con él hasta el lugar del vigía donde avizoré el mar y la isleta al fin posibles. Me tendió en la camilla, me separó las piernas y se inclinó para masajearme en una caricia intensa que me quitaba el aliento. Al borde del grito me confesó: «Tengo que hacerlo para que no te desgarres... ¿Recuerdas que así lo querías?».

No pude resistirlo más. De pronto mi cuerpo se abrió y un relámpago se deslizó como un pez luminoso entre mis piernas. Jadeante, le entregué mi goce. Lo recibió con sus manos inmensas y unos ojos que eran la brisa triste que sopla el deseo colmado. Se dio la vuelta y entregó mi orgasmo a la enfermera que, diligente, lo envolvió en pañales.

Lo vi un par de veces más y confirmé el naufragio: nuestra historia de desamor por fin había comenzado.

Siempre el Paraíso

Se transformaba a cada instante. Huía sin remedio. Era un cazador profesional. Capaz de introducirse en una sinagoga con dulces para ofrecer a los presentes mientras atisbaba la apartada sección de mujeres, convertida en un súbito harem. O de aprender húngaro para conversar con la madre de su siguiente conquista. También le daba por asumir formas proteicas: pez, chupamirto, lobo, araña. Yo lo amaba en cada una de sus facetas y lo esperaba después de cada cambio. Mientras tanto, me derramaba en otros continentes, pero en cada travesía siempre lo buscaba a él. Me maravillaban sus artes metamórficas, su capacidad líquida para escurrirse entre las manos. Por supuesto, deseaba apresarlo, proclamar que ese hombre múltiple era sólo mío.

Un día llegó a mi casa extenuado. Sus ojos urgían una tregua. Se quedó dormido entre mis brazos como agua escondida. Cabía en un cuenco, un simple vaso. Podía beberlo sin prisa. Pero me contuve, sospeché la tristeza de Dalila, el dolor de Salomé, y me contuve.

«Tuve un sueño raro», me dijo al despertar. «Eras una mujer de agua que dormía en el lecho de un valle. Hombres que venían del desierto te descubrían y te deseaban: querían poseerte —yo entre ellos—. Te forzábamos. Te resistías. La sed iba en aumento, imperiosa, tiránica: terminábamos por beberte. Aún paladeaba el último sorbo —el cuenco líquido de tu cadera, creo— cuando de pronto lo supe: una nueva sed, rotunda y desesperanzada, comenzaba a secarme el alma.»

Y guardó silencio. Busqué sus ojos y él los míos. Por primera vez desnudos desde la última ocasión en que escapamos juntos del Paraíso.

Un desnudo

En la punta de la rama estoy. Mi hombre me toma en su mano y tira. En realidad, nunca hubo otra manzana. Me lleva a sus labios y comienza a comer. Nuestro amor siempre ha sido hambre. Ahora recorro su interior, desciendo por la cascada de los jugos gástricos, me pierdo en los corales de sus arterias más ínfimas. Por fin habito su ensoñado corazón, su entrañado vientre. A mi manera, lo he preñado. Le devuelvo la mirada. Ahora le toca a él darme a luz.

(De *Paraísos trémulos*)

METEOROS 1: AIRE

ÁLVARO ENRIGUE

> Mientras las cosas no están ordenadas del todo, se hallan inquietas. Se ordenan y descansan.
>
> SAN AGUSTÍN, *Confesiones XIII, 7*

Lo primero que pasó frente a la ventana eran periódicos y bolsas de plástico, lo cual no hubiera sido raro en otoño de no haber sido porque estábamos en un aula del tercer piso. Hablábamos del desamparo infantil de Darío e interrumpí para comentar sobre la grosería del clima en la costa este de los Estados Unidos. Los estudiantes se me quedaron viendo con hostilidad —he llegado a concluir, por salud mental, que es así como ven siempre—, por lo que seguí adelante con la clase. Ya íbamos por la llegada de Rubén a la aduana de Valparaíso cuando pasó al otro lado del vidrio algo que podría haber sido una lona de construcción, el toldo de un coche o un becerro. El archivo de *El mago de Oz* se abrió inmediatamente en mi cabeza y propuse que nos bajáramos a uno de los salones del sótano a seguir con la clase. Me hicieron caso —por primera vez— con disciplina de soldados.

Por las tardes se respira en el edificio de Lenguas Extranjeras de la universidad en que doy clases el olor de las ciudades bombardeadas: los salones abandonados súbitamente a las tres de la tarde dan la sensación que deben producir los rescoldos de un despojo a muerte. En los pasillos se encuentran al paso restos de una vitalidad terminada de manera sumaria: vasos desechables en los que quedó una impronta de bilé, cuadernos abiertos, una sudadera o una gorra que derivaron hasta un rincón. Elegí un aula interior —sin ventanas para evitar las distracciones— y conseguí llegar hasta el arribo de Darío a Buenos Aires. Les dije que después del desembarco del nicaragüense nada iba a ser lo mismo para la lengua, que todo un mundo se terminaba para siempre y que otro, quien sabe si mejor pero distinto, comenzaba. Darío, dije en un rapto de lirismo que me cubrió de miradas entre hostiles y confundidas, jaló la cadena de un inodoro milenario.

Revisamos con éxito modesto algunos poemas y todavía tuvimos tiempo para comentar la naturaleza del trabajo que me tenían que entregar para la siguiente clase. Como siempre, les agradecí su paciencia y como nadie dijo que de nada, supuse que me la habían tenido.

Al final me tomé mi tiempo metiendo papeles y libros al portafolios para evitar encontrarme con alguno de los estudiantes en la parada del autobús o el vagón del metro: nunca sé qué decir en esos casos y siento que diga lo que diga voy a quedar como un pervertido. Me fingí absorto en la lista, revisé brevemente mis notas, lo metí todo en la maleta con un escrúpulo fingido, subiéndome los lentes sobre el puente de la nariz cada poco tiempo. Salí del edificio hasta que estuve seguro de que todos se habían disuelto por la inmensidad el campus.

Afuera me extrañó que no hubiera nadie en las mesas de la terraza exterior, que por ser cómodas, estar techadas y encontrarse al pie de un edificio con población extranjera, siempre tienen grupos de fumadores. Una brisa densa y húmeda, más propia de agosto que de fines de septiembre, mecía la asombrosa cantidad de basura empapada que había quedado como saldo de la tormenta entre las patas de las sillas y en los rincones del patio. Entonces me empezó a incomodar el ruido de las sirenas en la distancia.

Desde los días lúgubres del terremoto de ochenta y cinco en la Ciudad de México, el ruido de las ambulancias me dispara una ansiedad que siempre tardo en identificar. Estuvimos por entonces una o dos semanas con ese ruido como fondo único para nuestra vida paralizada. Nunca voy a olvidar las mañanas que pasé como parte de un escuadrón de estudiantes de bachillerato llevando y trayendo comida al barrio de Tepito, que quedó destrozado. Así va a ser la Ciudad de México cuando los gringos nos vuelvan a declarar la guerra, me decía el Pollo, que la jugaba de chofer en la ambulancia improvisada en que transformamos su camioneta con unas cruces gigantes de cinta roja. Después —como con Darío y la tradición— ya nada fue igual en el país: le jalamos la cadena a un inodoro con sesenta años de tiranía más bien mediocre. Hicimos la revolución, aunque le cueste aceptarlo a las generaciones anteriores, al estilo de Hemingway: como camilleros.

Para llegar a la avenida que parte por la mitad al campus hay que cruzar un largo prado bordeado de robles. Normalmente esta caminata suele consolarme de los hartazgos de ser extranjero e insignificante: dar clase de letras latinoamericanas en una universidad gringa es dejar caer un árbol al día en el bosque deshabitado. Mientras caminaba confirmé que el aire era pura ominosidad: no había un alma en las veredas del parque y el rugido de las sirenas se hacía más y más intenso conforme me acercaba al circuito universitario. Todavía tuve la candidez de lamentar que, hubiera sucedido lo que hubiera sucedido, seguro habría un tráfico espantoso en la avenida principal y me terminaría tomando demasiado tiempo llegar al metro. Confirmé que traía en el bolsillo suficientes monedas para llamar a mi mujer desde un teléfono público y avisarle que le fuera dando de cenar a los niños, que yo llegaba en cuanto pudiera.

Esa fue mi última preocupación banal de la noche: pronto me encontré con la avenida principal cerrada y desierta y la parada del autobús clausurada con la cinta amarilla de la policía —el ruido de las ambulancias venía de más lejos—. Caminé, ya presa de una angustia feroz, hasta el edificio en el que están los servicios: cafeterías, librerías, la oficina postal. También estaba sin nadie. Subí y bajé escaleras, recorrí pasillos. Todo cerrado o solo. En el comedor principal había decenas de mesas abandonadas a media comida: hamburguesas mordidas, vasos de refresco llenos, platos de helado derretido en los que ya navegaba una cucharita de plástico. En la sala de recepción apreté la campana del escritorio de atención a los visitantes con un frenesí ridículo.

Antes de salir de nuevo y emprender la larga caminata hasta la estación del metro —la había tenido que hacer en otra ocasión en que suspendieron el transporte por nieve mientras trabajaba en la biblioteca— me detuve en una hilera de teléfonos para marcarle a mi mujer y preguntarle qué estaba pasando. No había línea. Entonces escuché el ruido casi militar de una multitud avanzando junta y en silencio.

Subí corriendo un piso y me encontré con un vasto desfile de estudiantes moviéndose disciplinadamente en líneas más o menos compactas detrás de un voluntario que llevaba sobre la ropa de civil un chaleco anaranjado fosforescente. Reconocí entre la multitud a una antigua alumna panameña. La saqué de la fila de un jalón y le pregunté qué pasaba. Cayó un tornado, me dijo desde una interioridad en la que reinaba el estupor. ¿Y? Pegó en los dormitorios del estadio de fútbol. Sentí una pulsada de miedo: la guardería de la universidad, a la que asistían mis dos hijos, estaba en el mismo complejo de edificios. A qué hora fue, le pregunté. No sé bien, yo acababa de entrar a Psicología y nos encerraron en las aulas del primer piso, iba a clase, serían las cuatro; ahorita están concentrando a la gente porque ahí viene otro. Aquí no hay nadie, le dije. En el sótano, me respondió, tienen a media universidad en el sótano.

Corrí sin despedirme hacia el exterior. Afuera otro de los voluntarios tocó el silbato cuando me vio pasar con rumbo a la zona de emergencia. No le hice caso: Cathy recogía a los niños hasta las cinco, lo que significaba que ellos también habrían sido evacuados.

En muchas ocasiones, cuando su trabajo en la aseguradora le exigía a mi mujer quedarse a cubrir parte del turno de la tarde, era yo el encargado de pasar por los niños. Lo mismo sucedía los viernes, que era el único día en que no daba clase. La guardería —un edificio amplio y bajo, con una torre de vigilancia ciclónica en el techo— estaba en los llanos del confín de la universidad, entre el complejo deportivo y unos dormitorios de gusto soviético en los que se apelmazaban la mayoría de los estudiantes de licenciatura. Cuando el clima estaba riguroso —casi siempre hace en este país demasiado calor o demasiado frío o hay demasiada agua o demasiado hielo— tomaba el autobús que le da la vuelta al campus; cuando no, hacía una caminata de media hora que generalmente culminaba en mi retraso y la mirada de reprobación de la directora de la escuela, que confirmaba todos sus estereotipos sobre los mexicanos al verme entrar sudoroso y de buenas diez o quince minutos tarde. En los tres años que los niños pasaron en esa guardería nunca la vi —ni aún cuando llegaba a tiempo— con otro gesto que el de matrona protestante enfurecida por la inmoralidad planetaria.

El día del tornado alcancé la zona de la guardería en unos cuantos minutos. La carrera a trancos por un territorio desierto se me quedó impresa como un paisaje de pesadilla. Hice los últimos quinientos o mil metros a prado traviesa: la policía tenía cerradas las veredas y caminos y no quería que me evacuaran antes de saber que los niños habían sido llevados a tiempo a un lugar seguro. Conforme me iba acercando a mi destino los restos de la destrucción iban creciendo de grandes a enormes: al final tuve que avanzar librando un revoltijo de árboles y láminas. Se me quedó grabado con particular insistencia un tronco de roble en el que se había enredado la serpiente de un poste de luz fuera de cuajo.

La calle que conduce a las puertas de la guardería estaba bloqueada por los coches que habían sido alcanzados por el derrumbe de los árboles. Iba cruzando a saltos la pedacería cuando sentí una mano en el hombro. Era un policía, acaso mujer por su tamaño y lo tipludo de su voz, aunque su sexo era indistinguible entre el casco y la armadura. Me dijo a gritos que no podía entrar a esa zona. Hasta entonces no me di cuenta de que había un ruido infernal de sirenas y martillazos, mezclados por el viento que empezaba a levantar de nuevo. Me escabullí sin responderle y a los pocos metros volvió a pescarme. Le dije que mis hijos habían estado ahí adentro cuando pegó el tornado y me respondió que todos estábamos igual de preocupados pero que lo sentía mucho, que no podía dejarme pasar. Le pregunté si había habido víctimas. Me dijo que sí pero no sabía si en la escuela, que los niños y sus maestras habían sido evacuados al complejo deportivo y que todavía no tenían noticias sobre los números. Me le escapé corriendo sobre el techo de un coche. Me alcanzó otra vez al poco, me tomó por el brazo derecho y me lo torció sobre la espalda. Me dijo, tocándose con la mano que le quedaba libre las esposas que le colgaban del cinturón, que iba a tener que arrestarme si volvía a hacer eso, y que entonces no me iba a enterar de qué había pasado con los niños de la escuela. Me sacó a jalones de la escena: recuerdo que oteando en desesperación alcancé a ver que el edificio se había quedado sin techo. Me puso en manos de un voluntario —rubio, a rape, doscientos kilos cuando menos— que sin destorcerme el brazo me llevó casi en vilo hasta el gimnasio. Lo último que vi de la zona de emergencia fue a un par de bomberos aserrando la cabina de un coche para sacar a sus ocupantes. La única luz que quedaba para alumbrarlos era la que despedían las torretas de los carros de emergencia.

Los gringos son una nación obediente: todos se habían plegado a las decisiones de la autoridad y estaban distribuidos en los grupos que les habían asignado en el gigantesco complejo deportivo subterráneo. El primer piso —el de las albercas— estaba cubierto por un domo de vidrio, por lo que estaba prohibido acampar ahí. El voluntario me depositó en un río de gente que me llevó hacia las escaleras. Le pregunté a varios por el paradero de los niños de la guardería y nadie sabía nada.

Me salí del caracol de la escalera en el primer piso hacia abajo y busqué por los gimnasios. Tribus completas de jóvenes jugaban a las cartas o hablaban a gritos en grandes círculos. En uno de ellos me dijeron que habían visto a una señora con un montón de niños en las canchas de básquet del cuarto piso, dos niveles más abajo.

Desde que me integré de nuevo al marasmo humano noté que los siguientes pisos estaban sensiblemente más calientes: seguramente la luz eléctrica se había cortado y funcionábamos con la planta local, por lo que no había aire acondicionado. Se avanzaba lentamente, de un modo sonámbulo.

El espacio dedicado a las canchas de básquet era una explanada descomunal que nunca jamás hubiera yo pensado que podría haber estado ahí, bajo la tierra que pisaba tan a menudo en mi camino a la guardería. Los muchachos acampaban en grupos, leyendo, durmiendo o haciendo tareas. Un voluntario me señaló poniéndose el dedo índice en la boca que en esa zona estaba prohibido hacer ruido. Era impensable que tales condiciones tuvieran ahí a los niños, de modo que me salí.

Afuera me encontré un conocido de la guardería: un profesor coreano de economía que llevaba a su hijo de la mano. Los había conocido en las reuniones de padres de familia de la escuela, por lo que me aferré a sus solapas y le pregunté dónde estaban los niños. Al principio me vio desconcertado, como desde dentro de una burbuja muy gruesa, luego pareció reconocerme y me tiró sin intermedios un relato hecho trizas en el que un árbol se cebaba con el cofre de su coche. Habían esperado quietos adentro a que pasara la tormenta y luego corrido a la escuela, que se había quedado sin puertas ni ventanas y sin un tramo del techo. Repetía que no sabía qué iba a hacer, que acababa de comprar una casa y que el seguro no le iba a pagar el coche porque un tornado era considerado un Acto de Dios. Me costó trabajo sacarlo de su monólogo para que me dijera que, efectivamente, lo habían evacuado con los demás miembros de la escuela, que estaban en los fondos del edificio, en el vestidor de mujeres, pero que había muy poca luz y hacía mucho calor, así que andaba buscando una tienda para comprarle un refresco a su hijo.

Lo dejé secuestrado por su monólogo sobre la irracionalidad de una cultura que le atribuye actos a Dios, como si fuera el funcionario encargado del clima. Bajé muy rápido los tres pisos que me quedaban para alcanzar el séptimo —el de los vestidores.

A partir del quinto la intensidad de la iluminación descendía notoriamente: unas cuantas lámparas encendidas, además de los focos rojos de emergencia, le daban al ambiente un color crepuscular. El calor era tan intenso que eran apenas unos cuantos los estudiantes que bajaban y subían.

En el séptimo piso, apenas saliendo de la espiral de la escalera, me encontré con que los muchachos, que platicaban ya sin supervisión adulta, estaban todos en ropa interior —hombres y mujeres— sentados en las bancas como si los rodeara la más normal de las circunstancias. El brillo de sus hombros, sus estómagos, sus piernas, me hizo tomar consciencia de que yo mismo estaba completamente bañado en sudor.

Corrí hasta uno de los vestidores y crucé sus puertas con la violencia de los desesperados. El aire acre del interior era tan densamente humano —pura descomposición— que pensé, mientras avanzaba por el pasillo que conducía a las gavetas y las regaderas, que era una infamia tener ahí a los evacuados de la guardería, que los debían subir a un nivel más fresco. Además no había luz blanca: sólo el brillo siniestro de los focos rojos reflejándose en los azulejos.

Alcancé el final del túnel, di media vuelta y en lugar de los niños y sus maestras me encontré con decenas de cuerpos desnudos y apiñados restregándose unos sobre los otros por el suelo, sobre las bancas, de pie junto a los casilleros. Se movían en evoluciones lentas, como una criatura divina en gestación. Cada cual tenía en las manos, la boca, el sexo o el culo otra parte de alguno de los demás. Los torsos pálidos alumbrados sólo por la luz roja de las lámparas de emergencia me hicieron recordar las latas repletas de gusanos de tierra que solíamos juntar en el jardín de mi abuela de Autlán cuando íbamos a pescar.

Me quedé paralizado, absuelto de mi personalidad y angustias privadas por esa solución de cuerpos. Uno de los jóvenes que había visto platicando afuera pasó a mi lado. Ya se iba a perder en la molicie cuando reaccioné y corrí a alcanzarlo: le pregunté por los niños de la guardería. Me dijo que no sabía, que había estado hasta ese momento en las canchas de tenis del quinto piso y ahí no había niños. Déjame preguntar, concluyó y haciéndome una señal que significaba que fuera paciente se dirigió a un grupo cercano de atenazados. Hablaron entre ellos sin dejar de trabajar las partes de otros que les correspondían. Al final una jovencita se sacó un miembro de la boca para decirme que estaban en el vestidor de las mujeres, al otro lado de las escaleras.

El sopor, la falta de oxígeno, la pobreza de la luz y la acumulación de impactos terminaron por vencerme: caminé con el sosiego de quien se entrega a su destino hasta los vestidores de damas. Tuve que tocar la puerta e identificarme para que me abrieran. Ya adentro, una de las maestras se disculpó diciendo que habían tenido que atrancar porque cuando los muchachos se empezaron a desvestir, mandaron a un padre de familia y su hijo a pedir ayuda y no habían vuelto. No le dije que me los había encontrado caminando por un piso más fresco: avancé directamente por las gavetas hasta donde se oía el escándalo de los niños, que al parecer jugaban como si nada.

Antes de llegar a donde estaban —los tenían rodeados de ventiladores— me encontré de frente con otro padre de familia con el que conversaba con frecuencia porque es colombiano. Venía distraído, mirando al suelo con las manos en los bolsillos de los pantalones, por lo que no notó mi presencia hasta que lo saludé por su nombre. Me miró a los ojos y tardó una fracción se segundo en reconocerme; vi cómo el relámpago del miedo le cruzaba la cara. ¿Cathy no alcanzó a salir?, me preguntó. No sé, le contesté. La vi salir con los niños mientras yo iba entrando, me dijo, el tornado pegó cuando estaba firmando la salida de Jorgito. Se pasó la mano por la pelambre sudorosa; se esforzó para moldear un gesto de normalidad y me mandó a hablar con la directora, que estaba más adentro.

El corrillo completo de las maestras se quedó en silencio cuando irrumpí entre ellas. ¿Cathy y los niños no están contigo?, me preguntó la directora sin levantarse de la banca en la que estaba. Abrió el bolso gigantesco que siempre cargaba consigo y sacó un teléfono móvil que me tendió inmediatamente. Habla a tu casa, me dijo; a lo mejor ya estaba afuera cuando se soltó el infierno.

Por entonces los celulares eran una novedad: una vez que lo tuve en las manos no supe cómo hacerlo funcionar. Me explicó que tenía que marcar y apretar el botón verde, pero que para hacerlo tenía que subir lo más cerca de la superficie que pudiera: abajo, en las calderas, no había manera de comunicarse con nadie. Las caras de duelo con que me despidieron dejaban clarísimo que nadie albergaba la menor fe en que hubieran redimido el camino antes del golpe del meteoro.

Volví a la extravagante realidad del pasillo con más resignación que angustia. Tenía desde hacía quién sabe cuánto una necesidad pertinaz de ir al baño que no había identificado debido a la tensión extrema en que se encontraba mi cuerpo. Subí al siguiente piso a buscar un inodoro: no quería encontrarme con otro pandemónium en el sótano. Tuve que hacer una larga fila para poder descargar la entraña en un retrete demasiado usado. Al jalar la cadena pensé por primera vez con claridad que probablemente ya no fuera un hombre de familia; que mi universo emocional completo podría haberse ido a la mierda en lo que leía un grupo de poemas de Darío que nadie de entre mis estudiantes iba a volver a recordar en toda su vida.

Seguí ya sin prisa, calculando la dificultad que, por ejemplo, iba a entrañar avisarles a mis padres que me había quedado viudo y ellos sin nietos. Cuando alcancé el punto en que una barrera de voluntarios cerraba el paso hacia la superficie ya sentía en el alma el soplo de una libertad inesperada.

Marqué el número de mi casa y no me contestó nadie, ni siquiera la grabadora: no había luz. Hurgué en mi portafolios en busca del teléfono de la casa de mis suegros, que viven más lejos del campus y por ello probablemente sí tuvieran corriente eléctrica. Marqué y me contestó mi esposa. Me preguntó de lo más tranquila si ya había llegado la luz en casa: se había llevado a los niños a cenar con los abuelos porque no podía cocinar y me había dejado una nota sobre la mesa. Le conté dónde estaba y simplemente no podía creérmelo: sí había notado la reciedumbre del viento al salir de la escuela, pero había llegado al exterior de la universidad sin percances. En el coche se habían ido oyendo una cinta de música infantil y en casa de los abuelos habían puesto un video de caricaturas, así que no se habían enterado de nada. Quedamos en que se quedarían a pasar la noche donde estaban para que ella pudiera recogerme en el coche a la hora en que me permitieran salir. Tuve que controlar la voz para que no notara mi mal humor.

Ya en los fondos del edificio de nuevo —el celular ardiéndome en la palma de la mano derecha— me detuve al pie de la escalera, indeciso entre seguir hacia los vestidores de hombres o los de mujeres.

(De *Hipotermia*)

OTRA OPORTUNIDAD PARA EL SEÑOR BALMAND

ANA GARCÍA BERGUA

Estaban sirviendo el postre cuando llegó el señor Balmand. Ya le habíamos señalado varias veces que, en nuestra pequeña asociación, la impuntualidad se consideraba un defecto, pero él parecía empeñarse en no hacer caso. A cada reunión llegaba tarde, esgrimiendo siempre los pretextos más descabellados: un improbable tropiezo de su caballo a mitad de la avenida Canelones, algún botón faltante en el vestuario que el reglamento imponía a nuestras juntas, una amarga discusión de último momento con su mujer o con su secretario. Como en todas las demás ocasiones, nuestro presidente, el señor Walpurgis, se limitó a señalarle su asiento con gesto firme y autoritario, y la sesión prosiguió sin mayor contratiempo, despachando con prisas lo que nos faltaba. Al terminar, el señor Walpurgis dijo, como en un descuido, que esta vez la comida no había quedado tan bien como la vez anterior.

El Gran Maestre de Cocina, señor Gargantúa, se justificó diciendo que no había podido disponer de ingredientes tan exquisitos como en otros días. A cambio de ello, declaró, el platillo principal fue preparado con mucho mayor esmero en esta ocasión, gracias a que su equipo de cocineros realizó un peligroso viaje a la región de Lüdsk para conseguir la escasa planta *canniculata borunda,* o hierba de ratón, la cual solía añadir un gusto exquisito a todos los guisos. Entonces el señor Walpurgis dirigió al señor Gargantúa una de esas miradas que paralizaban de terror. Limítese a pedir una disculpa, señor Gran Maestre de Cocina, ordenó. El señor Gargantúa bajó los ojos y presentó sus más sentidas excusas, que constaron en actas.

Después el joven Raskolnikov, chupando distraídamente la cucharilla de plata de los postres, preguntó si seguiríamos permitiendo al señor Balmand llegar tarde: esta ya era la décimotercera vez que lo hacía. Al joven Raskolnikov varios le tenían miedo. En primer lugar, porque tenía un gran ascendente, ciertamente un poco misterioso, sobre el señor Walpurgis, y no habían faltado camaradas castigados por faltas de lo más leves a causa de su insistencia en acusarlos como si hubieran cometido grandes crímenes. Por culpa de estas exageraciones, había quien se encargaba de esparcir por toda la ciudad la maledicencia de que nuestra asociación, cofradía o club era una tribu de salvajes. Ciertamente, una vez adentro era imposible escapar a los compromisos contraídos con la asociación, pero a cambio de ello teníamos grandes ventajas de exclusividad, y cada miembro podía asegurarse en su fuero interno (pues nuestras actividades se desarrollaban dentro de la discreción más absoluta y, de ser posible, el mayor silencio) que tenía en cada cofrade a un verdadero hermano, y en nuestro presidente a un padre benévolo y comprensivo que tarde o temprano nos ayudaría a lograr todo lo que deseáramos en la vida, incluidos aquellos caprichos que no se pueden confesar en un teatro, por ejemplo, sin verse rodeado de prejuicios arcaicos e incomprensión.

De modo que nuestro fogoso joven insistió: ¿Nos vamos a levantar así?, ¿vamos a permitir que el señor Balmand siga llegando a la hora que se le antoja, como los grandes terratenientes y los banqueros austriacos? Tenía los nervios crispados y la cabellera revuelta de agitación. Fue la primera vez que vimos al señor Balmand ponerse pálido, en lugar de mirar su sortija de zafiro y musitar en sorna «bla bla bla», en tono molesto e indiferente, como solía hacer siempre después de los arranques de Raskolnikov, provocando en algunos de nosotros ataques de risa que teníamos que ir a desechar al salón fumador por improcedentes. Esto se debió a que el señor Walpurgis, en lugar de levantar en silencio su imponente humanidad y encaminarla a la puerta, como era su costumbre, se quedó sentado. Luego declaró: está bien, señor Raskolnikov, acabemos con este asunto de una vez por todas. Haga usted formalmente la acusación. El joven Raskolnikov se levantó con solemnidad y repitió la fórmula acostumbrada: Yo, Fulano de Tal, acuso al señor X, miembro de esta asociación, de tal o cual cosa. Así se debía hacer, manteniendo el brazo en alto y mirando hacia el Purgatorio, donde estábamos seguros de que se encontraba el fundador de nuestra secta, club o grupo, el señor Indigo Brailovsky, insigne swedenborgiano. De tanto acusar, el joven Raskolnikov levantaba el brazo ya con mucho estilo.

Mientras tanto, los demás nos ocupábamos en mirar el reloj, pensando en todas las actividades que posponíamos involuntariamente a causa de los caprichos de este enjundioso muchacho. Estoy seguro de que nadie de nosotros deseaba mal alguno al señor Balmand. A cambio de su impuntualidad —cuyas causas cada vez más fantásticas le daban variedad a nuestras vidas, hay que reconocerlo—, él solía allegarnos cuantiosos recursos de la barra de aristócratas en retiro, y se encargaba de que el servicio de los meseros estuviera siempre lleno de detalles exquisitos: flores, uniformes sorprendentes, susurros que al servir la sopa le añadían sabores insospechados. En suma, el señor Balmand era un hedonista, ciertamente, pero a fin de cuentas su arte nos beneficiaba a todos. Esto fue lo que esgrimió el señor Luna, Gran Abogado, cuando tocó el turno de hacer la defensa del señor Balmand, recibiendo el apoyo entusiasta de nuestro vicepresidente.

Sin embargo, el joven Raskolnikov insistió en su acusación: peor aún, dijo, si el señor Balmand se jactaba de ser un miembro benéfico de nuestra secta o comunidad, el hecho de que se tomara tan cínicamente la libertad de llegar tarde hacía pensar que consideraba a la asociación inferior a sus colaboraciones, y por lo tanto, se estaba burlando de nosotros. El señor Balmand se cree el dueño de esta cofradía, se siente un hombre mejor y más poderoso que nuestro queridísimo presidente, remató, dando un sonoro puñetazo en la mesa que a varios nos crispó los nervios y mirando con arrobo delirante al señor Walpurgis, que ciertamente, si algún defecto tenía, era el de la vanidad.

La calma clásica del señor Walpurgis se vio turbada por este último comentario. Un destello de ira brilló en su pupila violeta. Como ya había terminado la exposición de los motivos acusatorios, y la de los argumentos de la defensa, los concurrentes callamos a la espera de la usualmente sabia decisión de nuestro superior dirigente. El silencio fue tenso, y sólo lo rompieron los regurgitamientos, producto de la opípara comida, y el meneo nervioso de algunos traseros sobre algunas sillas. Finalmente, el señor Walpurgis anunció: Es una pena prescindir de usted, señor Balmand. Una verdadera lástima. Luego miró hacia el Purgatorio, con gesto desolado. Todo ello constó en actas.

¡Había sido tan tolerante con otros miembros! Por ejemplo, el caso de aquel que llamábamos señor Gitano o Gaulois, por lo mucho que fumaba. Su condena se debió a su mal humor incesante, a sus protestas, quejas, farfulleos y eructos en todas nuestras comidas. Todo le parecía mal. Nunca se terminaba el postre. Decía en voz alta que pagaría por poder salirse de nuestra asociación, e incluso gritó en alguna ocasión que estaba harto de esta manada de monstruos. Bueno, en ese caso, y después de haber tolerado esa actitud durante varios años —pues era primo del señor Raskolnikov, hay que decirlo—, el castigo nos pareció apenas justo. Pero el señor Balmand era un pan de dios. En realidad, cualquiera de nosotros lo hubiera elegido como líder al culminar el mandato del señor Walpurgis. De todos se apoderó la melancolía, excepto del joven Raskolnikov, que nos miraba con una expresión de éxtasis victorioso iluminada en el rostro.

De repente, el señor Gargantúa —tan animoso de costumbre con los castigos, y que sin embargo no se había movido de su sitio esta vez, los brazos caídos, el gesto desolado— levantó la vista hacia el señor Walpurgis y habló. Fue conmovedora su valentía. A sabiendas de que apelar a una condena ya establecida era de lo más riesgoso, dijo:

—Como cocinero, si en algo aprecia esta cofradía mi opinión, me atrevo a pedir otra oportunidad para el señor Balmand.

Nos quedamos helados, esperando ver la espada de Damocles partir la mesa alrededor de la cual tantas cosas habíamos comido y decidido en los últimos años. Pero fue más sorprendente aún lo que siguió: el señor Walpurgis decidió concederle al señor Balmand aquella oportunidad, a condición de que él mismo, sin la ayuda del señor Gargantúa, preparara el banquete del jueves próximo. Si la comida sabía mal, que era lo más probable, el señor Balmand desaparecería de nuestra asociación y, de paso, de la faz del universo.

Varios de nosotros palmeamos la espalda del señor Balmand al pasar hacia la puerta. Sabíamos que podía acompañar una comida de detalles exquisitos; en cuanto a prepararla con sus manos, dependía por completo desde pequeño de su cocinero egresado de la Escuela Real de Alta Cocina de Vladivostok. Era un artista de la vajilla y el servicio de mesa, por decirlo así, y un completo fracaso en el asado de liebres, perdices y corderos. Pedirle que cocinara era condenarlo ya de antemano. Así que atrás dejamos al señor Balmand, acompañado del compasivo señor Gargantúa, y del joven Raskolnikov, que seguía petrificado en su asiento, calibrando al parecer los alcances de aquella oportunidad que no había esperado. El resto de nosotros, conducidos por el paso firme y decidido del señor Walpurgis al portal, la calle y finalmente el mundo humano, nos separamos como de costumbre, cual perfectos extraños.

Aquella noche escuché gritos, y mi esposa Amélie soñó con un perro que le enseñaba los dientes. Mala señal.

Al jueves siguiente nadie se quería presentar a la comida. Según pude corroborar después, no fui el único que permaneció un buen rato, antes del desayuno, cavilando sobre la almohada dos o tres excusas plausibles para faltar, sin que la imaginación me traicionara. Sin embargo, todos terminamos acudiendo, un poco por compartir el pesar del señor Balmand, otro poco por curiosidad y también por miedo a acabar como él. Al llegar, nadie quería verse a los ojos y mucho menos hablar. Hicimos los gestos ceremoniales de costumbre; el señor Walpurgis pronunció el pequeño discurso sobre la grandeza oculta de todas las almas, y acto seguido, al tomar su asiento en la mesa y mirar a su alrededor, preguntó por el joven Raskolnikov. Nadie sabía de él. El señor Walpurgis ordenó: esperaremos media hora. Según los estatutos, si un miembro de la congregación faltaba a la sesión, y no daba una explicación plausible, se le dejaba congelarse en el patio bajo la nieve, enteramente desnudo, durante una semana, al cabo de la cual tenía derecho a pedir perdón y sentarse a la mesa con el resto, si es que continuaba vivo. Fue media hora tensa, y poco pudimos decir en ella del perjuicio que representaba para nuestra asociación la baja de las acciones de algodón en que casi todos habíamos invertido nuestros caudales. El joven Raskolnikov no apareció.

Como en todas las ocasiones, sonó una campanilla y alguien tañó un arpa detrás de las cortinas, tras de lo cual se presentó el señor Balmand con un turbante, a la cabeza de ocho meseros uniformados de azul. Con todo respeto, formados en una fila, manifestaron antes de la comida el disgusto y el temor que les provocaba el posible castigo del señor Balmand, que tanto bien había hecho por ellos, pidiendo al señor Walpurgis indulgencia frente a lo que iríamos a probar. Acto seguido, anunciaron que tomaríamos un entremés marino y un postre de la invención del señor Balmand, en homenaje a la proverbial bondad del señor Walpurgis. El señor Walpurgis sonrió satisfecho, y hasta con delectación. Todos nos relajamos un poco. Después de desfilar al compás de la marcha de honor que se entonaba siempre en estas ocasiones, y tras la recitación inusitada de algunos poemas, los meseros sirvieron el banquete.

Al principio tuvimos miedo y repugnancia de lo que se nos fuera a presentar en el plato, pero conforme fuimos probando los *hors d'œuvres*, el consomé, la sopa, los espárragos, los ánimos subieron, hasta llegar a una tremenda exaltación. Era una comida altamente digestiva, ligera, aderezada con mucha creatividad y delicadeza. Se puede decir que era el mejor banquete que nuestra asociación hubiera probado en muchos años. Sabíamos además que alguien tan fino como el señor Balmand no hubiera hecho ninguna trampa. Eran sus manos educadas en Cambridge las que habían dispuesto los corazones de alcachofa, mezclado las salsas, limpiado de impurezas los hígados y corazones de ave. Eran sus manos blancas y regordetas las que se habían quemado en el fogón inmenso preparando el asado; un asado tan bueno, que hasta olvidamos la naturaleza del animal que comíamos: en realidad, podía ser un faisán, podía ser un lechón, podía ser una enorme perdiz, o una ternera joven. Sentíamos tal satisfacción al masticar y saborear el jugo de esta carne magnífica, salada y dulce a la vez, que olvidamos incluso la baja de las acciones del algodón, la huelga en nuestras fábricas textiles, y rememoramos tiempos felices, cuando le cumplimos al señor Spencer su enorme deseo de encontrarse totalmente solo en una habitación con seis sílfides narcotizadas, o el escándalo que provocó en las mentes estrechas de la ciudad el viaje en globo del señor Uriarte, completamente desnudo y con un enorme penacho en la cabeza. Cuando llegaron los postres, había lágrimas de felicidad, y el vino de las copas había entrado en nuestras cabezas. Qué postres: pasteles con crema, salchichas dulces, salsas de almendras y nueces, fruta... Incluso nuestro presidente, el señor Walpurgis, se animó a contar unos cuantos chistes. Despachamos la agenda de la semana con gran informalidad. Todos los asuntos pendientes fueron rápidamente aprobados. El señor Balmand asomó su cabeza enturbantada desde la puerta de la cocina, y lanzó una afectuosa mirada al señor Gargantúa, que no podía dejar de llorar de la alegría. Era la primera vez que alguno de nosotros se salvaba.

Aunque muchos habíamos olvidado de hecho la causa de semejante banquete, y parecíamos alegres camaradas de escuela, lo recordamos cuando al final el señor Walpurgis, al levantarse de su asiento y acomodarse la capa, exhaló un suspiro y exclamó:

—Sólo lamento la ausencia del joven Raskolnikov.

Los que estábamos hartos de tal joven nos limitamos a hacer un silencio hipócrita, pero el señor Gargantúa, cuyas pupilas irradiaban entusiasmo, no se pudo contener de hablar.

—Lo bueno —respondió nuestro Gran Maestre de Cocina— es que el joven Raskolnikov está en nuestros corazones tan dichosos el día de hoy.

Al escucharlo, los demás experimentamos un enorme júbilo y nos dimos unos codazos discretos, sí que era verdad. El señor Walpurgis acarició el brocado que tapizaba el comedor con una mirada soñadora y melancólica, apta para una mujer.

—Una pena —añadió—. En realidad, aunque sé que algunos de ustedes lo han considerado siempre caprichoso e impulsivo, se trata de un joven delicioso.

Delicioso, delicioso, repetimos todos muy felices, poniéndonos los abrigos y calándonos los sombreros, mientras nuestro querido presidente nos guiaba, con su infinita sabiduría, hacia el portal, donde nos despediríamos como siempre: como unos perfectos extraños.

(De *La confianza en los extraños*)

—Lo bueno —respondió nuestro Gran Maestre de Ceremonias— es que el joven Ivaskiulikov esté en nuestros corazones tan dichosos el día de hoy.

Al escucharlo, los camaradas [illegible] un enorme [illegible] y [illegible] dimos [illegible] cabezas discretas [illegible] el señor Wellington [illegible] el [illegible] y [illegible] para [illegible] mejor.

—[illegible] —añadió—, en realidad [illegible] que algunos de ustedes lo [illegible] siempre [illegible] que [illegible] bien.

[illegible]

(De *La confianza en los* [illegible])

LA DÁRSENA

JAVIER GARCÍA GALIANO

Para Miguel Ángel Merodio

El Evangelista Dorado debía haber zarpado del puerto de Altamira en la madrugada, pero no lo hizo porque su capitán, el griego Antonish Eferis, había desaparecido. Se trataba de un buque granelero de bandera liberiana, armado en Bremen, que cubría la ruta entre Altamira y Nueva Orleáns. Su tripulación estaba compuesta por marineros filipinos, rusos y ucranianos, que no intentaban hablar entre sí, pero que compartían el tedio tomando el sol en la interminable cubierta del barco. Ninguno de ellos pareció extraviarse de la ausencia del capitán, y el ingeniero jefe, Maksin Prychyshyn, sólo le dijo con desgano al práctico que no zarparían.

El capitán Eferis había desembarcado por la noche, sin decir nada, llevando un costal. Como se dedicaba al pequeño contrabando de cigarros y vino de California, no hubo sospechas. Sin embargo, cuando su ayudante filipino fue a despertarlo, descubrió que no había regresado a bordo. Sobre su mesa de trabajo estaba la bitácora, el crucigrama inconcluso de un periódico atrasado y un paraguas. Si hubiera revisado el armario, hubiera encontrado ropa vieja.

En la capitanía del puerto ignoraban su desaparición, pero quizá no se hubieran sorprendido, pues no se consideraban esas ausencias como anormales. Cuando le preguntaron por él al almirante Ramiro González, administrador de la Casa del Marino, respondió con desgano que hacía mucho que nadie se alojaba allí. Tampoco en la *Unión,* como se conocía al sindicato de marineros, tenían noticia del capitán Eferis, aunque en un pequeño pizarrón anunciaban la partida, entre otros barcos, del Evangelista Dorado. Cualquier búsqueda en Altamira hubiera resultado vana, pues no había deambulado por sus calles, ni se había detenido en sus cantinas y prostíbulos, ni había pernoctado en ninguno de sus hoteles.

Luego se supo que, dos días antes, el cocinero, un holandés llamado Guus Numan, había desertado después de tener una disputa con el capitán, abandonando el barco sin discreción, blasfemando a manera de despedida y repitiendo que así no se podía trabajar, que sin lo indispensable no se podía preparar nada, que hasta el aceite rancio se había terminado y que él no hacía milagros. Además en esa «panga» no apreciaban su gastronomía.

Antes que anocheciera, muchos marineros filipinos aprovecharon la luz del atardecer para desembarcar con mansedumbre, confiados en que pronto encontrarían trabajo en otro barco. Esas deserciones inquietaron a algunos ucranianos, que temieron que los filipinos los relegaran al desempleo en ese puerto miserable, al ganarles todos los puestos disponibles, pero al final se decidieron por la espera, pues el hecho de que los oficiales permanecieran a bordo podía interpretarse como un signo promisorio.

En Altamira no se encontraba ningún capitán disponible, por lo que, luego de un par de días de espera, Olexander Murashko, un ingeniero naval de Crimea, propuso comunicarse con la compañía naviera propietaria del barco, cuyas oficinas estaban en Chipre y cuyo principal accionista era Costantin Galca, un rumano que practicaba distintos negocios en los Balcanes. El segundo de a bordo, Evgeni Terekhov, que había comenzado a considerar esas circunstancias como favorables porque podían propiciarle el ascenso largamente anhelado, se mostró cauteloso al apoyar la proposición del ingeniero Murashko, pero el maquinista Igor Chesternev, que había adivinado sus intenciones de acceder al mando, se opuso aludiendo vagamente a la prudencia, a que quizá habría que aguardar el regreso del capitán Eferis, a que convendría consultarlo con «la Unión», a que «la compañía» ya se comunicaría, a que a la capitanía del puerto le correspondía tomar resoluciones, a que todo se arreglaría con el tiempo, a que no había que precipitarse. La discusión se prolongó en el silencio de la noche, provocando una indecisión mayor. A pesar de los recelos evidentes, nadie se percató de que cinco marineros abandonaban el barco con un cargamento de costales y cajas.

A la mañana siguiente, también Maksin Prychyshyn había desaparecido. En la cubierta, Murashko, Terekhov, Chesternev y Oleg Malafejev comprendieron que sólo quedaban ellos cuatro a bordo del Evangelista Dorado, pero no hubo siquiera intentos de conversación, acaso se profirió un comentario aislado acerca de la miseria de la vida. Evgeni Terekhov hubiera querido impartir órdenes, pero únicamente se le ocurrió proponer que fueran a desayunar.

Caminaron por el barco, que en el silencio parecía todavía más ruinoso. Su olor dulzón, propio de esas embarcaciones, de pronto se llenaba de humedad. Los largos pasillos mostraban un deterioro antiguo. Muchas puertas estaban abiertas, con los cerrojos inservibles. Algunos escalones estaban vencidos y, en los camarotes, el desorden de las reparaciones improvisadas se acumulaba opresivamente. No faltaban los vidrios rotos, las goteras ni los muebles vencidos. Aunque firmes, las pisadas de los marineros eran cautelosas sobre el piso desvencijado.

En la cocina, sólo encontraron un plato sucio y un orden impecable de cacerolas, sartenes y cucharones. Antes de decidirse por lo que prepararían, hicieron un descubrimiento atroz: ya no había víveres. Nunca supieron que los marineros ucranianos habían saqueado los alimentos que quedaban, que no eran muchos, como lo habían asegurado las quejas del cocinero Guus Numan antes de desertar. Sin embargo, una cucaracha se detenían con premura en el plato sucio.

Tampoco tenían dinero porque no les habían pagado desde hacía cinco meses. Por eso se resistían a abandonar el barco, esperando que sus propietarios tuvieran que responder por sus acuerdos laborales para no perder ese granelero que, si bien evidenciaba cierta descomposición, cumplía con eficiencia la ruta que se le había señalado. Sin embargo, el contramaestre Oleg Malafejev pensaba que el reclamo de su salario quizá terminaría con sus magros ahorros.

Pronto la desesperanza tomó la forma del hastío, al que trataron de combatir durmiendo, aunque no tuvieran sueño y estuvieran cansados de hacerlo. Además el calor hacía más extenuante el reposo, provocando un letargo sofocante, lleno de imágenes vagas y de una intranquilidad sudorosa, del que era difícil despertar, en el que se inmiscuía la realidad y en el cual el maquinista Igor Chesternev creyó percatarse de que un hombre vagaba con cautela por ese barco abandonado. Intentó incorporarse pero el vulturno y el adormilamiento lo habían debilitado hasta postrarlo en la inopia. Oyó luego voces apagadas en cubierta, que parecían amagar una discusión. Después se escucharon otros pasos y exclamaciones lejanas. Chesternev tardó todavía en reponerse. Se sentía exhausto, sucio y desganado. Quiso adivinar la hora, pero terminó por comprender que en el trópico la luz suele ser indescifrable. Creyó reconocer nuevas voces entrecortadas y finalmente pudo levantarse.

Somnoliento, Chesternev se dirigió hacia las voces sin lograr despertar. En la cubierta, el sol lo confundió permeando su percepción de irrealidad. Por eso necesitó de un momento para reconocer al segundo de a bordo, que contenía el enojo que le había producido sentir que no se le reconocía la debida autoridad. El ingeniero Olexander Murashko, por su parte, trataba de impedir una disputa, profiriendo vaguedades con timidez, mientras el contramaestre Oleg Malafejev repetía, de distintas maneras injuriosas, que «ahora sí» se los había llevado «el carajo» o su equivalente cirílico.

Fue después de una de esas imprecaciones soeces cuando, inmerso en su letargo caluroso, Chesternev descubrió al ingeniero jefe de la tripulación, Maksin Prychyshyn, que había bajado al puerto para comunicarse con la compañía naviera de Costantin Galca, pero no había obtenido respuesta.

Las sospechas se convirtieron en rumores y los rumores terminaron por volverse una certeza: la de Costantin Galca era una empresa fantasma, como muchas otras, a la que ya le habían embargado un par de barcos en Puerto Rico y en Brasil por abandonar a la tripulación. Esos cargueros, al igual que el Evangelista Dorado, habían sido adquiridos a un precio simbólico debido a su antigüedad, por lo que a Galca no parecía importarle perderlos.

Oleg Malafejev veía poco a su esposa, que vivía en Odessa, y le escribía con muy poca frecuencia porque en extrañas ocasiones tenía dinero suficiente que enviarle. Sin embargo, quizá movido por el aburrimiento o por la creencia de que su situación aciaga justificaba su desobligación conyugal, le empezó a redactar cartas con faltas de ortografía, en las que apenas podía inteligirse la esperanza y la desesperanza propias de un marinero en tierra, el recuerdo de su amor lejano, la incertidumbre y el deseo sincero por una cerveza. En ellas describía también sus días ociosos en ese barco anclado, cuyos pasillos ruinosos recorría con desgano, deteniéndose a veces en las bodegas vacías, donde había encontrado una rata muerta, evitando la cocina para no despertar antojos, gastando la imaginación en el puente, asoleándose en cubierta y manteniendo conversaciones apagadas en el camarote del capitán mientras se jugada baraja.

En una de esas cartas, le confesaba a su mujer que comían de la caridad pública. «Una mujer del Stella Maris se preocupa por nuestra alimentación», refería Malafejev queriendo parecer sentimental. «Aunque la comida no es buena, resulta suficiente para evitar que nos rindamos». En otra carta, le aseguraba que la capitanía del puerto de Altamira les había ofrecido pagarles el viaje de regreso a los lugares donde vivían sus familias, pero se habían rehusado no sólo por el dinero que se les adeudaba, sino por dignidad. Varios días después volvió a escribir, sin disimular su entusiasmo, porque el barco había sido embargado para venderlo en una subasta y, según les habían dicho, con el dinero que se recaudara, les pagarían sus sueldos atrasados.

Esas cartas nunca fueron enviadas porque su autor, el contramaestre Oleg Malafejev, consideraba un dispendio gastar en el correo en sus circunstancias.

El maquinista Igor Chesternev, en cambio, prefería entretenerse en el cuarto de máquinas, dedicado a reparaciones mecánicas menores y a mantenimientos rutinarios. Conocía los desperfectos de esa maquinaria gastada porque había trabajado con ella desde antes de que la compañía de Costantin Galca comprara ese barco minado por el uso a precio de saldo. En el puero de Riga, se sostenía de manera burlesca que ese granelero había sido adquirido para convertirlo en un «barco de la muerte», es decir, su propietario esperaba que se hundiera con toda su tripulación para cobrar el seguro. Chesternev no refutaba esos rumores bálticos porque había comprobado la resistencia del Evangelista Dorado. Había navegado en muchos barcos y en cada trayecto le sorprendía la solidez, ciertamente deteriorada por el mar, de ese carguero. Pero no le guardaba ningún afecto, aunque en el desarme y limpieza de sus piezas volvía a descubrir una extraña perfección caduca.

Chesternev se había embarcado en el Evangelista Dorado porque ya no se le consideraba confiable por su edad, aun cuando mantenía una fortaleza natural. El capitán Eferis, al que había conocido en el Terezia, el barco en el que se hizo marinero, le había ofrecido ese trabajo que quizá nadie más hubiera aceptado.

El ingeniero eléctrico naval Olexander Murashko, por su parte, había sido reclutado por su afición al vodka cuando sobrellevaba los días en las tabernas del puerto de Riga a la espera de un barco propicio. Una noche conoció al ingeniero jefe de la tripulación, Maksin Prychyshyn, que requería marineros y, ayudado por el alcohol, lo convenció de incorporarse a su tripulación. Cuando conoció el granelero en el que había decidido embarcarse, ya era demasiado tarde para arrepentirse.

Murashko se dedicaba a escuchar la radio de onda corta en busca de noticias y sonidos familiares. Le resultaba difícil hallar señales de Crimea, por lo que por momentos se conformaba con las de Moscú, Petrogrado y Kiev, pero no tardaba en volver a su búsqueda infinita, que se escuchaba de manera desesperante en el ocio silencioso del barco. De noche cesaba esa errancia electrónica. Entonces, se podía oír el rumor callado del agua.

En esa quietud abandonada hubiera sido extraño no percatarse de los susurros con los que se sostenía una conversación cualquiera. Sin embargo, aquella noche dos sombras recorrieron el Evangelista Dorado con sigilo, intercambiaron órdenes y recomendaciones, e incluso discutieron sin que se reparara en ellas. Cuando abandonaron el granelero, en el muelle, surgió un brindis seguido de una carcajada.

Se trataba del contramaestre Oleg Malafejev, que ya no le escribió a su mujer para contarle que había desistido de las deudas que tenía con él la compañía de Costantin Galca porque había preferido aceptar el trabajo que le ofrecían en un carguero de bandera panameña: el Ambrosia. Temiendo las recriminaciones de lo que quedaba de la tripulación del Evangelista Dorado, había decidido actuar subrepticiamente. Cuando estaba dispuesta su huida, se detuvo un momento para confesarle sus propósitos al ingeniero eléctrico naval, Olexander Murashko. Sabía que su esposa estaba embarazada y que le convenía tener un ingreso. Sorprendido, Murashko quizá pensó que cometía una traición, pero en el adormilamiento, los argumentos del contramaestre Malafejev, que apenas entendió, resultaron casi tan contundentes como la botella de vodka que había comprado con un pequeño préstamo conseguido por su resolución de embarcarse en un nuevo carguero.

Cuando el ingeniero jefe de la tripulación Maksin Prychyshyn se despertó, el Ambrosia ya había zarpado. Se sabía poco de él, pero era un hombre afable e incluso paternal. Tenía tres hijos y muchas veces había pensado en retirarse. Sin embargo, siempre se imponía un compromiso marítimo para impedírselo. Pensaba que haber sobrevivido sin sueldo representaría un ahorro en cuanto se vendiera el barco y le pagaran lo que le debían. Creía que con ese dinero podía establecer una taberna en Sebastopol. Mientras, gastaba los días armando una reproducción en madera del Evangelista Dorado, el barco en el que aguardaba el devenir de los acontecimientos.

Aquella mañana no se escuchó la radio en una búsqueda ansiosa de una señal familiar. No era mediodía cuando el maquinista Igor Chesternev subió a cubierta, donde se encontró al segundo de a bordo, Evgeni Terekhov, sumido en íntimas consideraciones navales, y el cual, al verlo, le hizo un comentario, a manera de orden, acerca de que convendría lavar la cubierta para facilitar la venta del barco. Aunque Chesternev adivinó en esas palabras ciertas pretensiones de autoridad, se dispuso a cumplir la sugerencia porque ya se había aburrido de limpiar los instrumentos y la maquinaria que, a pesar de su impecable pulimento, no podía dejar de evidenciar su herrumbroso desgaste.

Evgeni Terekhov era viudo. No parecía viejo y poseía una fortaleza que disimulaba su bonhomía, una forma de servilismo inveterado en el que quizá se había cultivado un resentimiento callado. No tenía casa, ni ahorros, ni entretenimientos. Sólo le interesaba navegar. Había ascendido en la jerarquía marina menos por habilidad que por persistencia, y quizá nunca había considerado volverse capitán. Ahora dejaba crecer en él la esperanza de llegar a convertirse en el del Evangelista Dorado, en el cual había vivido más de diez años.

Fue después del mediodía, cuando se reunían a comer las magras provisiones de arroz, frijol y atún enlatado que les proporcionaba Stella Maris, cuando Prychyshyn, Terekhov y Chesternev se percataron de que Murashko y Malafejev habían desertado. Sin embargo, no hicieron comentarios, como tampoco hablaban de esa comida repetitiva, que les era tristemente imprescindible, y que agradecían con exagerada sinceridad. Pero, en el silencio, ninguno de los tres pudo evitar un cierto desasosiego porque quizá sospechaban que los presagios les eran adversos.

Aunque no se quejaba, el maquinista Igor Chesternev había pensado muchas veces que en el Evangelista Dorado sobraban hombres o faltaba espacio. Era imposible estar solo porque resultaba inevitable encontrarse siempre con alguien. Incluso en la cubierta sentía cierta opresión causada por la compañía obligada, que con frecuencia derivaba en un hastío enervante. Sin embargo, cuando tuvo que lavar la cubierta en solitario, con la ayuda esporádica del segundo de a bordo, Evgeni Terekhov, la eslora de ese barco le pareció inmensa.

Para el ingeniero jefe de la tripulación, Maksin Prychyshyn, en cambio, que armaba pacientemente un modelo a escala de ese granelero, la cubierta poseía una dimensión mínima. Su copia detallada del barco lo había obligado a practicar una observación atenta de él, llevándolo a hallazgos en los que, de otra manera, nunca hubiera reparado.

Supo, por ejemplo, que la distribución de las bodegas obedecía a un cálculo preciso para mantener un equilibrio, o que el cuarto de máquinas hubiera podido hallarse más cerca del puente. Entretenido en la construcción minuciosa de la copia del barco que habitaba, Prychyshyn dejó de contar los días y sólo reparó en el tiempo cuando terminó su pequeña obra sentimental, lo cual le produjo un desánimo inquietante.

Había una calma abrumadora aquel miércoles de marzo, cuando el maquinista Igor Chesternev vio subir por la plancha al ingeniero jefe de la tripulación, Maksin Prychyshyn. En su gesto se delataba cierto abatimiento. Había pasado la tarde en el jardín de la plaza principal, sentado en una banca, escuchando conversaciones ajenas, entablando amistades esporádicas. Lo apesadumbraba que, desde hacía mucho, se había dejado de hablar del Evangelista Dorado, cuyo desamparo ya no merecía ni siquiera un comentario.

Esos augurios tuvieron un desenlace perturbador cuando la capitanía del puerto dispuso que el Evangelista Dorado fuera trasladado a un fondeadero. Lo llevaron a una rada apartada en el río Tigre, donde la visión de tres barcos abandonados y las partes sobresalientes en el agua de muchas embarcaciones hundidas representó un presagio inequívoco.

Sin embargo, el segundo de a bordo, Evgeni Terekhov, el ingeniero jefe de la tripulación, Maksin Prychyshyn y el maquinista, Igor Chesternev, todavía permanecieron en el buque granelero. Ningún armador se había interesado por adquirir ese barco embargado, y difícilmente aparecería algún comprador. No era una cuestión de precio, sino que el carguero había dejado de representar lo que llamaban «una inversión».

Una noche, en la cubierta, el ingeniero jefe de la tripulación, Maksin Prychyshyn, recurrió al tono confidencial para confesarle al maquinista, Igor Chesternev, que había averiguado dónde estaba el capitán Eferis. Chesternev lo miró con extrañeza porque esa información, desde hacía mucho, le era indiferente. Pero Prychyshyn le refirió que se había vuelto el capitán de un pequeño barco camaronero en Campeche, y le explicó que quizá le convendría ir a verlo, pues siempre le había guardado un afecto distintivo. Luego simplemente le dijo que había llegado el momento de abandonar el Evangelista Dorado.

El segundo de a bordo, Evgeni Terekhov, sospechaba que esas sugerencias obedecían a que el ingeniero Prychyshyn pretendía apoderarse del granelero para hacer negocios turbios. Por eso no escuchó su recomendación de aceptar el dinero que les ofrecían las autoridades mexicanas para volver a Riga. Se negó a desembarcar y no se despidió de los dos marineros, a los que ni siquiera vio bajar del barco para dirigirse a tierra en un lanchón desvencijado.

Durante muchos días, acaso un mes, Terekhov aguardó el regreso de Maksin Prychyshyn, que delataría su sucia trama comercial. Muchas veces, imaginó escuchar su abordaje secreto, pero luego se apoderó de él la creencia de que los fantasmas de los barcos hundidos circundantes pretendían invadir el Evangelista Dorado, por lo cual querían expulsarlo perturbándolo con ruidos y suposiciones espectrales. Quizá en sus recorridos solitarios por el barco, él mismo parecía un fantasma errabundo.

Hay quien sostiene que Terekhov empezó a hablar solo y que se mudó al camarote del capitán, donde terminó el crucigrama de un periódico viejo que Antonish Eferis había dejado inconcluso. Sin embargo, se ignora acerca de qué trataban esos soliloquios. No sería raro que simplemente alimentara la esperanza de que alguna compañía naviera se interesara por ese viejo granelero anclado y le confiara el mando, pero en ocasiones sentía una tristeza vaga que cada vez se prolongaba más.

Sus anhelos y tribulaciones lo llevaron a olvidar que la navegación se funda en el examen atento de la meteorología. Por eso no observó que el viejo barómetro había bajado demasiado, ni reparó en el halo de la luna, ni sospechó de la llovizna que sobrevino después. En un sueño indistinto, creyó que el barco se movía. Luego, lo despertaron algunos golpes, que atribuyó a los fantasmas. Todavía tardó un momento en reconocer la realidad y adivinar que un viento inusual se adentraba en la costa. Intentó volverse a dormir, pero los ruidos herrumbrosos de puertas y objetos lejanos se lo impidieron. Cuando una enorme ampolleta, que siempre había estado en el camarote, se rompió al caerse, Evgeni Terekhov decidió levantarse.

Trató de apresurarse en la oscuridad del barco vacío, pero los violentos movimientos lo obligaron a caminar con cautela, aferrándose a los débiles barandales, avanzando trabajosamente. Afuera se escuchaban golpes contundentes en el casco y el eco de un viento implacable. La desesperación y el esfuerzo lo hicieron sudar sin sentir el cansancio. Por momentos, se creyó perdido en esos pasillos tenebrosos, que en la agitación marítima olían todavía más a óxido, pero, cuando las sacudidas brutales se lo permitían, volvía a identificar el rumbo.

De pronto sintió los pies mojados y supuso, más que descubrió, que el agua penetraba por los ojos de buey rotos de los camarotes, por las escotillas, por las averías y el mismo metal desgastado. Al llegar a la escalera, se percató de que el agua fluía en abundancia, formando pequeñas corrientes dentro del granelero. Se aferraba a los barandales, que parecían ceder en cualquier momento, procurando llegar a cubierta, deteniéndose en cada escalón, recobrándose, previniéndose de nuevas sacudidas.

Cuando alcanzó la escotilla, halló que estaba trabada, por lo que debió recurrir a los más torpes trabajos para intentar abrirla: golpes, empellones, palancas mecánicas, manualidades incómodas, que se hacían todavía más complicadas por los movimientos abruptos del barco. Como intervalo entre los distintos intentos, descansaba para reponerse y pensar en nuevos recursos para abrir esa escotilla por la que se filtraba la lluvia. Quizá consideró rendirse, pero se impuso en él una voluntad natural, aunque imaginó su muerte ahogándose en ese barco abandonado.

Un fuerte sacudimiento, anunciado por un estruendo seco a babor, empujó al segundo de a bordo, Evgeni Terekhov, hacia la escotilla, a la que le pegó con la cabeza, abriéndola azarosamente para recibir un golpe de agua que lo precipitó por la escalera, en choques sucesivos e intercalados con precisión, hasta dejarlo tirado de bruces en el pasillo, sin reaccionar al agua que se anegaba profusamente.

El ciclón duró tres días y devastó campos, sembradíos, palmares, calles y casas, arrastrando árboles, enseres, vacas, bueyes y cadáveres humanos. El Evangelista Dorado no se hundió completamente; la proa sobresalía en el agua, entre la arboladura de embarcaciones menores sumergidas, ostentando su nombre. En la capitanía del puerto de Altamira nunca supieron que en él todavía permanecía un tripulante, el segundo de a bordo Evgeni Terekhov, el cual, pasada la tormenta, nadó hasta la playa, donde nadie le creyó que era un náufrago. Vivió condenado a la inopia portuaria.

No lejos de ahí, en Tuxpán, Veracruz, hubo una cantina con nombre de barco: el Evangelista Dorado. Pertenecía a un viejo marinero ruso llamado Maksin Prychyshyn, que solía referir la historia del último granelero en el que había trabajado, cuya reproducción había armado en miniatura por aburrimiento y adornaba el estante de las botellas. Cuando terminaba su relato, siempre apuraba un caballito de vodka porque lo asaltaba la melancolía, y sólo repetía, a manera de moraleja: «los barcos se hunden más de lo que se cree».

(De *Historias de casa*)

DARJEELING

IGNACIO PADILLA

Kintup era ya el peor sastre del Raj británico cuando le visité en su taller de Darjeeling. Sus muchos años en las riberas del Tsangpo le habían dejado prácticamente ciego, y sus manos, mutiladas de hacía tiempo por la gangrena himalaica, hacían difícil de creer que el pobre diablo fuese capaz siquiera de enhebrar una soga en la argolla de un bergantín. Que un viejo en tales circunstancias hubiera elegido semejante oficio para alimentar sus últimos días, era algo que a primera vista resultaba no sólo paradójico, sino cruel. Kintup, me había explicado el coronel Bailey poco antes de enviarme a Darjeeling, había hecho más por la cartografía de Asia que cualquier otro individuo de nuestro tiempo. Al verle, sin embargo, cualquiera en mi lugar habría pensado que aquel hombre no podía ser sino un homónimo del legendario *pundit* cuyo destino Bailey ahora estaba obsesionado en resarcir. Perdido como un niño en su taller desierto, náufrago entre ruecas, retazos de falso tweed y maniquíes de segunda mano, Kintup parecía más bien el eco fantasmal del hombre más sedentario del mundo. De no ser por su ceguera o la curtimbre de una piel que había pasado largo tiempo a la intemperie, nada en su aspecto dejaba entrever que ese viejo había dejado los mejores años de su vida entre las cumbres más altas del mundo sin otro propósito que el de arrojar quinientos troncos marcados a un río de cuya existencia ni siquiera se tenían registros ciertos en los archivos de la Real Sociedad Geográfica. Algún indicio me había dado ya el coronel del valor estratégico que en otros tiempos habría justificado aquella hazaña en apariencia inútil, pero aún así tardé mucho tiempo en darme cuenta de que, en realidad, esas razones no habían sido nunca del hombre que años más tarde me recibiría en Darjeeling con más indiferencia que rencor.

Para mi desconcierto, el coronel Bailey no se mostró agraviado cuando volví a Bombay con la noticia de que Kintup había rechazado las mil rupias con que se pretendía recompensar sus tribulaciones de juventud. A medida que le informaba de las circunstancias en que había hallado al viejo *pundit*, el rostro del coronel se transformó paulatinamente hasta que sus rasgos se instalaron en una suerte de luminiscencia pueril ante cada una de mis palabras. Algunos meses atrás, mientras viajábamos por los mismos derroteros que Kintup habría recorrido e iluminado en su odisea hacía más de treinta años, el coronel había dejado ver que su admiración por el *pundit* se mezclaba con un odio velado hacia una Real Sociedad Geográfica que nunca había reconocido sus méritos. Ahora, en cambio, se diría que su admiración por el sastre de Darjeeling había resurgido para Bailey en estado puro, sin resentimientos ni recriminaciones. De una forma que yo mismo no alcanzé entonces a comprender, la negativa de Kintup y su empeño en seguir viviendo en la miseria habían exaltado su imagen en la mente del coronel al rango de esa divinidad entre épica y maternal que hombres como él llevan años buscando con la triste convicción de que nunca habrán de encontrarlo. Los héroes de nuestro tiempo, me diría más tarde Bailey en el barco que nos trajo a Londres, están irremisiblemente condenados a ser hermanos del absurdo. Y si bien estaba claro que en ese momento mi maestro pensaba nuevamente en Kintup, vuelvo a decir que sólo ahora, casi veinte años después de mi visita a la sastrería de Darjeeling, he conseguido asimilar y compartir a cabalidad la auténtica dimensión de sus palabras.

Poco tiempo me dejó el coronel Eric Bailey para aclarar el motivo por el cual mi encuentro con Kintup le había trastornado de esa forma. Durante nuestra travesía de vuelta al continente, su obsesión por conocer los detalles de la miseria del sastre o las pocas palabras que este pudo dirigirme al declinar su tardía recompensa, apenas me permitió introducir en nuestras charlas una o dos preguntas que quedaron sin remedio en el aire. Pronto fue evidente que Bailey ya no estaba para disipar mis dudas, menos aún para justificar mi presencia a su lado más allá de lo que pudiera yo repetirle sobre mi encomienda en Darjeeling. Era como si mi encuentro con Kintup le hubiese dado al fin razón para concluir un viaje que le había durado toda la vida, y tal vez fue por eso que su cuerpo, habituado en otros tiempos a dirigir espectaculares campañas militares y ascensiones prodigiosas, se fue extinguiendo a la deriva hasta que no quedó de él más que un montón de carne magra que nunca llegaría a pisar el puerto de Dover. Poco antes de entregarse a la muerte, sin embargo, el coronel me llamó a su camarote y, luego de exigirme una vez más que le describiese mi encuentro con Kintup, me aferró el brazo y emitió una carcajada que parecía ya venir de ultratumba. Ese *pundit*, exclamó, ese maldito *pundit* es el mayor hijo de puta de toda la creación. Y diciendo esto entregó su alma al diablo con una mezcla de júbilo y sarcasmo que todavía hoy me resulta envidiable.

En mi vida he vuelto a ver exequias tan suntuosas como las que organizó la Real Sociedad Geográfica para honrar al coronel Eric Bailey. Una medalla de oro refulgió sobre su féretro durante el velatorio, los diarios divulgaron sus abundantes logros militares, y sus deudos recibieron por su labor cartográfica una pensión cuyo monto reducía las mil rupias rechazadas por Kintup a una mera bravuconada. Probablemente yo mismo, en otros tiempos, me habría sentido honrado con la parte que me tocaba de aquellos fastos, pero la verdad es que a esas alturas no pude menos que experimentar una desazonante impresión de agravio que mi maestro me transmitía desde su nicho en Westminster. La memoria de sus últimas palabras y los detalles mil veces revividos de mi encuentro con el sastre de Darjeeling me atenazaban ahora el ánimo como si en ellos estuviese escrito un mensaje que sólo ellos y yo mismo podíamos descifrar. Varias veces quise entonces remembrar para mis propios fueros las palabras del *pundit*, mas sólo pude entresacar de mi recuerdo la exasperante indiferencia de Kintup, casi una actitud de burla ante mis esfuerzos por hacerle aceptar las mil rupias que le enviaba el coronel Bailey. Fue en esos días cuando la Real Sociedad Geográfica me apremió a continuar la labor cartográfica y militar de mi maestro por las tierras del Nepal, oferta que me sorprendí aceptando ya no con el propósito de merecer algún día unos funerales como los del coronel, sino con la convicción de que en ello podría borrar mi existencia para siempre y acometer una odisea tanto o más absurda que la de Kintup.

Los meses que tardé en volver al Raj pasaron en vano ante los ojos de mis superiores. Con el pretexto de revisar previamente los mapas que mi maestro habría trazado con ayuda de las más antiguas anotaciones de Kintup, postergué largamente mi partida consagrado a desenterrar registros que pudieran darme una idea más completa de la malhadada historia del *pundit*. Poco decían los archivos sobre aquella expedición que no hubiese ya pasado por las manos del coronel Bailey: reclutado en 1866 por la Gran Inspección Trigonométrica de la India, Kintup habría sido enviado al Nepal con la misión de comprobar si el río Tsangpo desembocaba en el Brahmaputra. Para ello, el *pundit* y un compañero cuyo nombre sólo constaba en los archivos con las siglas N. S. se adentrarían en la agreste región himalaica disfrazados de peregrinos y arrojarían al Tsangpo quinientos troncos marcados a razón de cincuenta por día durante diez jornadas consecutivas. Entretanto, un observador apostado en el Brahmaputra esperaría la aparición de los troncos a fin de confirmar la confluencia de ambos ríos.

A juzgar por la llaneza casi budista con que era descrita, la misión de Kintup y su compañero no tenía por qué fracasar. Con todo, era la primera parte de la expedición lo que en realidad encerraba complicaciones tan conocidas que la Gran Inspección Trigonométrica prefería obviarlas. En ese entonces, adentrarse en el Nepal era una labor tan ardua como infiltrar las trincheras de un enemigo particularmente receloso y sanguinario. Varios *pundits* lo habían intentado con anterioridad sólo para pagar con sus vidas un parco saldo de mediciones y descubrimientos poco significativos. Al hermetismo secular de los tibetanos y al afán de los rusos por ganar la carrera cartográfica del Nepal a fuerza de espionaje y zancadillas de toda índole, se sumaban las precarias condiciones que debían enfrentar aquellos viajeros que, para colmo, debían ingeniárselas para ocultar entre sus ropas de falsos monjes instrumentos de medición tan farragosos como frágiles. En una palabra, la misión de Kintup era casi un suicidio que él sin embargo había de acometer con una fuerza de voluntad rayana en la monomanía.

Cuando entendí que los archivos de la Real Sociedad Geográfica no arrojarían ninguna otra luz sobre el viaje de Kintup, consagré mis horas a buscar algún nuevo testimonio, algún indicio claro de sus circunstancias y sus consecuencias. Creo inútil decir que la mayor parte de mis superiores ignoraba no sólo los detalles de aquella remota expedición, sino la existencia misma del *pundit*. Es verdad que alguno de ellos creyó recordar su nombre en el recuento de ciertas rutas primitivas de acceso al Tíbet, pero la verdad es que muy pronto Kintup y sus méritos comenzaron a parecer un mero producto de la imaginación desaforada del coronel Bailey. Por si eso no bastara, cuando finalmente tuve oportunidad de preguntar al propio Younghusband, entonces presidente de la

Real Sociedad Geográfica, por el hombre que había verificado la confluencia de los ríos Tsangpo y Brahmaputra, este respondió sin titubeos que aquel descubrimiento se debía a la heroica labor de una expedición encabezada en 1868 por el capitán Thomas G. Montgomery.

¿Dónde quedaban entonces el *pundit* Kintup y su anónimo compañero de viaje? ¿Quién era el sastre de Darjeeling que había rechazado las mil rupias de mi maestro? Definitivamente, pensé, la única forma de comprobar su verdad era volviendo al Nepal para arrancársela al propio Kintup. Debo reiterar a este propósito que nada entonces me atraía menos que volver al Asia para emular los pasos de mi maestro. De alguna forma, las sombras de Bailey y Kintup me habían arrinconado en la certidumbre de que ningún esfuerzo en la vida valía la pena. Ahora mi propia existencia se había transformado en un viaje sin sentido donde la gloria, el reconocimiento de mis pares y la iluminación del mapa tibetano para contrarrestar el inminente avance de los rusos eran mucho menos importantes para mí que el sólo hecho de entender el sacrificio de un hombre al que nadie recordaba ni recordaría jamás. Pero ese hombre estaba precisa e infortunadamente en el Raj británico, y fue sólo por esta razón que accedí finalmente a los deseos de mis superiores y me embarqué de nueva cuenta hacia el sur.

Llegué al Nepal a principios de diciembre sólo para enterarme de que el viejo sastre había muerto poco después de mi visita. El joven nepalí que había heredado su puesto en el taller de Darjeeling no supo decirme en qué circunstancias había fallecido su antecesor, mas no me fue difícil imaginar su agonía en la oscuridad de la sastrería y su cadáver dibujando aún aquella sonrisa entre indiferente y triunfal con que antes me había despedido. Una vez más sentí que me encontraba solo, detenido en un punto ciego del cual difícilmente conseguiría salir. Solamente me restaba un cabo al cual asirme antes de caer en la desesperación, y este era tan endeble que tardé algunos días en descubrirlo para aferrarme a él: cierta mañana, mientras alistaba mis cosas para regresar a Bombay, quise imaginar por última vez el viaje himalaico de Kintup, y fue entonces cuando descubrí a su lado la figura de aquel compañero suyo de desventuras que, acaso por carecer de nombre en los archivos, había sido relegado a las afueras de mi memoria. Sorprendido por mi negligencia igual que un navegante solitario en la tormenta, especulé largamente las posibilidades de que aquel hombre hubiera sobrevivido a Kintup. Aún así, la empresa se antojaba tan desaforada como el mismo viaje del *pundit,* pero yo a esas alturas intuía ya que era justamente esa la razón que me atraía a él. De esta suerte, abandonado a la sensación de quien se deja arrastrar por un inmenso agujero negro, emprendí la tarea de encontrar el paradero del colega de Kintup aunque en ello se me fuese la vida.

Mientras buscaba al segundo *pundit* con más afán que éxito, la Real Sociedad Geográfica comenzó a mirar con franca preocupación mi morosidad para reemprender los trabajos cartográficos del coronel Bailey. Una vez más los rusos se las habían ingeniado para obtener información confidencial sobre las últimas incursiones británicas en la región, y ahora se rumoreaba que las tropas del zar no tardarían en invadir el Tíbet para dar por concluida una carrera geográfica que por no durar, ya duraba demasiado. Creo haber dicho, no obstante, cuán poco me importaba para entonces mi misión cartográfica o militar en Nepal. Si bien es verdad que en el pasado esa tarea me habría parecido esencial para cubrirme de gloria, ahora sólo me interesaba conocer los pormenores del viaje de Kintup de la misma manera en que Bailey se había obsesionado por revivir los detalles de mi visita a Darjeeling. Con todo, la diferencia entre la manía de mi maestro y la que ahora me agobiaba era que yo, para apaciguar mis inquietudes, necesitaba encontrar a un *pundit* sin nombre en el último rincón de las antípodas.

En Darjeeling, los vecinos de Kintup se habían mostrado en principio reacios a darme cualquier información relativa al segundo *pundit*, y lo que dijeron finalmente convencidos con dinero, era poca cosa. Por ellos pude saber que el susodicho N. S. era una especie de primo de Kintup que, luego de retirarse, habría partido hacía años a Bombay. La alegría me embargó al pensar que quizá, con un poco de suerte, encontraría a aquel hombre con vida, si bien a aquella sazón los fondos que la Real Sociedad Geográfica me había dado para iniciar mis exploraciones se habían reducido de manera alarmante y era de temerse que aún tendría que untar muchas manos para hallar a quien buscaba. Confieso que más de una vez estuve tentado a disponer de las mil rupias que Kintup no había querido aceptar y que Bailey jamás se preocupó por pedirme de vuelta, pero fue tal mi obsesión de entregárselas intactas al primo del *pundit*, que casi tuve que pasar hambre en los días que aún tuve que pasar en la India.

Seguramente Bombay habría sido mi última escala hacia la desesperanza de no haber sido por la providencial intromisión del conserje de la Gran Inspección Trigonométrica. Aquel anciano debió compadecerse de mis mortificaciones y desvelos, pues una tarde me sugirió con absoluta discreción que antes de marcharme preguntase por N. S. entre los antiguos *pundits* que a su vuelta del Nepal se habrían incorporado a la nómina de la embajada rusa en la India. Para nadie era secreto que un número importante de exploradores locales, contratados originalmente por los rusos, se había infiltrado hacía tiempo en las huestes de la Gran Inspección Trigonométrica sólo para sabotear el progreso de los británicos y hacerse de la información que estos solían obtener a costa de sus *pundits*. Me era difícil creer que Kintup o su compañero hubiesen tenido algo que ver con el contraespionaje ruso, pero las cosas ya no estaban como para descartar ninguna posibilidad y aquella era sin duda la última que me quedaba para disipar mis dudas.

No sé si para mi fortuna o mi desgracia, el conserje había dado en el blanco: luego de varios días de vencer resistencias con mis últimas libras, constaté que un *pundit* llamado Nain Singh había participado efectivamente en la exploración del Tsangpo y que, a su vuelta, había trabajado durante algunos años al servicio de los rusos. El hombre, además, no sólo estaba vivo, sino que gozaba de una vejez relativamente holgada en un suburbio de Bombay, donde se había retirado gracias a una pensión más o menos digna de sus patrones.

Lo primero que pensé al encontrarme finalmente con Nain Singh fue que su relativa bonanza no podía resultar más oprobiosa frente a la memoria que yo aún atesoraba de mi viaje a Darjeeling. Rollizo y locuaz, el primo de Kintup me dio desde un principio la clara impresión de haber alcanzado el éxito por los medios más arteros y, lo que era peor, de estar francamente orgulloso de ello. En cuanto le expliqué el motivo de mi visita, reconoció sin tapujos haber participado en la odisea de Kintup, pero me advirtió de inmediato que no le estaba permitido entrar en los detalles de un viaje que, aún ahora, debía ser considerado por todos como un secreto militar. Yo escuché su advertencia procurando no inquietarme, me encogí de hombros y le dije que lamentaba mucho su exceso de celo, pues había hecho un largo trayecto desde Londres con la comisión de entregarle mil rupias siempre y cuando colaborase para disipar algunas dudas sobre aquella misión a los Himalayas que, argumenté, ya no tenía para nadie ningún valor que no fuese meramente histórico.

Mal debí entonces de disimular mi ansiedad, pues al escucharme el gordo Nain Singh titubeó apenas un segundo antes de estallar en una de esas sonoras carcajadas que sólo pueden darse entre los cínicos o los asesinos. Acto seguido festejó con ironía la preocupación de la Real

Sociedad Geográfica por gratificar a sus pobres *pundits,* pero añadió que antes de escucharle yo debía jurar por lo más sagrado que le entregaría aquellas mil rupias sin importar cuánto él estaba por decirme sobre sus años al lado de Kintup. Esto hecho y aceptado, el antiguo *pundit* se arrellanó a mi lado en un inmenso equipal y me contó sin ambages lo que yo deseaba escuchar.

Kintup y él mismo, comenzó a decirme Nain Singh, habían sido reclutados hacía más de treinta años por la Gran Inspección Trigonométrica, la cual, tras un arduo entrenamiento, les había enviado efectivamente al Nepal para comprobar si el Tsangpo confluía con el Brahmaputra. Disfrazados de lamas tibetanos se adentraron en la región, pero poco tiempo más tarde el viaje se vino abajo cuando él, Nain Singh, vendió a su primo como esclavo a un mercader de caballos que pagó por él la cantidad de treinta rupias.

Si el gordo *pundit* esperaba de mí una suerte de recriminación cuando llegó a esta parte de su relato, es algo que a estas alturas importa poco a mi historia. Más que arrepentido, Nain Singh se mostraba francamente orgulloso de su hazaña, y tanto, que el resto de las desventuras de su primo le parecía más bien estúpido, casi se diría que ofensivo, pues Kintup, siguió diciendo N. S., no se había dejado vencer por la traición, sino que algunos meses más tarde consiguió escapar de su amo y reemprendió su camino para ser recapturado en las inmediaciones del monasterio Marpung. Compadecido de sus desventuras, un lama se avino entonces a comprarlo por cincuenta rupias a condición de que Kintup trabajase con él para pagar su deuda. Así lo hizo el empeñoso *pundit* durante varios meses hasta que un día pidió permiso al lama para hacer un peregrinaje. Halagado por la devoción de su esclavo, el lama le dejó partir, y Kintup se dirigió entonces al Tsangpo, en cuyas riberas marcó los quinientos troncos que debía arrojar al río. Lamentablemente el plazo establecido para apostar al observador del Brahmaputra había vencido hacía ya mucho tiempo, de modo que Kintup ocultó los troncos en una cueva y volvió al monasterio esperando la ocasión de enviar un mensajero a Darjeeling que pusiera sobre aviso a los miembros de la Gran Inspección. Meses más tarde, el *pundit* volvió a pedir permiso al lama de ausentarse con el pretexto de una nueva peregrinación, aunque esta vez se dirigió a Lhasa en busca de un amigo comerciante con quien pensaba enviar una carta a sus superiores donde anunciaba su disposición para arrojar los troncos desde Bipung entre los días cinco y quinceavo del décimo mes tibetano. En Lhasa, sin embargo, Kintup tuvo noticias ciertas de que la expedición de Montgomery había verificado al fin, por otra ruta, la confluencia del Tsangpo y el Brahmaputra, amén de que su madre había muerto creyéndolo desaparecido en cumplimiento del deber.

Nada quiso especular Nain Singh de las cosas que en ese momento pasaron por la cabeza de su primo. Habían pasado casi cuatro años de su partida, su cuerpo presentaba ya las imborrables heridas de la venganza himalaica, y su espíritu titubeaba ahora entre las fortalezas de la plegaria y las mortificaciones de la traición o el dolor. Si insistió entonces en enviar el mensaje y cumplir con su deber, lo hizo seguramente conducido tanto por el orgullo como por la desesperación. Difícilmente volvería el pobre hombre a explorar aquellas tierras, pero nadie podría decirle que había dejado de cumplir con su deber. Fue entonces de esta suerte que, en las fechas acordadas, el exhausto *pundit* volvió al Tsangpo y arrojó al río quinientos troncos que flotaron a la deriva sin que nadie en el Brahmaputra estuviese ahí para mirarlos.

En este punto de la historia de Kintup, el propio Nain Singh dejó entrever hacia la memoria de su primo un dejo de franca reverencia que casi de inmediato fue desplazado nuevamente por su sonrisa burlona. Yo, por mi parte, debí de expresar la misma admiración que habría embargado al coronel Bailey en otros tiempos. Al fin conseguía yo comprender la convicción de mi maestro de que el verdadero heroísmo emerge por fuerza en el inmenso trecho que media entre el valor y el absurdo. Por extraño que parezca, la actitud de Kintup en los Himalayas acusaba ante mis ojos una coherencia casi absoluta. Lo que sin embargo no acababa de encajar en toda esa historia eran la postrer resistencia de Kintup a aceptar las mil rupias del coronel y la traición de Nain Singh por una cantidad de dinero que incluso para él debió de ser bastante escasa. Ambas preguntas se resolvieron de la manera más terrible hacia el final de la conversación: no bien hube entregado a Nain Singh el dinero que le había prometido, este apartó ceremoniosamente treinta rupias y me las devolvió con la petición de que se las hiciese llegar al sahib Eric Bailey. Sorprendido de escuchar el nombre de mi maestro en boca de aquel hombre e intuyendo con escándalo el mensaje que ocultaba aquel gesto, respondí a esto que el coronel había muerto meses atrás. Esta vez fue Nain Singh quien se mostró muy interesado en conocer los detalles del fallecimiento de mi maestro, con quien aseguró haber tenido un trato muy estrecho en tiempos de la expedición al Tsangpo. Entonces me preguntó a quemarropa si le habían enterrado en Rusia. A lo que yo, temeroso aún de comprender la naturaleza de aquella pregunta, respondí con rabia que el coronel había sido honrado y enterrado en Londres. Al oírme el obeso *pundit* dibujó una sonrisa y recuperó de un manotazo las treinta rupias que me había ofrecido. Luego hinchó los carrillos, silbó largamente y exclamó con franca admiración que ese Bailey, ese maldito Bailey era el mayor hijo de puta de toda la creación.

(De *Las antípodas y el siglo*)

LA VIDA REAL

EDUARDO ANTONIO PARRA

Esta vida da asco, se dijo Soto y dejó caer el cuerpo en la silla cimbrando toda su carne, sintiendo cómo a causa del peso las vértebras aplastaban los discos hasta hacerlos gemir. Encendió un cigarro y notó que las manos ya no le temblaban. En cambio el sudor persistía en las palmas y entre los dedos a pesar de los constantes frotamientos contra la mezclilla de la chaqueta. En el silencio de la redacción, la imagen de los cadáveres volvió a flotar frente a su mirada. La úlcera se le alborotó en el fondo del estómago. Déjame en paz, carajo. Aspiró el humo y lo echó fuera con fuerza, mas no pudo ahuyentar ni el dolor ni la visión: los dos rostros inertes sobre el lodo, ensangrentados y pálidos, la piel casi translúcida bajo la luz del flash. Enseguida se vio a sí mismo de regreso al periódico bajo el aguacero, fumando cigarro tras cigarro, dando lumbre a cada uno con el anterior, en un vano intento de arrancarse esa pestilencia a sangre, sexo y alcohol que se le adhirió al cuerpo desde el momento de entrar a las ruinas del cine.

—Soto, apaga el cigarro —le dijo Ramos, el editor, desde su oficina.

Pisó la colilla mientras murmuraba una mentada de madre. Repasó en todas las paredes los carteles recientemente pegados: *No fumar*. Carajo, ¿a quién le importa la salud? Órdenes del nuevo director. ¿Pero quién pensaba en cumplir con la disciplina después de estar en ese matadero?

Dos vagabundos... aporreó furioso las teclas de la computadora. Se detuvo. Borró esas palabras. Las sustituyó: Dos teporochos... De nuevo se detuvo. ¿Por qué no hacía ruido al escribir? ¿Dónde habían quedado aquellas máquinas metálicas, pesadas, escandalosas, en las que uno sentía estar trabajando de verdad? Llevó la mano a los cigarros automáticamente, iba a sacar uno, pero lo dejó en la cajetilla al mirar otra vez los dichosos cartelitos.

Dos vagabundos, dos teporochos: los mismos que había entrevistado meses antes con motivo de un reportaje. Dos seres cubiertos de andrajos que a su modo encarnaban una metáfora del deseo: en medio de lo más abyecto construían su propio paraíso, gozaban placeres secretos y engañaban al dolor. Dos auténticos *clochards* que vivían en la calle, se alimentaban en los basureros, dormían en parques o edificios abandonados y fornicaban donde les daba la gana. Pareja en el exacto sentido del término. Cómplices en contra del universo. Amantes unidos por la suciedad y el hambre, los solventes y el alcohol, la libertad y el deseo. Unidos, en fin, por la pura valentía de permanecer unidos.

—Da asco —dijo Soto nuevamente, ahora en alto, sin saber de quién era esa voz ronca, sofocada por el coraje.

Los había visto por vez primera durante la redada a un prostíbulo disfrazado de salón de baile. De eso hacía por lo menos un año. Soto acudió al lugar junto con un convoy de granaderas. Los uniformados le pusieron en fila a toda la fauna del burdel, y él se dio gusto retratando a los mariguaneros que escondían el rostro, a los travestis orgullosos de ser mujeres, a las putas que le ofrecían el cuerpo si las sacaba de la cárcel. Cuando anotaba los nombres de los detenidos, se le acercó la pareja.

—Caite con un pomo y te posamos pa la foto.

Le agradó la iniciativa, aunque no pudo ocultar un gesto de repulsión: olían a vómito, a sudor remojado, a mierda añeja; y bajo esa fetidez se filtraba otra, acaso más tierna, dulce, que aquella noche Soto identificó con las emanaciones que se desprenden de la fruta descompuesta. Su facha no producía un mejor efecto: en ambos, los harapos apenas cubrían la piel llena de pústulas, granos y unas inmundas plastas de sebo ennegrecido. Ella, casi calva, lucía sobre el cráneo manchas tornasoladas, semejantes a las de la humedad en las paredes. Por el contrario, el tipo ostentaba una melena que se erguía un palmo por encima de la cabeza, cuyo puntal era una especie de betún duro y reluciente.

Valía la pena. Soto dirigió a ellos el lente, lo cual estimuló el exhibicionismo de la pareja: primero recrearon cuadros de boda, ella de pie, la mirada plena de ilusiones, y él sentado, abrazándola del talle. Luego se separaron, mirándose amorosos, tomados de las manos. Más tarde cruzaron sus brazos sobre los hombros, como camaradas, mientras sonreían a la cámara con dientes cubiertos de lama. De pronto se besaron, y ya se acariciaban bajo los jirones de tela, cuando el rollo llegó a su fin.

Entonces se acercaron a Soto para que cumpliera con su parte del trato, pero él se desentendió murmurando «otro día», porque los uniformados empezaban a abordar sus unidades.

—¡Contesta el teléfono, Soto! —le gritó Ramos desde lejos.

Miró el aparato sin moverse, y ni siquiera se inmutó ante los siguientes timbrazos. Tengo ganas de fumar, no de hablar con Remedios. Porque seguro era Remedios. ¿Quién más? Sobre todo a esta hora. ¿Serían ya las tres? Maldita guardia, carajo. Los cadáveres habían sido descubiertos antes de media noche, como alguien aseguró a través del *scanner* del periódico. Más de dos horas y él aún apestaba a muerto, a sangre, a sexo. Sólo el olor a alcohol había desaparecido. Otro timbrazo. Sí, tenía que ser Remedios, llamándolo para reclamarle la tardanza, la descortesía de no avisarle. Y esa imagen de los dos rostros unidos en la muerte que no se iba. Descortesía. Y sin poder fumar. ¿No se daba cuenta de que no quería hablar con ella? Triste, abatido, como no lo había estado en mucho tiempo. Descortesía: desconsideración: no te importa que no pueda dormir cuando no llegas. Tengo ganas de emborracharme. Otro timbrazo. Que se vaya a la chingada.

—O le contestas tú o le contesto yo. —Ramos estaba junto a él—. Me tiene hasta la madre...

—Ya dejó de sonar.

—¿Todavía no escribes la nota?

—Voy, no hay prisa.

La pinche nota, repitió Soto apretando los dientes y se sobó las manos en el pantalón. A pesar de la ropa húmeda y del aire acondicionado que a esas horas solitarias convertía la redacción en un frigorífico, el sudor viscoso seguía ahí, en los vértices de los dedos, en las palmas. Sentía como si acabara de sacarlas de un bote de grasa. Empezó a teclear y otra vez paró. ¿Cómo escribir la nota? ¿Cómo eludir la impresión de haber reconocido los cadáveres? ¿Cómo darle un tono de falsa objetividad para que los lectores no advirtieran que sus sentimientos, su asco, su decepción estaban involucrados? Nunca reveló las primeras fotos: el rollo se extravió en el desorden del laboratorio. Y no se hubiera vuelto a acordar de ellos, si no es porque unos meses más tarde se los volvió a topar.

Salieron de un pequeño parque cuyos arbustos se enmarañaban sin concierto, igual que en un lote baldío. Era media tarde. Soto recorría las inmediaciones del centro cuando los reconoció: abrazados, acariciándose alegres por encima de sus andrajos, en actitud tan cariñosa que no dudó acerca de lo que habían estado haciendo en el parque. Sintió envidia: él y Remedios tenían mucho de haber perdido el deseo de amarse de ese modo.

Estacionó el auto donde pudo y los siguió entre la gente un par de cuadras, hasta darles alcance en una explanada llena de pordioseros. Había nubes de moscas zumbando por todas partes. Una mezcla de olores —basura, cloaca, humanidad enferma y agua podrida— prensaba el aire, y rápido arremetió contra él. En el suelo la confusión de cobijas zarrapastrosas, montones de ropa viejísima arrumbados al azar y cuerpos cubiertos de piltrafas obligó a Soto a caminar como sobre las piedras de un río, pisando en huecos, eludiendo las manos que exigían dinero. Tras la odisea, se plantó frente a la pareja y les preguntó si se acordaban de él.

—Cómo no, gordito, tas péndulo.

Se hizo acompañar por ellos a un depósito cercano y les compró dos litros del tequila más barato. De regreso a la plaza, les propuso una entrevista y otra sesión de fotos, pero ellos alegaron no estar de humor más que para emborracharse en paz con sus compas. Podía ir a buscarlos después, al cabo ya sabía dónde hallarlos. Soto insistió. Por lo menos posen unos minutos, dijo. Ya no lo escucharon: se habían arrinconado junto a unos tambos de basura y, generosos, mostraban las botellas a los moradores de la explanada en señal de invitación.

—Tómamelas a mí. —Otro de los vagabundos lo asía del codo.

Se zafó sin verlo. Ahora sí estaba realmente fascinado por la pareja: a pesar de los andrajos y de las cicatrices, a pesar de toda esa inmundicia que llevaban encima, parecían sublimarse hasta la felicidad. La carne, el deseo de sus cuerpos, era su sostén en ese estado de gracia en el cual reían, festejaban, compartían las botellas con los amigos, se abrazaban y besaban en medio de la mugre. Una intensa envidia volvió a prender en las entrañas de Soto. Antes de irse, interceptó a un hombre que iba a sumarse a la fiesta del tequila.

—¿Sabes cómo se llaman esos dos?

—No —se rió—, pero les dicen los Amorosos.

El frío de la redacción calaba hondo y Soto se restregó los brazos. El temblor retornó a sus manos, que no dejaban de sudar, y ahora no supo si era a causa de la temperatura o por la impotencia ante la obligación de redactar la nota. Piensa, Soto, se dijo tratando de concentrarse, es tan sólo un crimen más en la ciudad, igual a los que registras día a día para alimentar el morbo de los lectores. Otra aberración en la que hozará la gente para poder sentirse normal, sana, segura dentro de las cuatro paredes de su casa. Nada extraordinario: dos vagabundos, dos teporochos, dos NN muertos a manos de otro malviviente como ellos en uno de los barrios aledaños al centro. No importa que los conocieras, que incluso hayas intentado darles fama y gritar a los cuatro vientos el júbilo y la libertad en que vivían a través de un reportaje mutilado porque a nadie le interesaban las porquerías pornográficas de dos lacras sociales. No importa la envidia de la buena que sentías hacia ellos, ni el entusiasmo ni la fe en los hombres que revivieron en ti. Nada de eso importa. Como tampoco importan el sudor en las manos, el tufo pegado a la nariz, el torbellino dentro de la cabeza y la imagen de los cadáveres que no puedes dejar de ver. Ni siquiera esta desesperante necesidad de fumar, de salir corriendo, buscar una cantina y lavarte, purificarte por dentro con una botella de ron. Nunca habías sentido nada ante la muerte. No empieces ahora. No tienes por qué: es sólo parte de la vida. Siempre lo has dicho.

—¿Trajiste gráficas, Soto? —Ramos cargaba su maletín.

—Se están revelando.

—Bueno, cuando acabes la nota, deja todo en el escritorio de Agustín. —Le dio una palmada en la espalda como despedida—. Mañana va de primera en el de la tarde.

Lo vio doblar al final del pasillo y durante unos segundos escuchó el eco de sus pasos. Al retornar el silencio a su inmovilidad, Soto sacó un cigarro y lo encendió. El aroma del tabaco quemado se le enroscó entonces en el olfato, y al sentirse libre de ese otro olor, el que venía arrastrando desde el cine, pudo olvidar por un instante la visión que lo angustiaba.

Los había ido a buscar a la plaza varias semanas más tarde, muy de mañana, a una hora en que los moradores de la explanada aún no abandonaban los sueños alcohólicos. Cubría la atmósfera una tenue neblina que neutralizaba un tanto los humores, pero confería a aquel cuadro un aspecto lúgubre: hombres y mujeres se arracimaban en un revoltijo de cabezas y trapos, polvo y basura. Lucían como cadáveres momificados, sorprendidos mientras dormían por una lluvia de ceniza que los hubiera asfixiado, quemándoles la piel apenas por encima hasta ennegrecerlos.

Tomó algunas fotos del conjunto. Enseguida se dedicó a examinar cada uno de los rostros sin encontrar a la pareja. Preguntó por ellos a una mujer gorda, en apariencia la única consciente, que contemplaba los vapores de la neblina despatarrada sobre una banca. Ella lo miró largo rato, mas no despegó los labios. Es inútil, se dijo Soto, y rastreó con los ojos un sendero para alejarse de ese laberinto de cuerpos, pero desde el suelo lo sujetaron del pantalón.

—¿Cómo te va a contestar? —La voz salió de un montón de estopa—. ¿Que no ves que es muda?

—¿Y tú sabes dónde están?

—¿Pa qué los quieres?

—Tengo un asunto pendiente con ellos.

La estopa se contrajo como si estuviera pariendo y de entre sus hebras brotó una cabeza rapada a medias, negra, igual que si la hubieran pintado a punta de brochazos. Se dio vuelta y Soto pudo ver su rostro: normal, excepto por los ojos excesivamente inyectados de sangre.

—¿Les vas a dar un pomo por tomarles fotos?

—A lo mejor.

—Dámelo a mí —dijo enseñando unas encías sin dientes—. Yo toy más guapo, ¿que no?

Era inútil. Nadie estaba en condiciones de darle razón. Caminó con rumbo al auto. Ya en la calle, escuchó la voz sonámbula y cascada de una anciana:

—Búscalos en la cuadra de atrás —sonrió pícara—: se fueron a coger. Chance y los alcanzas. Así sacas fotos más cachondas...

El timbre del teléfono lo hizo dar un respingo y tambalearse sobre la silla. Otra vez Remedios, carajo. Miró a todos lados para comprobar que seguía solo en la redacción mientras frotaba las manos una con otra. El sudor persistía. Ahora también lo aquejaba un dolor de mandíbulas, y se recordó amodorrado, rechinando los dientes por la tensión. Cada día estoy peor. Se puso de pie en tanto escuchaba de nuevo el timbre. Por sus piernas corrían miles de hormigas que empezaron a irradiar calor en cuanto caminó. Fue al archivo, directo a la cajonera de la sección policiaca. Extrajo un sobre de manila, cuya única referencia al dorso era su apellido escrito a lápiz.

Alrededor de sesenta filminas y texto suficiente para dos planas. Al ver el material, Ramos se había mostrado lleno de un entusiasmo que no tardó en contagiar al diseñador. Alabó las fotos y la entrevista y, quebrantando su parquedad habitual, lo felicitó por haber sabido distinguir en medio de aquella suciedad, de toda la escoria que anidaba en las calles, un nicho de belleza que tornaba soportable la vida. De hecho esta es la vida real, se había corregido Ramos enseguida, la que deben conocer los lectores. Aseguró que el domingo le daría las dos páginas completas, a color, pues sólo así podría apreciarse el aura mágica que envolvía a los vagabundos. Lo cabecearon «En otra dimensión» y, ya montado, Ramos lo llevó a la oficina del director.

Sin embargo volvió más serio de lo que nunca lo habían visto: el domingo siguiente una de las páginas centrales anunciaría las ofertas de una tienda departamental. Además le habían dado la orden de que el reportaje ocupara cuando mucho media plana, porque lo que la gente esperaba de la sección eran crímenes y accidentes, no cochinadas ni cursilerías. Qué vida real ni que nada. La vida real era lo que la gente leía en el periódico. De nada valdría insistir, el jefe estaba decidido.

Soto salió del archivo con el sobre en la mano. El teléfono ya no sonaba y en la redacción sólo se oían rumores distantes, procedentes de la cápsula de diseño. Tengo que escribir algo para Agustín. Lo que fuera. Otra era dejarle los datos y que él se las arreglara. O nomás las gráficas. Se dirigió a su silla al tiempo que escuchaba tras de sí los pasos del laboratorista.

—Oye, Soto, están con madre. —Le entregó la ristra de filminas—. ¿Y cómo los mató ese güey?

—¿Qué hora es?

—Las cuatro.

—¿A qué hora llega Agustín?

—Entre cuatro y media y cinco.

Le dio la espalda y se sentó. El otro permaneció ahí unos instantes, pero pronto sus pasos sonaron en retirada. En el vacío de la pantalla el cursor emitía un latido verde, intermitente, desesperante. Soto dejó el sobre encima del escritorio y notó que estaba húmedo de sudor. Junto al teclado, la ristra de filminas se enroscaba en espiral. No necesitaba revisar las imágenes: todavía las llevaba en las pupilas como un tatuaje, proyectándose sin cesar en los objetos a su alrededor. Tampoco necesitaba sacar las otras del sobre. Esas las tenía tatuadas en la memoria.

Los había encontrado siguiendo las indicaciones de la anciana. Era una calle vieja y solitaria que el gobierno iba a ampliar para dar paso a una avenida. Almacenes, estanquillos, casas, un enorme cine y un par de vecindades. La mayoría en ruinas, sólo unos cuantos edificios conservaban a sus ocupantes. Había malvivientes por doquier: engarruñados en los portales, entre los escombros, calentándose alrededor de una fogata, pidiendo dinero en las esquinas.

Soto se asomó a cada una de las construcciones a través de unos huecos semejantes a las cicatrices de un bombardeo. Los halló dentro de lo que anteriormente fuera un almacén, cuyos ventanales pulverizados cubrían el suelo. Al verlos sonrió; la anciana había dicho la verdad: él descansaba boca arriba con los andrajos en desorden y la respiración entrecortada, como si sufriera un ataque de asma. Ella, de rodillas junto a él, le acariciaba morosamente el pecho, mirándolo con ternura, en tanto le daba sorbos de una botella. De no ser porque el saco le colgaba hasta el piso, Soto hubiera visto sus piernas desnudas.

—Ay, mira, el periodista. —La mujer sofocó una carcajada con la mano—. Ay, no me diga que nos fisgoneó.

El hombre sólo amplió una sonrisa. Enseguida le hizo una seña a Soto para que se acercara. Los fragmentos de vidrio crujieron bajo sus pies, y al llegar a ellos lo sorprendió que la mujer vistiera ya un pantalón similar a la piel apolillada de un oso gris. Le ofrecieron una piedra como asiento y ella sacó de entre los harapos una bolsa de plástico. Aspiró y expelió dentro tres veces. Luego, reteniendo el aire en los pulmones, se la tendió.

—No, yo no le hago —dijo Soto.

—Tons pégate un buche —el hombre le entregó la botella.

Tuvo que vencer la repulsión, y el temor hacia aquel brebaje. El alcohol había sido rebajado con refresco, pero de cualquier modo resbaló por su garganta como si se tratara de metal fundido: una sensación lenta, pesada, ardiente, que al caer al estómago liberó una onda de vapores ácidos. Soto tosió hasta ver estrellas, mientras ellos, deshaciéndose en carcajadas, caían de espaldas y se retorcían igual que niños, agarrándose la panza a cada espasmo de risa.

Cuando todos estuvieron serenos, Soto sacó la cajetilla, les regaló cigarros, encendió uno, y puso a funcionar la grabadora.

—Primero la entrevista —dijo—. Después tomamos las fotos.

Al responder las preguntas brindaban con un golpe de chemo y un trago, intercambiándose la bolsa y la botella. No pudieron recordar cuánto llevaban juntos, amachinados, dijeron. El pasado era un espacio vacío, una película borrosa en la que participaron representando, cada quien por su rumbo, a otras gentes que habían olvidado. Un mundo alucinante, como cualquier pesadilla. Nomás se acordaban de cuando se encontraron en la calle, y de ahí en delante. Me defendió de unos güeyes que querían cogerme, dijo ella con la mirada vidriosa. Lo catearon, lo filerearon, lo dejaron medio muerto; enséñale. El hombre aspiró dentro de la bolsa y luego se descubrió la espalda. Soto dejó la grabadora y agarró la cámara. Ahí estaban las cicatrices, entre mugre y manchas de grasa, infectadas una y otra vez. Tomó algunas fotos. De eso hacía mucho, una eternidad. Fue doloroso, claro, pero les valió para conocerse, y desde ese momento gozarse, acompañarse, protegerse. Compartían todo: refugio, amigos y enemigos, chemo, alcohol, yerba cuando había, la poca comida. Sí, era cierto, seguido los agredían. Las pandillas por diversión, los policías por odio, los otros vagos porque también deseaban mujer. No importa, agregaba ella untándose a él, tengo mi caballero defensor. Cada batalla sumaba nuevas cicatrices. En fin, concluía él, llevo encima tantas que una más no cuenta. La voz se les volvió pastosa, la mirada turbia, los movimientos torpes, y sin embargo seguían hablando ya sin necesidad de preguntas: su vida era amor, amor y puro amor: cuerpo, deseo, compañía; reír, fornicar, drogarse, beber, comer a veces, ¿qué más podían pedir?

—Ahora las gráficas —dijo Soto cuando la perorata de los dos perdió los últimos vestigios de coherencia.

Aunque difícilmente podían mantenerse en pie, accedieron gustosos. Con algo de trabajo repitieron las poses del día de la redada, cayendo al piso en más de una ocasión a causa de la borrachera, y levantándose lentamente ahogados de la risa. Soto hizo una pausa para cambiar el rollo. El hombre, en tanto, agotó el alcohol y estrelló la botella contra una piedra. A partir de ese instante dejaron las poses: comenzaron a besarse con urgencia, a lamerse las cicatrices del rostro, las plastas de mugre. Sólo se detenían de tanto en tanto para sonreír al lente. Las manos iban y venían entre los trapos, acariciando, apretando. De pronto él la arrimaba a la pared y la cubría con su cuerpo. Enseguida ella saltaba a horcajadas sobre él obligándolo a trastabillar. Soto accionaba sin descanso la cámara, y capturó el momento en que las manos dejaron atrás los harapos para internarse, las de él en los senos de ella, las de ella en busca del sexo de él.

Se habían olvidado por completo de las fotos y del periodista. Absortos en ellos mismos, se dejaron caer en el vértigo de sus cuerpos. Soto se supo intruso, ajeno a ese mundo constituido sólo por dos seres, a pesar de que una corriente de calor aceleraba la sangre en sus venas. Tomó unas cuantas gráficas más antes de ver el montón de andrajos en el suelo. Por un segundo sintió lástima hacia aquellos esqueletos revestidos con una piel maltrecha, saturada de costuras antiguas y recientes, teñida de infecciones. Pero al mirar el deseo con el que se buscaban, su sentimiento sucumbió ante la inquietud que se le revolvía en las entrañas. Perturbado por una excitación creciente, la vergüenza lo impulsó a huir del lugar.

De nuevo fue al depósito por dos litros de tequila. Era lo justo. Para apaciguar la ansiedad hinchó los pulmones con el aire frío y húmedo de la calle. Un poco más tranquilo, retornó al viejo almacén, en donde los jadeos le despertaron un pudor adolescente. Procuró no hacer ruido al pisar los cristales, y sin voltear hacia la pareja dejó las botellas en un sitio visible. No los vio, pero sí los olió: el tufo a fruta pasada que antes había percibido en ambos era ahora más intenso que nunca. Con razón, se dijo y sonrió jovial. Se llevó de despedida esa fragancia, así como un largo y estridente grito de la mujer y los sonidos guturales del hombre.

Se frotó los párpados en un gesto de desaliento. Agustín no tardaría en aparecer y la pantalla continuaba en blanco. Un cigarro temblaba entre sus dedos, y los ojos perseguían el humo hasta el extractor del techo. Sin embargo, lo que en realidad miraba eran las ruinas de aquel cine situado en la misma calle donde realizara el reportaje. Los dos cuerpos desnudos, como la última vez que los vio, pero ahora tintos en sangre, sumidos en el lodo a fuerza de los garrotazos que terminaron por desfigurarlos. Toda la escena multiplicada en la espiral de filminas junto a la pantalla. No se lo merecían, carajo. La ceniza ganaba terreno al tabaco en la punta del cigarro. La sacudió sobre el piso y después fumó. La úlcera ardía cada vez más. Ellos no adeudaban nada a nadie; eran libres, felices. Cerró los ojos y volvió a ver los cadáveres rodeados de reporteros, judiciales, socorristas y mirones. Ningún vagabundo, ninguno de los compas de la explanada. Tendrían miedo, se dijo Soto. Los flashes relampagueaban uno tras otro, incendiando las gotas de lluvia que escurrían a través de los huecos del tejado. Las cámaras intentaban registrar cada uno de los golpes, los huesos rotos, la carne tumefacta. ¿Por qué tanto encono, tanta brutalidad? ¿Quién pudo odiarlos así? En un extremo, fuera del circo de luces y curiosos, el homicida reposaba en el lodo, con las manos a la espalda sujetas por esposas. Tenía heridas en el rostro y vestía sólo un pantalón desabrochado. Lo encontraron violando al muerto, le informó a Soto uno de los colegas, y ya se había cogido el cadáver de la mujer. Pinche loco. Por eso los granaderos le pusieron sus madrazos.

El cigarro se le había consumido entre los dedos. Arrojó el filtro a un rincón y buscó otro en sus bolsillos. Nada. Enfermo hijo de su puta madre. Arrugó la cajetilla vacía y la tiró al mismo lugar. ¿Qué te habían hecho? ¿Fue por pura envidia? Los rostros que antes reían, ahora inmóviles, monstruosos. ¿Por qué tanta saña, carajo?, repitió mientras repasaba mentalmente los argumentos con que el asesino respondía a las preguntas de los judiciales: ¿Por qué los mataste? Sabe... ¿Cómo que sabe, pendejo? Pos nomás... ¿No tenías ningún motivo? Por ojetes, no me rolaron el trago. ¿Entonces fue para robarles la botella? Sí, por eso. ¿Y por qué te los cogiste? Ya le traiba ganas desde hacía un buen... ¿A los dos? ¿Eres puto o qué? No, nomás a la morra. ¿Y a él? ¿Por qué te lo cogiste también a él, pinche degenerado? Nomás, pa no desperdiciarlo, ya taba ai quietecito, de eso no hay seguido...

Soto sintió ganas de vomitar. Se puso de pie y caminó unos pasos por la redacción. El homicida era otro de los vagos de la explanada. Según la policía, andaba sumamente intoxicado. Sarolo, chemo, pastas, quién sabe qué más. Pero no hay justificación, carajo. Se volvió a sentar, mesándose los cabellos. No podía describir nada de eso, no. Los ojos inyectados de valemadrismo, la expresión cínica con la que contemplaba a quienes lo rodeaban se habían vuelto más evidentes en cuanto vio acercarse al periodista. Se incorporó y abrió la boca en una sonrisa impúdica, desdentada. ¿Ora sí me vas a retratar?, se burló al ver la cámara. ¿No que no? Ora sí te parezco guapo, ¿verdad? Lo reconoció en el instante en que un judicial le asentaba una fuerte bofetada haciéndolo caer en el lodo, y entonces las palabras que había dicho ya no fueron las de un demente, sino las del testaferro que lo acusaba de complicidad. La culpa tuvo el efecto de una cuchillada en el estómago. Apartó la cámara de su rostro mientras sentía cómo la sangre se tornaba densa dentro de sus venas. Con paso torpe buscó la salida del cine. Todavía desde el suelo, el teporocho miró alejarse a Soto y le dijo: Ai me debes el pomo...

En la pantalla se dibujaron nítidamente los mismos ojos de globos enrojecidos, la boca de encías desnudas, la cabeza pintada de negro a brochazos. Apagó la computadora, y se sobresaltó al oír unos pasos retumbando en el silencio. Ahí está Agustín y no he hecho nada. De pronto tuvo la impresión de escuchar una cuenta regresiva. ¿Por qué me altero así? En el otro lado de la redacción apareció una figura, mas no la de Agustín: el vigilante realizaba su ronda.

—¿Todavía por aquí?

—Sí, me tocó la guardia. ¿Qué hora es ya?

—Van a dar las cinco.

Era cosa de minutos. Agustín querría ver las gráficas y leer la nota de inmediato. Tenía órdenes de Ramos de mandar como principal lo que Soto le dejara. Pero no es justo que los vean así, desnudos, ultrajados. Tomó la ristra y la puso a contraluz: imágenes tal y como le gustaban al director, a los lectores. «Cruento crimen pasional», cabecearía Agustín y mandaría ampliar a media página la foto más sangrienta, la más macabra. No, ellos no lo merecen. Y no lo voy a permitir. Sacó de la bolsa el encendedor y, decidido, prendió fuego a las filminas.

La película ardió rápidamente cargando la atmósfera con un olor aceitoso, pesado. La dejó caer en el bote de basura y sonrió mientras miraba cómo se consumían los últimos rastros del crimen. Casi al mismo tiempo las molestias corporales disminuyeron. Se esfumó el dolor de la úlcera, el de las mandíbulas; sus músculos se relajaron en un alivio voluptuoso. Los cadáveres, la sangre, el olor a muerte y el rostro cínico del loco homicida yacían en el fondo del bote convertidos en cenizas.

La vida real... recordó las palabras del director. Entonces abrió el sobre de manila y extrajo las fotos viejas. Que otros dieran a conocer la noticia del crimen, los cuerpos, al asesino. Escogió las mejores: esas donde la pareja desbordaba ternura, abrazada, sonriente, mostrando al mundo su inmensa felicidad. Las unió con un clip al texto de su reportaje y las dejó en el escritorio de Agustín. Mañana me corren, seguro. Se frotó las manos y las encontró secas, sin sudor. Volvió a sonreír. Caminaba hacia la salida, ligero, despejado, cuando sonó el timbre del teléfono. Otra vez Remedios. O Ramos. O Agustín. O el aviso de otro crimen. O un accidente... Que se vayan todos al carajo.

(De *Nadie los vio salir*)

EL ÚLTIMO VERANO DE PASCAL

CRISTINA RIVERA-GARZA

We sit late, watching the dark
slowlyunfold: No clock counts this.

TED HUGHES, *September*

Teresa Quiñones me amaba porque tenía la costumbre de mirarla en silencio cuando ella discurría sobre la disolución del yo.

—¿Quién eres tú? —solía preguntarme al final de su charla.

—Lo que tú quieras —le contestaba alzando los hombros, reflejando la sonrisa con la que me iluminaba por completo. Mi respuesta la hacía feliz.

—El mundo, desgraciadamente, es real, Pascal —decía después, arrugando la boca y dándose por vencida de inmediato. Luego, como si la felicidad fuera sólo una breve interrupción, seguía leyendo libros de autores ya muertos envuelta en su sarí color púrpura, recostada sobre los grandes cojines de la sala. Entonces yo me dirigía a la cocina a moler granos de café para tener los capuchinos listos antes de que llegara Genoveva, su hermana. Cuando ella se aparecía bajo el umbral de la puerta con sus faldas de colores tristes y zapatos de tacón bajo, la casa se llenaba de su perfume de gardenias.

—¿Dos de azúcar? —le preguntaba, más por seguir un ritual que por esperar la respuesta. Genoveva se sonreía entonces sin atisbo de alegría pero con suma sinceridad.

—Ya sabes que no tomo azúcar, Pascal —me decía mientras colgaba su bolsa y su saco, dándome la espalda. Teresa, entretenida en oraciones sin fin, tomaba el capuchino sin despegar la vista de sus libros o mirando hacia la pared sin ver en realidad nada. Genoveva y yo, en cambio, nos acomodábamos en la mesa de la cocina para vernos de frente y provocarnos sonrisas impremeditadas. A diferencia de Teresa, Genoveva me amaba porque la dejaba callar mientras yo le contaba sucesos sin importancia.

—Ayer vi la foto del hombre más gordo del mundo —le decía entre sorbo y sorbo de café—. Fue horrible.

Genoveva sonreía con amabilidad, sin decir palabra. Ese era el momento que yo aprovechaba para pararme detrás de su espalda y darle un masaje circular en la base del cuello. Los gemidos que salían de su boca me emocionaban. Pero nunca pasaba nada más porque a esa hora por lo regular llegaba Maura Noches, la mejor amiga de las hermanas Quiñones. Su algarabía sin rumbo, el torbellino de sus manos y piernas, rompía la concentración de Teresa y el cansancio circular de Genoveva. Entonces todos nos volvíamos a reunir en la sala.

—¿Vieron la foto del hombre más gordo del mundo que salió ayer en la prensa? —preguntaba como si se tratara de un asunto de vida o muerte.

—De eso me estaba hablando Pascal precisamente —le informaba Genoveva, provocando sin querer la súbita sonrisa de Maura.

—Por eso me gustas, Pascal —decía ella sin rubor alguno—. Te fijas en todo lo que yo me fijo —lo cual era cierto sólo a medias. Maura usaba el cabello corto y los pantalones tan ajustados que se le dificultaba sentarse sobre el piso, a un lado de Teresa. Cuando lo lograba, cruzaba las piernas con un desenfado tan bien ensayado que casi parecía natural. Diva sempiterna. Así, encendía cigarrillos con gestos desmedidos y continuaba con su plática acerca de cosas insulsas que, en su voz de mil texturas, parecían misterios encantados. Teresa usualmente se aburría, y por eso se iba a su habitación para seguir leyendo. Mientras tanto, Genoveva hacía esfuerzos por mantener los ojos abiertos y la actitud de interés, pero después de media hora usaba cualquier pretexto para retirarse también. Entonces Maura aprovechaba nuestra soledad para aproximarse a mí con ademanes seductores y voz de niña.

—¿Te diste cuenta que volvieron a robar la bocina del teléfono de la esquina? —preguntaba más para confirmar que ambos nos fijábamos en las mismas cosas que para saber la suerte del teléfono.

—Pero si eso sucedió hace tres días, Maura —le decía y ella de inmediato se abalanzaba sobre mí porque mi respuesta validaba sus teorías. Presos de su conmoción, a veces nos besábamos detrás de las cortinas y, otras, nos encerrábamos en el baño para hacer el amor a distintas velocidades y en tantas formas como el espacio lo permitía.

—¿Qué vas a hacer conmigo? —le preguntaba en voz baja cuando me tenía bajo sí, derrotado y sin oponer resistencia. A ella esa pregunta la volvía loca.

—Eres un hombre perfecto —me aseguraba justo al terminar. Después se lavaba, se vestía y, con la cara frente al espejo, volvía a acomodarse los cabellos cobrizos detrás de las orejas. Cuando se ponía el lápiz labial color chocolate me mandaba besos ruidosos sin volver el rostro.

—La intensidad es lo que importa —decía todavía dentro del puro reflejo. Observándola de lejos, aún con el olor de su sexo en mis manos y boca, yo estaba de acuerdo. El mundo, como decía Teresa, desgraciadamente era real, pero eso no le importaba a Maura y tampoco me importaba a mí mientras pudiera seguir haciendo arabescos con su cuerpo.

—Tú y yo nos entendemos muy bien, Pascal —insistía. Después tomaba su bolsa y salía corriendo para evitar encontrarse con Samuel, su novio oficial, o con Patricio, su novio no oficial, para quienes yo no era ni hombre ni perfecto, sino un confidente leal.

—Yo no entiendo a Maura —se quejaba Samuel—. Le doy todo y, ya ves, se lo monta con todo el mundo.

—Maura es incomprensible —plañía Patricio—. La cuido y la complazco y mira cómo me paga.

Yo los escuchaba a ambos con atención. Samuel era un hombre delgado de cabellos lacios que seguramente no había hecho nada ilegal en su vida. Patricio era un muchacho de piel dorada a quien sin duda muchas mujeres habían amado. Con el primero me reunía en un café al aire libre rodeado de jacarandas, mientras que al segundo lo veía en los campos deportivos donde se congregaban los futbolistas de domingo. Uno me invitaba a pastel de frambuesa y el otro a cervezas heladas con tal de enterarse de algún secreto que les permitiera desarmar el corazón de Maura. Yo no entendía por qué querían hacer eso pero, cuando me pedían consejos, le decía al primero que a una mujer como Maura nunca se le podría dar todo y, al segundo, que una mujer como Maura nunca pagaba. Después de escucharme con la misma atención que yo les brindaba, ambos se retiraban con los pies pesados y los hombros caídos sin fijarse en el gato que comía restos de pescado detrás del restaurante chino o en las nuevas fotografías de mujeres desnudas que adornaban el taller mecánico de don Chema.

—¿Ya te estás cogiendo a la Maura? —me preguntaba el mecánico moviendo la cadera de atrás hacia delante cada vez que pasaba frente a su negocio—. Diantre de chamaco suertudo —decía entonces entre carcajadas. Yo nunca entendí lo que quería decir la palabra «diantre» y tampoco me gustó el apelativo de suertudo. Tenía dieciséis años y las mujeres me amaban, eso era todo. La suerte poco o nada tenía que ver con eso.

En esas épocas vivía en el último piso de un edificio que estaba a punto de caerse, por eso la buhardilla húmeda de paredes azul celeste que pagaban mis padres desde Ensenada no costaba mucho. Mes con mes, recibía el giro postal que me permitía costear la renta, comprar algo de comida y algún libro. Lo demás me lo daban las hermanas Quiñones, que me adoraban, o lo recibía de las manos agradecidas de Samuel o Patricio, que se iban convirtiendo poco a poco en mis amigos. Mi madre, sin embargo, se preocupaba constantemente por lo que llamaba las «estrecheces» de mi vida y sobre eso se explayaba en cada una de sus cartas.

Pascal, ojalá que esta te alcance en buena salud y mejores ánimos. Por acá las cosas siguen igual o no tanto. Tu hermana Lourdes tiene novio nuevo, un tal Ramón Zetina, con quien estoy segura que terminará casándose —lo cual no me gusta mucho porque el hombre no tiene carácter y tu hermana lo mangonea a su antojo y ya tú y yo sabemos a dónde van a parar las familias donde no hay un hombre que sepa fajarse bien los pantalones. En fin, temo mucho que sea igual a tu padre, quien sigue prefiriendo contar los barcos que pasan por el muelle a trabajar ocho horas diarias en una fábrica de San Diego. Por eso, querido Pascal, aprovecha tu estancia en la capital para convertirte en un hombre verdadero. Nada me llenaría de mayor orgullo. Tu madre que te quiere y te extraña.

Por alguna razón que no atinaba a comprender, las cartas de mi madre siempre me llenaban de pesar. Supongo que por eso las leía a toda prisa y las abandonaba como sin querer cerca del bote de la basura. Luego me iba corriendo a la casa de las Quiñones, que quedaba sólo a dos cuadras. En el camino compraba granos de café y me fijaba en los teléfonos, los charcos, las fotografías de los periódicos y las voces de los merolicos. Cuando atravesaba el jardín bordeado de alcatraces me llenaba los pulmones del olor a rosas de castilla y dejaba la ciudad atrás, porque para entrar al mundo de las Quiñones, eso había quedado claro desde el principio, todo lo demás tenía que quedar atrás. Al abrir la puerta de la entrada ya me sentía mucho mejor. Me bastaba con ver a Teresa en su sarí color ocre y su larga trenza salpicada de piedrecillas brillantes para que me invadiera una extraña sensación de sosiego. Así, en ese estado sin urgencias, me sentaba cerca de Teresa sin hacer ruido y fingía leer alguno de sus libros.

—La identidad es una fuga constante, Pascal —decía con los ojos atónitos y la voz grave—. Nunca le ganaremos a la realidad —concluía. Yo admiraba la manera en que se atormentaba todos los días y, por eso, me recostaba sobre su regazo esperando el fluir de sus palabras.

—No te preocupes, Teresa, yo soy lo que tú quieras —le repetía cerca de los senos.

—Te lo dije, Pascal —me increpaba—, estás vacío. ¿Sabes lo que quiere decir la palabra inerme?

No lo sabía y tampoco encontraba razón alguna para discrepar de sus opiniones. En su lugar, le sonreía en perfecta calma y total silencio. Ella, a veces, pasaba su mano derecha sobre mi cabello. Otras veces, si estaba de buen humor, nos besábamos sin ruido hasta que oíamos los pasos cansados de Genoveva atravesando el pasillo de afuera.

—¿Dos de azúcar? —le preguntaba y ella y yo sabíamos por qué sonreía de esa manera. Después llegaba Maura a transformarlo todo con su presencia.

—¿Viste al gato hoy?

—Detrás del restaurante chino.

—¿Y el anuncio de la corrida de toros?

—Ha estado ahí por dos semanas, Maura —el interrogatorio podía durar minutos u horas, todo dependía de cuánto aguantara Teresa sin un libro o del cansancio genético de Genoveva. Una vez a solas, no tenía que hacer otra cosa más que esperar. Si algo había aprendido en las muchas tardes que pasaba en la casa de las Quiñones era que la única manera de estar con Maura consistía en esperar, y yo lo hacía con una fe y una dedicación religiosas. La esperaba sobre el sillón y ella llegaba sin remedio y sin prisa.

—Eres mi imán —decía. Y mis ojos reflejaban entonces el asombro que se provocaba a sí misma cuando era capaz de convertirme en su hierro magnético.

—Cógeme —le murmuraba yo sobre la punta de la lengua y Maura no tenía otra alternativa más que obedecerse a sí misma. A veces me desabotonaba la camisa de camino al baño, otras me tomaba de la mano y me cantaba una canción de cuna sobre la alfombra. Sus deseos eran mis deseos. Tal vez yo era inerme, como decía Teresa, pero mi desamparo y mi indefensión me llevaban a lugares donde era feliz y me sentía a gusto. La casa grande de las Quiñones era uno de esos lugares. Ahí, entre el olor a incienso y bajo la luz inclinada de la media tarde, sólo necesitaba abandonarme a mí mismo para ser lo que en realidad era. No tenía ganas de cambiar. No tenía ganas de convertirme en nadie más.

El mundo, desgraciadamente, era real. Lejos de la casa de las Quiñones, el mundo me atosigaba con demandas y sospechas. Patricio, por ejemplo, cada vez hablaba menos de Maura en nuestras reuniones y cada vez más de la rareza de las hermanas.

—¿Y tú crees que andar envuelta en esos trapos de colores es normal? —se preguntaba Patricio mientras tomaba una cerveza.

—Es un vestido hindú que se llama sarí —le aclaraba yo repitiendo las palabras de Teresa—. Es bonito, además —le decía. Él lo negaba con su cabeza.

—Te están volviendo loco a ti también, Pascal —me advertía entonces y se alejaba con una sonrisa de frustración en el rostro. Yo todavía no empezaba a dudar.

Samuel, por su parte, empezó a preocuparse por mi futuro.

—¿Qué harás cuando seas grande? —me interrogaba de cuando en cuando, justo cuando más disfrutaba la tarta de manzana y el café expreso al que me tenía acostumbrado.

—Pero si ya soy grande —mi respuesta sólo le provocaba una sonrisa displicente.

—No puedes ser el objeto sexual de las Quiñones toda la vida, Pascal —me decía—. A menos, claro está, que lo único que desees ser en la vida sea un gigoló.

Su selección de términos me impedía cualquier tipo de gozo. Objeto sexual. Gigoló. Ser grande. A veces me daban ganas de contestarle con alguna de las frases demoledoras de Teresa, pero al ver su mirada fija sobre mis ojos me daba miedo y compasión. ¿Qué le podía decir yo a un hombre que no sabía ni siquiera conquistar a Maura, la más fácil de todas las mujeres? En lugar de destruir su mundo, lo dejaba ir con su convicción a cuestas. Le pesaba tanto que caminaba con los hombros y los ojos caídos, sujeto a sí mismo y ajeno a su alrededor.

Samuel y Patricio me daban lástima y me hacían dudar, pero por meses enteros continué visitando la casa de las Quiñones a pesar de sus advertencias. Apenas si cruzaba la verja del jardín me sentía a salvo y, una vez dentro, me olvidaba de mis recelos y reparos. Ni Teresa ni Genoveva ni Maura me pedían nada, ni siquiera estar ahí pero, cuando lo estaba, las tres me disfrutaban en la misma medida en que yo lo hacía. Yo pensaba que era feliz. Y tal vez porque lo era y no tenía cabal consciencia de serlo, me aproximé a Teresa una tarde no con el silencio que acostumbraba sino con una pregunta inesperada.

—¿Sabes, Teresa? —murmuré cerca de sus senos—. De un tiempo para acá me preocupa lo que haré de grande.

—Pero si ya eres grande —me contestó, empujándome suavemente fuera de su regazo, obligándome a verla a los ojos. La sorpresa total de su mirada me llenó de otro tipo de temor.

—El mundo, ¿verdad, Pascal? —susurró con la voz tersa.

—Desgraciadamente —le dije más por un reflejo automático que por pensarlo de esa manera.

Nada fue lo mismo después. Los pequeños gestos de rechazo se sucedieron uno tras otro, pequeños al principio y grandes hasta la grosería conforme pasó el tiempo. Cuando, por ejemplo, guardaba silencio frente a las disquisiciones de Teresa, ella me miraba con curiosidad malsana.

—¿En qué estás pensando, Pascal? —me preguntaba. Ninguna de mis respuestas la satisfacía y ante todas guardaba un silencio aún más pesado que el mío. Después, cuando trataba de masajear el cuello tenso de Genoveva, esta se removía sobre el asiento con una desconfiada impaciencia hasta que daba un salto de gato montés que la alejaba de mí definitivamente. Maura, por su parte, dejó de desear mis deseos aunque yo cada vez deseaba más los de ella. A medida que la rutina en la casa de las Quiñones cambiaba de ritmo, yo me sentía más nervioso en su presencia. Patricio tenía razón, el sarí de Teresa podía ser bonito pero era, a todas luces, incómodo. El cansancio de Genoveva no tenía razón de ser. Maura era promiscua. Yo, Samuel tenía razón, me había convertido en el títere de tres mujeres enloquecidas.

Poco a poco dejé de frecuentarlas. En lugar de ir a su casa, dirigía mis pasos al campo de fútbol donde me encontraba con Patricio o a los restaurantes de moda donde comía gracias a la generosidad de Samuel. Mi apariencia cambió también. Me corté el pelo y dejé de usar los mocasines que tanto le gustaban a Genoveva porque no hacían ruido sobre la duela. Mis camisas de botones blancos fueron sustituidas por camisetas arrugadas con logos de equipos de fútbol. Empecé a masticar chicle y a fumar de vez en cuando. Así, desaseado, sin cuidar mi apariencia, iba a reunirme con los hombres. Pronto me di cuenta que la mayoría de las veces sólo hablábamos de mujeres. Utilizábamos todos los tiempos: lo que iba a pasar, lo que pasaría, lo que tendría que pasar con ellas. Y, juntos, entre miradas vidriosas y oblicuas, ensayábamos todas las formas del sarcasmo.

—Maura es una puta —dije una vez en una cantina rodeado de amigos. Como todos parecían ponerme atención, pasé a describirles en gran detalle algunas de nuestras aventuras eróticas en el cuarto de baño de las Quiñones. A pesar de que el licor y las risas me mareaban, no pude dejar de notar que, acaso sin pensarlo, editaba mi relato a diestra y siniestra. Nunca mencioné, por ejemplo, que para tener a Maura entre mis brazos y piernas no tenía que hacer otra cosa más que esperar sobre el sillón de la sala. Cuando mencioné la palabra «cógeme» la puse en sus labios y no en los míos. Según mi relato de cantina, Maura siempre decía que yo era un hombre perfecto al final del acto. Nunca mencioné nada acerca de su idea de la intensidad. Así, despojada de lo que la hacía entrañable para mí, Maura era en realidad una mujer como cualquier otra. Una reverenda puta. Y yo la resentí.

Esa noche, cuando ya iba de regreso a mi buhardilla sin la compañía de nadie, pasé como siempre frente a la casa de las Quiñones. Sin poder evitarlo me detuve en la esquina para observarla largamente. Era una casa común y corriente. Una verja de hierro daba entrada a un jardín desordenado, lleno de maleza, donde algunos alcatraces y otras tantas rosas de castilla apenas sí sobresalían entre la hierba. La puerta de la entrada era un simple rectángulo de madera. Y, dentro, como en todas las casas, había una sala, un comedor, una cocina, tres recámaras y dos baños. La veía por fuera y la imaginaba por dentro y de cualquier manera la casa era la misma. De repente, sin embargo, me descubrí llorando. Tuve ganas de volver a entrar y estuve a punto de intentarlo, pero me detuve en el último momento. Después salí corriendo calle arriba y, en un abrir y cerrar de ojos, regresé calle abajo de la misma manera.

—¡Teresa! —grité desde la acera, pero nadie respondió.

—¡Genoveva! —vociferé mientras trataba de saltar la verja, pero mi voz se perdió en el más absoluto silencio. Cuando comprendí que todo era inútil, que todo estaba perdido, me puse a llorar como un niño frente a su puerta. No supe cuándo me quedé dormido.

Al amanecer, me dolía todo el cuerpo. Como un convaleciente me incorporé poco a poco, observando la casa inmóvil sin parpadear, bajo el influjo de eso que Teresa solía llamar melancolía. Me dolía toda su presencia, es cierto; pero más dolía la posibilidad de su ausencia. Nadie me creería. Eso es lo único que pensé por largo rato: nadie me va a creer. Ningún hombre me va a creer. Ninguna mujer. Yo mismo ya lo estaba dudando. Por eso salí corriendo una vez más bajo el sol adusto de la mañana. Subí todos los escalones de dos en dos hasta llegar a mi buhardilla y, casi sin respiración, tomé un lápiz y una hoja de papel y todas las palabras que le conocía a Teresa. Así comencé este relato un trece de agosto de 1995 a las seis y treinta y cinco de la mañana. Tan pronto lo terminé, salí una vez más rumbo a los campos de fútbol. Los amigos de Patricio me recibieron con algarabía y pronto me sumé a sus filas. Jugamos bien, ganamos ese día. Cuando el último silbatazo detuvo el juego, corrimos los unos a los otros. Nos abrazamos entre sonrisas y maldiciones y, después, nos sentamos alrededor de unas cuantas cervezas. Olíamos a sudor. Poco a poco, mientras ellos contaban chistes y continuaban con el festejo, dejé de escucharlos. El ruido de una sirena que se va. Pensé que Genoveva debía estar llegando a casa en ese momento. Luego, me recosté sobre el pasto y, mirando hacia lo alto, me di cuenta que empezaba el otoño porque había un extraño lustre dorado sobre las hojas de los eucaliptos.

(De *Ningún reloj cuenta esto*)

EL CARIBE

CUBA

PRISIONERO EN EL CÍRCULO DEL HORIZONTE

JORGE LUIS ARZOLA

Amaneció por un rastro de sangre en el trillo de piedras. Era la primera vez que sucedía y él no sabía qué pensar, ahora que ya no estaba tan borracho. Miró las manchas con inquietud y mientras dejaba atrás la garita, rumbo a casa, estuvo intentando recordar. Le parecía haber recibido una visita durante la noche alta, un alguien borroso y oscilante que estaba en el límite de lo real y de lo fantástico.

Pero lo mejor era no pensar en ese fantasma ni en el sospechoso rastro de sangre porque él era inocente y no tenía nada que ver con el asunto. Además, no estaba en condiciones de ponerse a recordar.

Vinieron a buscarlo hacia el mediodía. Su mujer, asustada, mandó pasar al hombre y este abrió la ventana de un manotazo. La luz le golpeó la cara groseramente y él se sentó sobre la cama, aturdido. Era la policía. Se habían robado unos cuantos pavos de la granja.

El policía no encontró nada en la casa, pero las manchas de sangre sobre el trillo de piedras indicaban que el ladrón podía moverse libremente por la granja, era alguien de la granja o por lo menos alguien familiar en ella. Habría juicio dentro de una semana, se lo aseguraba.

El tipo se fue con su insolencia y ella sonrió maliciosamente y le acarició la cabeza y le dijo algo así como que había escondido los pavos en un lugar seguro y a la tarde iba a hacer maravillas con uno de ellos... Él ni la escuchó, o la escuchó pero no la entendió, porque la resaca lo tenía medio sonso todavía y estaba durmiéndose otra vez.

Su mujer lo despertó a las seis. Estás como enfermo, le oyó decir, y él abrió los ojos y sintió que la penumbra del crepúsculo le pesaba sobre y dentro de la cabeza, y la miró y le sonrió, ya se iba a levantar, dijo, que no se preocupara.

Se bañó y se sentó a comer como nuevo. Había fricasé de pavo y devoró las postas a grandes dentelladas porque la carne era un gran acontecimiento en su mesa y su mujer sabía que la gloria estaba exactamente encima de la lengua... Cocinaba bien y esa era una de las pocas cosas que le gustaban de ella. Era dócil y gorda y medio tonta y fea, pero sabía hacer un buen arroz congrí y un exquisito fricasé de pavo, con muchas papas y salsa.

Comió sin pensar en nada y por el momento no quiso preguntarle de dónde había sacado los pavos. Se sentía bien y no deseaba mover la boca para nada.

Se tiró a la cama. No tenía que trabajar hasta el otro día a las seis de la tarde y se quedó dormido otra vez y no sintió cuando su mujer lo llamó para desayunar, y cuando despertó, a las diez de la mañana, tuvo que hacer un gran esfuerzo para levantarse.

En el almuerzo había pavo frito, preparado con mucho ajo y salsa de tomate. Por la tarde hizo algunos trabajos en la casa. Le cambió las zapatillas al fogón y amoló los cuchillos.

A las cinco se preparó para ir al trabajo y a las y media comió. Esta vez no tuvo mucho apetito y peleó con su mujer. Había sopa de pavo y pavo asado. A manera de despedida le preguntó, a propósito, de dónde eran los pavos... No sabía, aseguró ella mirándolo con los ojos redondos de la inocencia, y se alzó de hombros, eso tenía que preguntárselo a sí mismo.

Se sentó en la silla de la garita pensando vagamente en los pavos, en los que se había comido, claro, porque en los otros, los robados, no tenía ni que pensar. Él era inocente.

Hizo la guardia desconfiando de cada sombra, cada ruido y cada lechuza, y al amanecer se fue tranquilo a su casa. ¡Ahora sí tenía la conciencia tranquila!

Durmió poco y bien. Tiró la ración de pavo del almuerzo al patio y se comió tres honradísimos huevos fritos con pan. Después, mandó a su mujer que recogiera, que desapareciera para siempre los huesos de pavo que debían estar en el patio.

Aun así, no se sintió bien. Paseó por el patio en busca de algún hueso indiscreto y volvió a preguntarle a su mujer de dónde había sacado los pavos. Pero ella le vino con cuentos, cuentecitos nada menos que a él, venirle a decir que se robó los pavos la noche en que se fue borracho a hacer la guardia, por haberse bebido como agua los últimos veinte pesos del mes, con un tipo ahí.

Sintió un mareo de rabia y deseó darse un trago fuerte, que le despejara la garganta y le calentara el corazón. No podía ser que él se hubiera metido en un lío como aquel. No podía y no debía ser, porque él no era un despreciable ladrón de pavos y unos días atrás hasta había estado a punto de discutir con un compañero de tragos que le propuso negocios con los pavos de la granja, un tipo que se llamaba Juan y a quien encontraba de vez en cuando en la barra del club, un jodedor que nada más de verlo empezaba a decir que no sería difícil dar un buen golpe de pavos, un comemierda a quien tuvo que poner carácter, deja eso compadre, porque últimamente no podía ni verlo por ahí sin que empezara a fastidiar con esos chistes pesados, y porque a fuerza de participar en las bromas él mismo se había sorprendido ya pensando en dar un leve golpecito que lo sacara por unos días de las miserias del bolsillo y de la barriga.

Así que dijera su mujer, repitiera, si se atrevía, el disparate aquel, y vería cómo le iba a partir la boca. Pero ella anduvo con cautela esta vez. Dijo que la noche de la borrachera alguien la había despertado como a las cuatro de la madrugada, le había puesto tres pavos en la mano y se había ido sin decir nada.

Ella no parecía estar mintiendo... pero tenía que estar mintiendo porque esa historia era demasiado absurda y él sabía que le estaban jugando sucio, así que dijera, aclarara bien quién era el tipo ese que había venido sin más acá ni más allá a traerle pavos a una mujer casada, una mujer cuyo marido la adoraba y se iba a hacer las guardias confiadamente, le aclarara bien todo eso, porque él no era un ladrón de pavos ni había mandado a nadie a traer pavos robados a su mujer.

Ah, conque era una zorrita, ¿quién iba a pensarlo de ella? Y ahora le venía con el cuento de que el tipo se había aparecido con los pavos en plena madrugada y se los había regalado por su linda carita de boba.

Vio llorar a su castísima, queridísima esposa, y le dieron deseos de ponerle una mordaza. Se ponía fea, más fea, la pobre, y lloraba feamente. Y si no le pegó fue porque se dio cuenta de que al menos esta vez no lloraba de odio ni de humillación, sino de amor hacia él, y él lo sabía demasiado bien, aquella gorda asexual e infeliz lo quería mucho, y sabía que acababa de darle algo que había esperado siempre, una hermosa, reluciente escena de celos.

Así que, con el ceño fruncido, como un verdadero marido ultrajado, la observó llorar y esperó pacientemente una explicación, algo que lo convenciera de verdad y le hiciera recuperar la confianza que siempre había tenido en ella.

Pero qué le iba a explicar ella, si el tipo le había puesto los pavos en la mano y se había ido sin darle tiempo a nada. Ella pensó que se los había mandado él, dijo, su queridito marido, secándose las lágrimas, su amorcito, y se le sentó en los muslos y lo besó tierna, amorosamente, y le pidió que la perdonara.

Él quiso terminar cuando antes con aquello. Fingió aceptar las razones de ella y se sentó en el portal.

Hacía un tiempo desganado y estático y pensó en acostarse, pero no tenía sueño. Tampoco tuvo sueño por la noche, aunque se sentía cansado y le dolía la cabeza y todo el cuerpo. Se durmió al amanecer y despertó al mediodía, hambriento y rabioso.

No comió nada. Echó el almuerzo a un lado y se sentó de nuevo en el portal. Su mujer sabía que cuando él decidía sentarse en el portal era mejor dejarlo tranquilo y aplazar la reconciliación para otro momento.

Estuvo buscando la reconciliación durante toda la tarde. Le enseñó una camisa nueva, que acababa de comprarle y bordarle. Le brindó dulces y hasta intentó peinarlo, y le pidió que le diera un beso... Él estuvo indiferente. No tenía deseos de nada, dijo, mientras paseaba minuciosamente la mirada por el patio.

Salió para el trabajo más temprano que de costumbre, dejando a su mujer muy preocupada, por lo poco que había comido y dormido. Compró dos bocaditos de pasta en el bar del pueblo y se los fue comiendo por el camino, la mano izquierda en el bolsillo del pantalón, palpando un inquietante huesito que había encontrado en el patio.

Se pasó la guardia con el hueso entre las manos, examinándolo y jugando con él, hasta que no pudo más y lo lanzó a la oscuridad. Le ardían los ojos y estaba cansado y tenía sueño, pero no podía dormirse, a él no le robaban un desgraciado pavito más. El hueso era duro, como de cerdo o de vaca o de caballo, pero a él se le antojaba (y no sabía exactamente por qué) que era de pavo.

Luego, cuando ya estuvo harto de luchar contra el sueño y el cansancio y el aburrimiento, cogió la linterna y se puso a buscar el huesito, pausada, lenta, organizadamente, ansiosa, furiosa, desesperadamente. Tenía que encontrarlo a toda costa para asegurarse de que era un hueso de cerdo, de caballo o de res, y no de pavo, porque de pavo no debía ser y seguramente no era, o de lo contrario él, pobre inocente, estaba en peligro de caer en manos de la (in)justicia... ¿Quién sabía cuántos huesos de aquellos podía encontrar la policía en el patio de su casa? Miles, se dijo, millones de fragmentos de no sabía qué especies de castos animalitos, inocentes animalitos que habían muerto quién sabía cuántos años o décadas o siglos antes que aquellos sucios pavos de granja, cuyos restos su mujer había hecho desaparecer del patio.

El hueso no apareció y él entregó la guardia a su relevo temblando de desesperación y de ganas de darse unos tragos, y regresó a su casa y se puso a barrer el maldito patio, a buscar huesos, a recolectarlos como un arqueólogo.

Cuando su mujer se levantó, a las siete de la mañana, lo encontró arrastrándose por el patio a cuatro patas, emocionado, entusiasmado con la idea de encontrar hasta el último fragmento de hueso para dejar el patio libre de sospechas.

La obligó a ayudarlo y ella se echó a tierra sin protestar. Conocía muy bien a su marido. Tampoco se atrevió a brindarle un vaso de agua fría y un calmante. Entre los dos encontraron setenta fragmentos de hueso, que a él le parecieron ingenuos, pues tenían un color negruzco e inofensivo.

Se bañó alegremente, almorzó a las dos de la tarde, echó los huesos en un cartucho, puso el cartucho debajo de la almohada y se acostó a dormir. No tuvo pesadillas. Durmió tranquilo y feliz y sólo despertó hacia las siete de la mañana. Tenía un apetito voraz y se comió los huevos fritos del desayuno como si acabara de rebasar alguna gravísima enfermedad. Luego, asombró a su mujer con un amor largo y violento, y lo hizo sólo para él, sin pensar que ella gritaba de placer y era fea y gorda y medio tonta y la despreciaba fielmente.

Almorzó con desgana y por la tarde no quiso ni tocar la comida. Odiaba todas las gallinas y todas las arroceras del planeta y honraba el recuerdo de los cinco heroicos pavos que se había comido días atrás. La cuota no le alcanzaba para matar el mes de manera decorosa y él era una persona honesta. Nunca en su vida le había robado al estado ni a nadie, pero la vida era dura y el sueldo no alcanzaba para mucho.

A las cinco de la tarde alzó la almohada, cogió el cartuchito de huesos y se fue a hacer la guardia. En el bolsillo llevaba treinta pesos que acababa de darle su mujer y mientras caminaba los iba palpando con un poco de rabia, preguntándose si quemarlos o gastarlos en una borrachera conciliadora.

Detrás dejaba su casa, libre de huesos y de culpas, y una mujer chillona y desagradable a quien acababa de abofetear, por aceptar dinero de desconocidos, le dijo, y encima de eso, por discutirle, por decirle no señor, el hombre que había traído los pavos y el dinero no era un desconocido, era amigo de él y ella los había visto juntos alguna vez, tomando ron por ahí. Los dos estaban metidos en el lío de los pavos robados.

Pero él era inocente y estaba cansado de su mujer, de su trabajo y de todo, y por eso le pegó, por eso y para no dejarse aplastar por el pesimismo.

Era inocente y si seguían empeñados en llevarlo al tribunal (cosa que no creía posible, ahora que lo pensaba bien, pues no lo habían citado para firmar las actas ni tenían pruebas ni testigos ni un carajo), él pondría la cara más ingenua del mundo y pediría a los policías que revisaran por favor el patio de su casa, en el que no encontrarían el más mínimo hueso. Diría eso y mucho más y los policías se amilanarían ante su insolencia, que dejaría chiquita la insolencia de ellos. Y si no iba a decir que su mujer le había puesto los tarros por dos o tres pesos y unos pavos, eso era sólo porque no iba a ser necesario para probar su inocencia.

Sacó una silla de la garita y la recostó al horcón del portal. Se dijo, se obligó a creer que la noche era tranquila. Era propicia a los buenos pensamientos y a las abstracciones más puras, y pensó sin remordimientos en lo que significaban las palabras honradez e inocencia. Él era honrado y era inocente y por eso, un rato más tarde, estuvo a punto de matar a un villano que quiso entrar a la granja a robar pavos.

Él estaba allí, acechante porque ese era su deber, los ojos bien abiertos, cuando lo vio acercarse por el trillo de piedras.

Entonces corrió al interior de la garita, descolgó la escopeta y lo recibió a boca de cañón.

—Es mejor que te vayas —le dijo.

El tipo, asustado, lo miraba desde el otro lado de la cerca, inmovilizado, bien controlado por el negro cañón, como diciendo soy yo, como preguntando si no lo conocían, y él echó adelante el cañón y se lo pegó al pecho, claro que lo conocía, y sabía de sobra que era un despreciable ladrón de pavos y que venía a robar pavos y a joderle la vida a un inocente.

Lo midió, lo estudió bien, como a una pieza de caza. Parecía un conejo y podía verlo temblar como un conejo. Le daba asco y deseaba que se diera media vuelta y desapareciera de su vista para siempre o, mejor, deseaba no haberlo visto nunca.

—Vete —le dijo—, porque no te vas a robar ni un pavo más.

El tipo intentó una sonrisa y le dijo algo así como que tenía el carro esperando, ¡disparate semejante!... Palpó el gatillo. El dedo le temblaba y por un momento pensó que lo iba a matar. Un largo escalofrío lo hizo temblar como a una hierba. Había estado a punto de matar a un granuja, un infeliz que estaba cansado de comer mal y andaba buscándose unos pobres pesos. Entonces sintió el bulto en el bolsillo y se le ocurrió una buena idea. Le dio lástima el tipo, que en ese momento era literalmente una mierda encañonada, y le regaló los treinta pesos, el dinero le hacía más falta al miserable.

Pero el tipo no hacía por cogerlos y alargaba demasiado la ridícula escena, diciendo pero... pero..., de modo que él tuvo que tirarle los billetes para tener libres las dos manos y amenazarlo, obligarlo a que se fuera de una magnífica vez con toda esa fea historia.

—Vete, Juan —le dijo—, porque yo no te conozco.

El hombre, el jodido tipo se fue, cogió el dinero y acabó por irse, apurándose y volviendo la cabeza cada cinco o seis pasos. Él respiró aliviado y mientras lo miraba alejarse se preguntó quién coño iba a creer que un tipo tan bajo y tan poca cosa pudiera estar con la mujer de alguien. No sabía cómo había podido inventar una mentira tan ingenua. Nadie le creería. La policía se reiría de él.

Había vuelto a sentarse y tenía deseos de llorar. La escopeta resbaló de sus muslos y cayó estrepitosamente sobre las losas del portal de la garita. Estaba perdido. No valía la pena ocultarlo. La celda lo esperaba ahora con las rejas abiertas, para darle el abrazo final.

Se imaginó en el banquillo y se dijo que era mejor así. Que lo trancaran, que lo jodieran por haber intentado buscarse unos pobres pesos y comerse unos bichitos ahí, que lo condenaran por ese y por todos los robos que habían sido cometidos en la granja aquella. Lo pusieran a pudrirse en la cárcel, señor juez cabrón, compañero fiscal maricón.

Lo condenaron. El fiscal le pidió dos años, pero al final el juez consideró que dos años no era nada para un ladrón de pavos y lo mandó al pelotón. Lo iban a fusilar allí mismo y en ese mismo momento, y si no llegaron a hacerlo fue porque, de súbito, alguien dijo que el acusado era inocente, cosa que podía probarse al minuto.

Recogió la escopeta, entró a la garita y la colgó de un clavo. Buscó el cartucho, que había guardado en la gaveta del buró, encendió todas las luces del interior y regó los huesos sobre el buró, con cuidado. No podía dejarse aplastar, era inocente. Examinó los huesos uno por uno, amorosamente. Los miró por un lado y por el otro y desde diversos ángulos, acercó y alejó la cabeza, analizándolos como un científico, hasta que no le quedaron dudas de que había pedacitos de hueso de muchos animales, incluso de gran cantidad de animales diferentes, menos de pavo.

Buscó la silla del portal, se sentó al buró, apoyó la barbilla sobre este y se puso a contemplar sus hermosos, sus queridos huesos. Los había negros, menos negros, blancos, tornasolados, verdes, morados. Había uno que parecía una cimitarra turca, otro que tenía muchos poros, como una esponja. Mirándolos se sintió bien, seguro, libre, y hasta llegó a experimentar cariño por ellos, o tal vez sólo un dulce agradecimiento: les agradecía profundamente que fueran huesos de vaca, de caballo o de cerdo, y no de pavo. Aquellos huesos eran la prueba suprema de la inocencia.

Los examinó una vez más y los guardó en el cartuchito. Pero entonces se le ocurrió la mala idea de ir a sentarse en el portal y allí recordó el huesito que había botado a la oscuridad dos noches antes y que no parecía ser de ave pero podía ser de ave y, más que de ave, de pavo.

De pronto, deseó encontrarlo cuanto antes para meterlo en el cartuchito junto a los otros inofensivos huesos... (porque él sabía que el hueso ese era tan inofensivo como los otros, sabía que pertenecía a un animal mayor, pero necesitaba poseerlo como a una moneda de oro).

Armado de un machete bien afilado, marcó un círculo perfecto en el lugar donde había visto caer el hueso, lo limpió de yerba y barrió cuidadosamente la tierra con una brocha. En lugar de su minúsculo e inapreciable huesito encontró otros dos, azulnegruzcos, de formas sospechosas.

A las seis llegó el relevo y tuvo que abandonar la búsqueda. Estaba muy cansado, se había pasado la noche buscando la llave de su casa, dijo, la había perdido por allí.

Durmió mal. Tuvo pesadillas culpables, que le revelaron un horrible secreto. Cuando despertó se puso a contemplar los dos huesos que había encontrado en el círculo. Para que su mujer no lo molestara con los horarios de las comidas y el baño, le hizo creer que estaba muy bravo con ella, nolaqueríaniver. Pasó horas contemplándolos, asombrado y triste.

Al día siguiente se fue a hacer la guardia sin pensar en nada. Iba arrastrando los pies, ojeroso y débil, y quienes lo vieron pasar pensaron que había muerto y que quien se dirigía a la granja era sólo su fantasma.

En el bolsillo de la camisa llevaba los dos huesos, que él había comparado incansablemente con las falanges de sus manos, siempre esperanzado de que fueran un poco más largos o más cortos... Pero medían casi lo mismo

Cuando hizo la prueba por primera vez, sintió como un chorro de agua helada que le subía a la cabeza a través de la columna vertebral, y desde ese momento sólo había vivido para buscar, para revolcar la tierra y hacer un hoyo donde a lo mejor no encontraría nada, tierra nada más o, a lo peor, donde encontraría los restos de un esqueleto humano cuyas partículas él recolectaría para hacerlas desaparecer, convertidas en polvo amorfo.

Comenzó a escarbar, un buen pico entre las manos. Todavía tenía la esperanza de que estuviera alucinado y viera dos falanges donde sólo había dos pequeños huesos de vaca o de quién sabía qué animal... Pero en eso encontró un hueso plano y vasto que parecía un omóplato, y luego una tibia y después una mandíbula de hermosa dentadura, partida como un caramelo.

Entonces deseó estar soñando, o retroceder dos días en el tiempo, estar todavía en aquel instante en que no había demarcado el círculo ni había encontrado los dos primeros fatales huesos; deseó, no ya retroceder dos días, sino sólo una hora y media, encontrarse en aquel bello y reciente minuto donde la pesadilla aún era una simple sospecha o un presentimiento.

Ya era tarde, sin embargo. Había escarbado y encontrado los malditos huesos, y seguía escarbando y encontrando, y cada nuevo hueso le hacía sentir la añoranza de su vida sencilla y despreocupada de dos días atrás, de dos horas atrás. Se dejó caer en el hoyo y lloró por todo lo que había perdido, su infancia y su ingenuidad y su verdadera vida. Ah, qué bellos eran los tiempos lejanísimos en que se creía perdido por haberse robado unos pavos.

Escarbó incansablemente y a medida que profundizaba iba encontrando cráneos enteros, vértebras y costillas, omóplatos e infinidad de huesitos sin nombre, que él fue apilando con mucho cuidado en derredor del hoyo. Debía trabajar duro, encontrar hasta el último fragmentico, incinerarlos todos, hacerlos polvo y desaparecer el polvo y tapar el hoyo antes de que llegara el relevo.

Se sentía culpable, sabía que era culpable, pero quería salvarse y aún podía salvarse. Faltaban tres horas para el amanecer, y tres horas era justo lo que él necesitaba.

Pero muy pronto la profundidad del hoyo comenzó a molestarle y a impedirle el ajetreo, y tuvo que empezar a estirarlo rumbo al horizonte. Entonces comprendió que no tenía salvación porque toda la tierra estaba preñada de huesos y el horizonte era una cárcel, su cárcel circular.

Fue a la garita, se bebió dos vasos de agua, descansó cinco minutos y reanudó su trabajo, ahora más tranquilo. Sabía definitivamente que no podría escapar de la celda aquella y que la eternidad le sobraría.

(De *Prisionero en el círculo del horizonte*)

PROMESAS

JESÚS DAVID CURBELO

«Ten fe, Victoria, ten fe», fue el primer argumento de José Ignacio al ofrecer matrimonio, mientras la requerida, escéptica, respondía: «¿Y cómo vas a mantenerme?», sabiendo que él, por soberbia, había renunciado a ejercer la Licenciatura en Letras, pues creía denigrantes las opciones que le ofrecieron al terminar la universidad. Aquello desató una suerte de maldición: por cada quimera que su marido traía en vez de bastimentos, Victoria esgrimía una pregunta que le desarmaba: «¿Cuándo vas a dejar de pedirme fe?».

Antes del año estaba arrepentida de haberse casado. Casi enseguida se agotaron las delicias del mutuo descubrimiento y cayeron en la rutina de irse a la cama (porque a partir de entonces siempre fue allí) a pulsar un manojo de resortes archisabidos que invariablemente provocaban gozo. Hasta un día en que fallaron las espoletas y la granada (abierta, frutal, mortífera) que era Victoria se tornó una bomba de tiempo y cambió los suspiros por los chasquidos de lengua y las carantoñas por estériles discursos donde José Ignacio salía culpado de vago, soñador, crédulo, fracasado y cobarde.

Todo gracias al vicio de él por la literatura y a su afán de convertirse en escritor famoso. Desde el noviazgo asustaron a Victoria ciertos resabios intelectuales que a José Ignacio le agriaban el carácter y le llevaban de la ansiedad a la depresión (y viceversa) como un objeto sin voluntad. Pero al principio todo es simpático. Victoria Jaime asistía a la aventura de lidiar con un artista y resultábale pintoresco el detalle de que su novio perdiera la tabla ante premios ajenos, fracasos editoriales de otros, éxitos de advenedizos y enemigos y malas rachas de colegas tan inéditos y tan desesperados como él. La situación se fue agravando hasta el punto de convertirse en una pesadilla. José Ignacio no paraba de hablar sobre poemas, cuentos, novelas, ideas, proyectos, casas editoras, tipos importantes que abrirían puertas claves en su destino y dinero, mucho dinero que les permitiría reparar la vivienda, comprar ropas, efectos electrodomésticos, un auto y una microcomputadora donde procesar los montones de textos que él firmaría desde dicha solvencia.

«Mierda», gritaba Victoria sin renunciar a su incertidumbre, «fíjate en el techo y para de hablar basura. Cuando publiques todo lo que, por cierto, aún no has escrito, seguro te darán el Nobel», y hacía una pausa que cesaba con: «digo, si acaso lo otorgan póstumamente a ese gran literato a quien sepultara una lluvia de tejas y maderas podridas».

«Ten fe, Victoria, ten fe», repitió José Ignacio y, queriendo evitar mayores invectivas, se puso a trabajar demencialmente. Compró una tipiadora fabricada en la primera década del siglo, la hizo reparar hasta dejarla como nueva, y se sentó a pergeñar una novela donde el protagonista fornicaba sin tregua con diversas hembras y se portaba como un macho excelente. «Pura imaginación», casi ladró Victoria al leer unos capítulos, «si fueras tan bueno en eso sabrías ganarte la comida como chulo». Y cuando José Ignacio se aprestaba a ripostar con sabe Dios qué estupidez tamaña, ella concluía: «Es decir, con otras, porque ya encontraste una tonta que se rompe la crisma por buscar esa plata que malgastas en papel, ¿no crees?».

«Sí, creo», afirmó José Ignacio y siguió dando tecla noche y día en pos de la gloria y, más que nada, de un editor dispuesto a hacerse rico con aquella prosa feraz y renovadora. Pero de tanto creer creyó que podría, además, enfrascarse en la redacción de un tomo de cuentos sobre las relaciones entre sexo, autoridad y violencia, con un fervor tan grande que fuera contagioso. «Para los ilusos amigos tuyos que se tragan la historia de que eres un genio», desacralizó Victoria, «pero a mí no me duermes con el chiste de tu capacidad o con la monserga de las dichosas obsesiones.»

«Ten fe, Victoria, ten fe», rogó de nuevo José Ignacio cuando un crítico avezado leyó sus relatos y dijo que el chico (sólo tenía veinticinco) era una promesa de la literatura nacional. «La cuestión se reduce a esperar, ¿no te das cuenta? Ese señor es influyente y su opinión pesa mucho en los mejores cenáculos del país. Seguramente a la vuelta de unos meses seré el autor de moda y...» «Por favor, José Ignacio, no me pidas ni un gramo más de fe. En verdad la combinación es horrorosa. ¿No entiendes que fe y victoria son palabras que no van bien juntas? Los vencedores no necesitan fe porque tienen arresto para atrapar su oportunidad y no precisan esperar que Dios se la mande de regalo.» «Pero yo tengo talento, Victoria, y con talento...» «Es tan lento el camino que no vale la pena», vociferó ella para anular la protesta. «Quienes llevan bien puestos los pantaloncitos no se la pasan en un sillón pensando en las musarañas y echando a perder cuartillas, sino que salen a pulirla a la calle con tal que su familia no muera de hambre.» Y le enumeraba un listado de profesiones en las que él debería probar fortuna sin lastimar demasiado su humanidad hecha al calor de las bibliotecas y a los dulces efluvios de una presumible posteridad.

José Ignacio, sin embargo, no cejó. Confiaba a pie juntillas en el buen sentido de los cazadores de novatos y en la aparición no muy lejana de cualquier sello con renombre listo para asumir un original suyo y colocarlo en el mercado iberoamericano junto a Augusto Monterroso y Camilo José Cela. Por tanto, era una tontería oficiar de zapatero, lavaplatos, taxista y mecanógrafo a domicilio sabiendo que de un momento a otro aquellos que hoy le despedían por incompetente le dirían señor al verlo copar los medios de prensa en el esplendor del triunfo.

«Que nunca llegará», sentenció Victoria al cumplir José Ignacio los peligrosos treinta. «Confinado en esta aldea no vas a conquistar el mundo», le increpaba, «si a la vuelta de cinco años nadie te conoce, es probable que mueras en el anonimato.» A lo que él replicaba que era imprescindible imponerse en su patio, desde las condiciones más adversas, para poder así medir la dimensión del éxito. Y ella argüía que en otras plazas había mayor competencia, por lo cual el llegar representaba mejores dotes, mientras que en aquel pueblucho difícilmente no se convertiría en una celebridad municipal, lleno de admiradores mediocres y perspectivas paupérrimas. Pero no sucedió. José Ignacio siguió rumiando su ineditez y Victoria Jaime la mala fortuna que hubo de adjudicarle un marido tan orate.

Entonces José Ignacio atisbó una luz. Comprendió de súbito el estigma político de su desgracia. Los cuentos y novelas que escribía (por no hablar de los poemas que, generalmente, son crípticos y la censura desiste de tomárselos en serio para no devanarse las entendederas) criticaban duramente al gobierno del país. El caos era tan grande que sólo testimoniándolo se le hacía un atentado a la administración. José Ignacio atribuyó su ostracismo a la eficacia de la policía política. «No seas idiota», sacó en limpio Victoria, «si les estorbaras tanto, te fusilaban y sanseacabó.» Él no hizo caso y tomó partido por la oposición. Aunque no sirvió a doctrina alguna, sí dio en murmurar públicamente y en arengar a sus conciudadanos sobre el deber patrio y la resistencia cívica. Otros, pensaba, por esa vía han llegado a Roma. Adonde no conducen todos los caminos, barruntaba Victoria, y mucho menos aquel que guiaba inevitablemente a la cárcel o al exilio. Pero tampoco. José Ignacio fue convencido de abandonarlo en apenas dos visitas de los agentes del contraespionaje, que pusieron las cartas (y los revólveres) encima de la mesa. «¿Te callas, o te mueres?», le dieron a elegir. Prefirió callarse. Máxime cuando sus socios de partido pretendieron, tras una jugarreta electorera devenida fiasco, mandarlo a presidio como ejemplo ante la humanidad de la represión a que eran sometidos los intelectuales. Por esa época estudió a los escritores disidentes y captó el drama en toda su magnitud: salvo contadas excepciones, el anatema de la otra ribera funcionaba con mecanismos tan atroces como los de su orilla. Cambiar de tiranía era un precio que no le interesaba pagar.

«Ten fe, Victoria, ten fe», reiteró José Ignacio al permutar el trampolín de la ideología por el de la superstición. Acudió donde videntes, espiritistas y decidores de fortuna con la certeza de que iba en la ruta correcta. No ansiaba que le dijeran que llegaría (de eso estaba seguro), sino cuándo. Los oráculos dieron fechas varias y recomendaron procedimientos para ayudar. Hizo y cumplió ofrendas, oró, asistió a cultos paganos, católicos, protestantes, budistas y musulmanes para, al final, quedarse con la regla de Ocha. «una religión de negros no ha de traer nada bueno», protestaba Victoria por las equivalencias entre Hermes y Elegguá, Venus y Ochún y Ares y Changó, demostración palpable de que esas ceremonias brutales con cantos y sacrificios se parangonaban con las creencias de los griegos que, a la postre, habían sido la civilización más sabia del planeta y los padres de la lírica y la filosofía. Mas Victoria continuó incrédula y citó la *Biblia* contra los dioses de plata («metafórica», masculló) que el marido erigía y colocaba tras las puertas, o pendientes del techo, para espanto de visitantes y vergüenza suya. A la larga, el presupuesto salió lastimado con tanto animal de cuatro patas y adornos y rones y platos sofisticados que pedían las deidades de José Ignacio sin conceder a cambio otra cosa que dolores de cabeza a Victoria Jaime. «Basta», gritó ella y él, buscando calmarla, asumió una promesa: «Te juro que si sucede como espero me hago santo y monto una consulta que nos dará algún peculio».

Victoria llegó a los treinta y tres y no pudo acallar más su instinto maternal. Aunque protegía a José Ignacio y le enseñaba senderos y trampas, no era igual a parir un crío, educarlo en cánones estrictos de moral y amor al prójimo y prepararlo para un orbe que siempre sería adverso si no existía un entrenamiento espiritual con que enfrentarlo. Tampoco importaban los altibajos de la relación. En cuestiones matrimoniales Victoria se apropió desde muy joven de la máxima legada por la abuela: «Mejor malo dominado que bueno por controlar». Amén de que José Ignacio aún acertaba alguna que otra vez con el placer y hasta vivían temporadas de recién casados donde las ilusiones renacían y los cegaba el optimismo. Por uno de esos períodos Victoria decidió quedar encinta y olvidaron condones, píldoras y coitos interrumpidos bajo el lema de «Donde comen dos comen tres».

Y cuatro. Después de un embarazo inclemente con vómitos, antojos, amenazas de aborto y de parto prematuro, Victoria alumbró un par de mellizas que acabaron con la entereza de José Ignacio. Él esperaba un varón. Dos hembras significaban el colmo del fracaso y la inutilidad de nueve meses en que desatendió su obra (como llamaba pomposamente a la manía de escribir sin ton ni son) por suplir a su media naranja en los roles domésticos. Las bebitas, por si fuera poco, lloraban a rabiar la noche entera y le impedían concentrarse y recuperar el tiempo perdido en la tarea de poner en blanco y negro el universo todo. Ahora hacía más falta que nunca la remuneración por su trabajo. Sólo que el destino es inexorable y no hubo ninguna señal de mejoría, por lo que José Ignacio, muy a su pesar, ensayó múltiples oficios que seguían demostrando su incompetencia pero al menos les permitían alimentarse mientras duraba en ellos.

Para Victoria fue el golpe de gracia. Su vida se torció en lactar, hervir pañales, hacer purés y caldos nutritivos e incrementar el aguijoneo a José Ignacio para que aparte de plátanos, malangas, hortalizas y carnes hubiera jabón y desodorante en el baño y perfumes y creyones labiales en el tocador. Nada fácil. La crisis económica arreció y escaseaban alimentos y cosméticos. Victoria tuvo que renunciar a la idea de poseer varios frascos de champú, cremas para la piel y ropero bien surtido, ante el imperativo de la comida. En incontables ocasiones desviaron hacia las niñas proteínas y vegetales y contentáronse con sendos platos de frijoles cocidos y unas cucharadas de arroz blanco sin manteca. Pero aun así José Ignacio volvía en las madrugadas sobre la vieja máquina y daba el motivo de la próxima discusión. «Vas a volverte loco. Y a nosotras de paso. Sin comer y sin dormir no se puede vivir», peleaba ella. «Te salió con rima», mortificaba él. «Zoquete», decía Victoria, «no basta con torturarnos y encima te burlas». «Está claro», se rendía José Ignacio y agarraba lápiz y papel para volcar sin ruido la tromba de especulaciones y paradojas que componían su literatura.

Entonces un amigo le sugirió que dejara a un lado la pose romántica de que, en virtud de su intelecto, los editores deberían tocarle a la puerta y auparlo a la fama. «Tales sujetos», aclaraba el consejero, «siempre tienen de sobra a quién publicar. Muévete, José Ignacio, que sólo se vive una vez.» Lo intentó. Dio inicio a una cruzada mecanográfica y envió originales a cuanto concurso se enteró que convocaban en el ámbito hispanoamericano. Ponía los sobres al correo después de calcular monto del premio, posibles jurados, tendencias literarias al uso, coyunturas políticas y otra sarta de cábalas que no surtieron efecto: alrededor de las fechas del fallo José Ignacio no dormía, saltaba continuamente con el timbre del teléfono, oteaba el piso de la sala a ver si el cartero había deslizado el telegrama mágico y, luego, se pasaba días y días tirado a morir al comprobar que otros eran los bendecidos por el veredicto.

Victoria le dejaba hacer, limitándose a recitar por lo bajo la fábula de Samaniego donde una lechera acude al mercado portando en la cabeza una cántara con leche y elucubra que, vendida esta, comprará un canasto de huevos y sacará cien pollos que le permitirán mercar un cochino, el cual, con bellota salvado (y con berza y castaña), engordará tanto que podrá adquirir, de contado, una robusta vaca y un ternero que salte y corra como mismo ella lo hace y, plaf, con el entusiasmo cae el cántaro y adiós leche, huevos, pollos, lechón, vaca y ternero. «Oíste, José Ignacio: no anheles impaciente el bien futuro, mira que *sobre todo* el presente jamás está seguro.»

Como sucedió: Victoria, presa en la crianza de Ana (por la Karenina) y Amalia (por José Mármol), perdió su colocación de secretaria y los escasos céntimos que acarreaba al hogar a fin de mes. José Ignacio no se inmutó. «Es un aviso de Dios», dijo y elaboró una teoría sobre el artista puesto en el límite por las circunstancias. Habló de Baudelaire, Rimbaud y De Quincey y de cómo habría de sobreponerse (cual ellos) a privaciones y contratiempos. No por la adulación (aquí mentó a John Donne y a sor Juana Inés de la Cruz) ni por el coqueteo con el poder (aquí a Virgilio y a Maquiavelo), sino con la simple realidad de edificar un monumento lingüístico y psicológico que no pudiesen abatir la desidia y las guerras (aquí salieron a flote Dante, Shakespeare y Cervantes). Por eso no dejó de escribir. Parecía no darse cuenta de las ropas zurcidas, los zapatos remendados y con medias suelas, las toallas con la felpa gastada y las sábanas rotas lavadas al amanecer para volverlas a colocar esa misma noche. Continuaba absorto en su combate personal con el olvido. «¿Hasta dónde va a llegar ese egoísmo?», le cuestionaba Victoria, «¿acaso no entiendes que nos vamos a morir?» «Todos tenemos que hacerlo», contrarrestaba José Ignacio. Y ella: «Sí, imbécil, pero a su hora; no de hambre y necesidad». Que fueron, al cabo, las causas de la muerte temprana de Victoria, recién cumplidos los treinta y siete y harta de inventar trucos para sobrevivir. Severamente enferma, le había pedido: «Prométeme que cuando yo muera te olvidarás de toda esa porquería y te dedicarás a que mis hijas lleguen a adultas sin madrastras ni mendicidades». Él lo prometió creyendo que Victoria se salvaría. No ocurrió: poco después un paro cardíaco eliminaba achaques y mortificaciones y dejaba a José Ignacio sujeto al tibio lastre de la paternidad.

Al principio no atinaba ni a moverse con tal independencia. Ya no había nadie dictándole qué hacer y velando por el buen término de las metas. Ello no constituía un alivio. Ahora debía enfrentar sin ayuda la toma de decisiones y, especialmente, la tarea ciclópea de salvar a las mellizas. Siguió saltando de un empleo a otro, haciendo de tripas corazón para soportar humillaciones y regaños como única vía de sobrellevar el crecimiento de las niñas. Unos meses más tarde, un amigo le consiguió el trabajo ideal: maestro de Literatura en un colegio de segunda enseñanza. No lo pensó. Desempolvó el título nunca usado, depuso su vanidad de gran escritor y fue donde el director a rogarle prácticamente de limosna que no le negase la plaza. Había cumplido los treinta y ocho cuando dio su primera clase frente a un auditorio de jovenzuelos a quienes no les importaba Moliére, pero que sí sintieron lástima de aquel tipejo mal vestido que ponía tanto ahínco en explicarles los intríngulis del proceso literario y la batalla del genio contra la adversidad.

Pasaron los años. Ana y Amalia tuvieron desayunos y cenas y vestidos que exhibir durante los domingos y las graduaciones. Sólo que José Ignacio cesó de producir. Dedicó su tiempo a revisar bibliotecas, archivos, revistas y boletines, preparando conferencias dignas de la universidad. Muchos alumnos le agradecieron el haberlos motivado por las letras. Algunos hasta se hicieron escritores. El prestigio de José Ignacio como mentor se extendió entre la intelectualidad joven. Iban a él en busca de consejos que siempre obtenían sin que mediara el resentimiento de la frustración. Les recomendaba lecturas, editoriales, concursos, y hasta firmaba algún aval inservible pero consolador. Él, en cambio, no había vuelto a redactar una línea. Peor aún: como nunca llegaría a la altura de un Balzac o un Dostoievski, José Ignacio consideró huera su producción y la incineró una noche en la ceremonia esotérica que fuera el último paso para cumplir su promesa a Victoria Jaime.

Al perder a Victoria perdió la fe y el acicate de tener alguien a quien demostrarle que su incredulidad era infundada. Ya no habría triunfo alguno, sino sólo el rencor de arrastrar una existencia anodina cuyo final estaba próximo. La cátedra y las mellizas acabaron con sus arrestos juveniles y José Ignacio lo asumió como el signo postrero de su inanidad. Solamente aguardaba morirse y que lo borraran para siempre tan pronto echasen sobre su tumba las paletadas liberadoras. Los alumnos pensaban diferente. Comenzaron a rondarlo para que les enseñase sus creaciones. No podían creer que hubiera quemado aquel tesoro. «Eran una bazofia», aseveró José Ignacio poniendo término a la conversación. Los muchachos no se rindieron. Acosaron al profesor con sus reclamos. «Para complacerlos he de violar la promesa hecha a una muerta», se defendió él. «Hágalo. ¿Le teme a la venganza, o se juzga tan poca cosa que debe escudarse en un juramento?», le contestaron.

Aquello encendió la chispa. Pero el tiempo no había transcurrido en vano. A José Ignacio le faltaba oficio. Iba escribiendo a trancos de la memoria, en un estilo directo y poco elegante, los recuerdos de su agonía. Ya no quería hacer piezas maestras. Se conformaba, dijo, con una obra discípula: un grupo de apuntes y reflexiones que le sirvieran para aprender (y aprehender) quién había sido, cuáles fueron sus ambiciones y por qué aún esperaba un lugar en el mundo. Pero nada de cimas, a lo sumo un humilde puestecillo en el coro de los que, por el arte, ansiaban penetrar en el diálogo con Dios. Allí confesó sus pánicos y conjuró los fantasmas que asolaran su mente desde la infancia. Perdonó y pidió clemencia. Amó y le reciprocaron con la grandeza de lo cotidiano. Obtuvo una novela de apenas trescientas páginas que arrebató a los estudiantes.

Y llegó el fin. A pesar de reconocerla favorablemente, varias editoriales se negaron a publicar aquel engendro sin género ni mesura. A nadie le importaba la autobiografía de un oscuro profesor de provincias que no pudo ir a parte alguna y se cuestionaba la validez del gobierno, la historia del país, la arribazón de los trepadores, los valores literarios y morales de una época y su cosmos, y hasta la equidad de la justicia divina. Los jóvenes hicieron una colecta para sufragar la edición. José Ignacio no supo resistir la ofensa de salir a la luz pública, siendo ya un viejo, con un libro autofinanciado (como podría llamársele al piadoso gesto de sus incondicionales). No valieron psiquiatras, santeros, amigos o discípulos para sacarlo de la depresión. Veía pasar el desfile de los vencedores y recordaba las horas en que él y Victoria se sentaban a contar monedas y apuntar los gastos en una libreta ajada por el manoseo. Ambos traumas eran más fuertes que esperanzas y sermones. Fue al cementerio y, ante el sepulcro de Victoria, reconoció: «Tú tenías razón, amorcito: no sirvo para nada y todo esto no es más que mierda». Amaneció ahorcado en el baño junto a una nota lapidaria: «No tuve fe para alcanzar las victorias».

La novela fue un éxito de crítica aunque la censura gubernamental hizo cuanto pudo para evitar su difusión. Los oponentes lanzaron una campaña por la libertad de expresión apoyada en *El testamento de Sísifo*. Enseguida dos importantes casas extranjeras, sin duda emocionadas ante el respeto que inspira la letra impresa, pugnaron por comprar los derechos de autor. El grupo en el poder cambió la táctica y mandó a imprimir una tirada masiva que saturase las librerías. El partido opositor convocó a un premio literario en honor del sufrido novelista. Sobrevino una apoteosis de mercado. Se hicieron innúmeras traducciones y adaptaciones para teatro y cine. Llovieron ensayos, testimonios, filmes y biografías con la tragedia de José Ignacio y Victoria Jaime. Con fondos comunes, ambos bandos instituyeron la Fundación José Ignacio Cuevas, destinada a promocionar escritores noveles. Ana y Amalia vivieron holgadamente el resto de sus vidas gracias a la impericia de su padre para entender qué diablos son las promesas.

[De *Las (di)versiones de Eva*]

EL HOMBRE DE UQBAR (SOBRE LA INMORTALIDAD DE LOS CHINOS)

ALBERTO GARRANDÉS

Michel Perdomo trajo de La Habana un curioso estilete de hoja triangular y empuñadura en forma de H, y me dijo que el arma en cuestión, digna del coleccionista más exigente, había servido alguna vez para ajusticiar a un hombre. No le pregunté quién era el muerto y él tampoco me ofreció dato alguno sobre su identidad, pero se impuso la certeza de que no podía ser otro que Flor de Loto, alias La Mexicana de Jalisco y ex censor de la Random House en su filial habanera.

Aquel hombre enarbolaba el lápiz rojo con un gozo difícil de aquilatar y con él marcaba palabras, sentencias, oraciones largas, persiguiendo a lo largo de muchas páginas una idea que de pronto se convertía en su contrario gracias a un venenoso silogismo. Flor de Loto era de temer.

Me cuenta Perdomo, mientras fumo de mis ducados, aquí, con mi caña de cerveza y mi tapa de mejillones, que el estilete se hallaba bien hundido en el cuello de la víctima, pero que alguien, al notar la calidad museable de las cachas, lo había sustraído y empeñado en un tugurio subterráneo de las afueras, perteneciente a la estación de Pío XII. Imagino a Perdomo, indio iroqués, merodeando sin hacer ruido por una estación del metro de La Habana. Una estación que, por lo demás, es gemela de la homónima madrileña, aunque carece de esos aires de delito inminente y de esos olores transeuropeos. Veo, pues, a mi amigo entrar en el tugurio, pedirle al chino de feria que le muestre lo último en armas blancas, identificar sin efusiones lo que busca, exigirle un precio razonable, regatear, desanudarse la coleta de torero sin indumento, sacudir la melena negra, impacientarse con el vendedor y, por último, amenazarlo antes de llevarse el rejón recuperado —¿he dicho *recuperado*?—, ahora sin un rastrito de sangre.

Hasta aquí todo parece, o quiere parecer, un cuento de Borges. Pero los hechos suelen, con talante propio de fuerzas encontradas, arreciar como los huracanes.

Supongamos que, imprevistamente, Perdomo es contactado por un agente del MAE para cuestiones de criminalística cultural, y que el autor de *En el borde* siente la presión de un sujeto de mirar duro. Supongamos que el sujeto ha tomado el mismo avión del iroqués, vigilando el periplo de la faca, y que se ha sentado tras él. Supongamos que el agente pide un cubalibre doble para sí «y un martini dulce para el caballero de la coleta». Supongamos que Perdomo se extraña y, no obstante, acepta el trago del desconocido...

Pero supongamos las cosas mejor: que nada de eso ha acontecido y que yo estoy aquí, en el Café Central, a cincuenta metros de la Puerta de Velázquez, del Museo del Prado, y que Michel Perdomo tiene sobre la palma de la mano no sólo el curioso estilete, sino también un pequeño álbum de fotografías.

***

Salimos al sol —estamos a principios de mayo y todavía los árboles lucen la peladura del otoño— y le pregunto cómo ha dejado La Habana. «Como siempre», dice sin más y se encierra en sí mismo, guardándose el estilete y el álbum. Entonces, de pronto, un tipo con gafas de las muy oscuras nos intercepta y en voz alta pregunta si podríamos colaborar con la causa. No reparo en el cartel que lleva prendido del cuello, encima de la nuca, y en el cual se lee una frase trabajosa acerca de los niños y el SIDA. «Quiere dinero», me dice Michel mirando la estatua de Velázquez. «Puede colaborar con cualquier cantidad, y, siempre que pueda, por arriba de cinco euros», dice el activista. Michel entreabre la boca, sonriendo ante la descarada exigencia. «Así que por arriba de los cinco», le digo al de las gafas. «Espero que no sea mucho para usted», asegura. Y de inmediato nos muestra un caballete alrededor del cual penden varias cabecitas de bronce. «Vaya», digo con seriedad, al ver que no ceja en su empeño de sacarnos dinero. «Son bustos de Mao, ¿no querrían llevar alguno?», pregunta muy inocente el sinvergüenza.

Michel me hala por el brazo y se inclina. «Ahora recuerdo, ese hombre vino conmigo en el avión», comenta. «Quieto y sin miedo», le digo. «Pero si yo no tengo miedo», riposta abriendo los brazos. Creo que debemos irnos de allí y se lo digo en voz baja. Dejamos el Paseo del Prado y entramos por una calle algo crepuscular, donde hay, si la memoria no me falla, un establecimiento asiático.

Me alegra poder recordar el sitio y entramos en él. Cuando Michel se percata de que está rodeado de chinos retacos, bambúes y pájaros embalsamados —ya nos hemos sentado y estamos a punto de elegir un asado con retoñitos de arce—, se agita y me urge a abandonar el lugar. «Tranquilo, nadie aquí nos conoce», le digo. «Compadre, ¿usted no se da cuenta?», pregunta mirando a derecha e izquierda. Le digo que no, que no me doy cuenta. «Todos nos vigilan, míralos disimuladamente», afirma. Los españoles mueven sus cubiertos y los chinos y las chinas mueven sus cuerpos como hormigas locas, de aquí para allá, de allá para acá. Supongo que los temores de Michel son meros espejismos. Estoy a punto de decírselo, pero de repente noto, al fondo del salón, y envuelto en una seda violeta, a un chino chaparro con bigotes muy largos y retorcidos. En efecto nos mira (y eso que Michel no puede verlo, pues está muy alejado y le queda detrás).

«Es ternera con cogollitos, en salsa verde», digo sin poder evitar cierto nerviosismo. Michel se ha puesto unas gafas *slanted eyes* y sube el cuello de su sobretodo. Yo acaricio el interior de mi cazadora y noto el confiable abultamiento de un Smith & Wesson con el que ando hace años, desde mi asentamiento en Madrid.

Nos traen la comida —se trata, en esta ocasión, de una china muy joven, en quien se presume toda la lascivia del Oriente— y Michel ingiere apresurado el contenido de sus platos. Después me muestra el álbum: son vistas muy buenas de un desfile que tuvo lugar en el barrio chino de La Habana, a lo largo de la calle Dragones. Las instantáneas revelan a una muchedumbre que enarbola altos retratos de Mao. De manera ausente, y como si tal cosa, Michel extrae más tarde el estilete de hoja triangular y empuñadura en forma de H.

«¡Por Dios, guarda eso!», le digo. Me atraganto. Bebo un sorbo de vino. El estilete brilla, más bien refulge. Es un sol en la intimidad de nuestra mesa. Asirlo y alzarlo frente a sí es un extraño acto por el que alguien (frente a Michel hay un chino rugoso) debe responder. En ese momento todos los comensales nos observan. Michel lo sabe y sin embargo no deja de blandir (con lentitud extasiada) el estilete fatal. Por fin el chino rugoso habla. *Que el señol se gualde el cuchillo, chino no quelel pelea.* Michel oculta el estilete y se levanta con intenciones de fumar. Lo imito, no sin antes dejar bajo la redoma del vinagre dos billetes de veinte euros.

El desasosiego de Michel fumando —qué voluble— Marlboro Light me obliga a detener un taxi. Ya acomodados dejamos atrás la fuente de la Cibeles. Y no bien llegamos a Eguilaz setenta y cinco, donde acostumbro alojarme en casos como este, Michel pone violentamente sus manos en mis hombros y susurra: «¡Mira, mira dentro de la guantera!». Respiro aliviado después de comprobar —se lo digo con toda la serenidad del mundo a mi amigo— que en la guantera hay tan sólo una edición de *Ficciones* y *El Aleph* hecha por Alianza en un solo volumen. Michel deja caer el cuerpo hacia atrás, sobre el espaldar del asiento, y cierra los ojos. El chófer, hombre ceremonioso, detiene el coche y me pregunta si necesito ayuda. «No hay que preocuparse, gracias», le hago saber. Y me desprendo de un billete de diez.

Mi apartamento es antiguo, pero cómodo. Michel me ha dicho que le gusta, aunque yo sé que, para él, atractivos mayores posee el local de libros viejos de los bajos, doblando por la esquina, donde uno puede hallar a buen precio una impresión casi virgen de Cioran, o las imprevistas *Memorias* de Colette. Nos sentamos en el sofá de la sala a beber cerveza, pero Michel ha descubierto un frasco mediado de orujo en una cesta de mimbre, junto al disquero. Se sirve con generosidad y después inserta en mi lector de discos compactos uno con cuentos de Borges dichos en su propia voz.

Tocan a la puerta y Michel (también yo, qué carajo) se sobresalta. Le ordeno en voz baja desprenderse del estilete, y cuando lo saca se le cae. Menos mal que el piso de la sala es un parquet bien encerado y el ruido no es tanto. Los toques son más fuertes ahora y se acompañan de una voz de guardia civil. Los cojines del sofá ocultan el arma y voy a abrir.

«Hola, buenas, soy el inspector Lamar Rodríguez», dice el tal inspector con un carnet al descubierto, casi pegado a la oreja derecha. Pisa el umbral y una esquina del felpudo sin decidirse a usar su autoridad. Han de ser mis ojos, que los tengo, como el genio, muy vivos. «Lo escucho», digo. Michel permanece sentado, manejando la copa de orujo y un cigarrillo. La mirada del tal Lamar viaja por el aire de la sala y se aposenta en el rostro de mi amigo. «¿Indio americano?», pregunta el inspector. «Bueno, en fin —digo y gruño—, ¿qué se le ofrece?» Lamar Rodríguez es una mole con saco y prefiere las colonias dulces. «Busco un arma, ¿usted sabe de armas antiguas?», pregunta. «Ni jota», contesto. «¿Y él?», señala a Michel. «¿Él?, pues menos aún, no vive aquí», afirmo. «Sé que viene de La Habana, donde acaban de matar a uno de nuestros agentes, Flor de Loto, alias La Mexicana de Jalisco, ex censor de la Random House», explica sofocado Lamar. «Ha de ser un asunto muy feo, supongo», sonrío. «Para saber de armas antiguas —reflexiona el inspector— no hace falta vivir en ningún sitio específico.» Me mira sin pestañear.

Luego de referirme las características del estilete, mientras finjo ignorar la belleza de su empuñadura, Lamar me hace una inesperada confesión: un par de semanas antes de encontrársele muerto, Flor de Loto había recibido, en la Random House de La Habana, a un editor de la O-Shun-Lit —ya por suerte asentada en Pekín— que venía de Calcuta. El editor en cuestión, observa Lamar, es un chino que se ha especializado en literatura cubana y quiere proponerle a la Random House la impresión de tres novelas de la isla cuyos autores ya han firmado sus contratos respectivos con la O-Shun-Lit. El inspector suspira. «Lo único vivo entonces —evoca la escena del crimen y casi pone los ojos en blanco— eran las rancheras que Flor de Loto oía bajito en su radio de baterías.»

A Lamar no le ofende mi actitud de no dejarlo entrar, de manera que no acaba de irse. Al fondo Michel bebe taciturno. «Bueno —dice el inspector y lanza una mirada al iroqués—, seguramente tendré que volver mañana.» Este anuncio es poco democrático y así se lo digo. «Pero es que ustedes no colaboran», explica. «Figúrese, si no tenemos nada que ver con ese rollo», indico. «¿De verdad?», pregunta. Posa los ojos sobre Michel y, en voz baja, sin dejar de mirarlo, me cuenta: «Michel Perdomo es uno de los tres novelistas propuestos por el editor pekinés a la Random House, y he visto el manuscrito de su libro, notablemente subrayado (con admiración, hay que decirlo) por Flor de Loto: se titula *El hombre de Uqbar*».

Algo inesperado ocurre: Michel se levanta, descorre la puerta de cristal que da al balcón y se lanza, cabeza abajo, hacia la piscina. Se trata de una temeridad extraordinaria que subraya su culpabilidad, su miedo, o su locura. Lamar, como un Peter Ustinov encarnando al detective Poirot, me embiste, me quita de su camino, se asoma; ve la figura de Michel —nos hallamos a un piso de altura, nada más— nadando en el agua pespunteada de flores amarillas. Tras ganar el embaldosado de terracota que rodea a la piscina, hace un gesto obsceno —se agarra con fuerza el bulto del sexo—, corre a la portería y desaparece de nuestra vista.

«¿Ve usted?», me interroga Lamar. Deja caer con suavidad su pesado brazo sobre mis hombros. Está perdonándome la vida, como suele decirse. «Entonces, ¿quiere decir que mi amigo asesinó a Flor de Loto?», le digo. Escruta mi cara con una avidez particular que antes yo no había notado. Tarda un poco en contestar: «Hay dos posibilidades muy obvias —el inspector mira mis labios mientras habla—: o fue él quien mató al susodicho, o sabe la identidad del asesino».

Al pisar el umbral Lamar se vuelve y me tutea inaceptablemente. «No me has brindado nada de beber, macho; pero no importa, yo te invito, si quieres probar un buen café ven conmigo a casa y listo», perora con un deje asmático. Qué horror, el mundo está perdido, ya no hay Cruzadas, todo es sexo y dinero. Y, sin embargo, detrás de ese pensamiento queda la sensación incómoda de haber frecuentado un lugar común que ya apesta, de tan trajinado. Pero es verdad, estamos perdidos y no tenemos derecho a la sobrevida. «Gracias, tengo un compromiso», respondo. El inspector se retira encogiéndose de hombros. Quedo pensando en mi amigo Michel, presunto asesino de La Mexicana de Jalisco, y en ese libro suyo nombrado *El hombre de Uqbar.*

Por la noche, luego de cenar con el portero, a quien también le gusta el orujo por ser un rotundo digestivo, decido visitar a Óscar, un mulato que ha envejecido escribiendo cosas —un volumen tipo macuto— acerca de la santería cubana. Él conoce como nadie el mundo editorial independiente en Madrid, pues emplea mucho tiempo en colocar (sin éxito) su libro.

Entro en Pío XII y voy a mi tren. Al sentarme noto la presencia de una china elegantísima que me resulta familiar. Comprendo que se trata, válgame Dios, de la misma que habíamos admirado Michel y yo en el restaurante, sólo que ahora resplandece. Cruzamos las últimas estaciones antes de llegar a Príncipe de Vergara, que es donde debo cambiar, en dirección a Sol. De súbito, cuando nos detenemos en Núñez de Balboa, la china se precipita hacia la puerta y siento la necesidad de seguirla a toda costa. Voy tras ella. En el andén, lleno de gente a esa hora, estoy a punto de perderla de vista, pero reaparece delante de mí, en las escaleras que llevan al metro cinco. Ya en él disimulo bastante. Pero ella me mira y me reconoce. Sonríe, o hace como si sonriera, y se baja en Oporto. Mientras asciende abre y cierra un abanico diminuto que es una coquetería más, ya que el frío de arriba es un hecho. Nos hallamos, así, en un lugar momentáneamente irreconocible y muy lejos de los sitios que conozco bien.

De repente ella detiene un taxi y abre la puerta con lentitud elegante. Qué china más laberíntica. Permanezco unos segundos sin saber qué hacer, como un bobo, hasta que ella, compadeciéndose de mi imagen lamentable, me hace una seña con el abanico. Apunta al interior del coche. Sólo entonces reparo en su indumentaria, visible a través del sobretodo abierto: una falda breve, negra; unas botargas altas, ceñidas, también negras, y una blusa de seda que es tan oscura como las alas del cuervo de Poe.

¿Qué ha sucedido? Nada: estoy con una china ignota y bella en un taxi, y el taxi lo conduce, para mayor horror, un chino. A toda velocidad atravesamos un barrio desierto que probablemente no figura ni en los callejeros. «¿Por qué me sigue?», indaga ella. La miro bien. No hay ni malestar ni inquietud en sus ojos. «Pues a punto fijo no sé», respondo. «Debe de haber un motivo; además, a juzgar por lo que usted escribe, no me las estoy viendo con un loco», dice pausadamente, en un castellano ejemplar. Respiro tan fuerte que a ella se le escapa una sonrisa. «Así que conoce mis libros», digo. «Usted es muy perverso», dice. «Los chinos antiguos escribían más perversiones que yo», aventuro con energía, impávido. «Sin embargo, hay que someter a censura ciertas cosas que revelan, o podrían revelar, la presencia de *él*», explica. Como no entiendo nada, le pregunto por ese *él*. Pero ella se limita a abrir y cerrar el abanico hasta que el automóvil se detiene junto a la puerta de un sombrío edificio. «Venga, es aquí», dice.

El ascensor nos lleva al piso veinte, que es el último. La entrada principal del *penthouse* se halla bajo la custodia de un chino con aspecto de torturador tibetano. El aire huele a cloroformo y otras esencias menos asépticas. Como es de rigor en estos casos, hay que trasponer muchas puertas, volver a veces sobre nuestros pasos, decir contraseñas ingeniosísimas. Al final topamos con un guardarropa y una china macilenta. Se impone —me lo dicen ambas chinas, la canija y la rutilante— el uso de un disfraz. Elijo una máscara veneciana y mi compañera se prenda de un juego de velos azules.

Entramos a un salón lleno de personas también enmascaradas. Trato de mirar mi reloj, pero no puedo. Hay silencio y mucha concentración. Alguien nos invita a sentarnos en pequeños pupitres de madera, como el resto. Los pupitres están alineados correctamente; forman semicírculos concéntricos en torno a una mesa donde hay dos sujetos. Uno de ellos, un joven, lee; el otro es un viejo de edad copiosa. Ni siquiera usa máscara y creo que es el único en dar la cara.

Cuando la lectura acaba el silencio se hace más denso y el viejo, tras un instante de vacilación, mueve una campanilla. De pronto todos se quitan sus atavíos y se enfrascan en conversaciones muy distendidas. Algunos siguen sentados, pero otros se ponen de pie y caminan discretamente por el salón. Los más atrevidos fuman habanos extralargos. La china me desata la careta veneciana y por primera vez noto que se encuentra desnuda bajo los velos azules. Nadie parece interesado en ella. Tiene cierto aire de mujer invisible.

Sin embargo, mi sorpresa llega a su límite cuando descubro a Michel junto a la mesa de lectura. ¿Es él quien ha estado leyendo? No estoy seguro. Me dispongo a ir a su encuentro luego de reponerme, pero la china —mi china— me lo impide. Se aferra, con melosa determinación, a mi cintura. Su cuerpo es tibio y huele a aquella mezcla de cloroformo y esencias remotas. «Déjame un momento, necesito ver a un amigo», digo venciendo mi deseo de tocarla. «Acaríciame, anda», dice y me aprieta más fuerte. «Suéltame», le digo en tono de advertencia. Y aunque me suelta, lo hace de una manera extraña. Como si una amenaza flotara entre los dos. «No debes interrumpir a Michel ahora —articula cuidadosamente—; está hablando con *él*, con el señor Mao.»

La confusión empieza a invadirme y no lo puedo evitar. «¿El señor Mao?», pregunto. «Sí —pronuncia triunfal—, el invencible señor Mao.» Dios nos coja confesados. Si no, sería el infierno. Y ella no miente. Porque segundos después de aquella inesperada confidencia, al salón entra una tropa de diez chinos con armas largas. Diez chinos regulares, uniformados, idénticos, que se colocan alrededor de Mao y Michel alzando los escudos, puestos los yelmos, en actitud de sorpresa, con la visera al centro. «Es una escolta muy linda», dice la china. Entonces me desbordo: «¿Pero Mao no ha muerto ya, hace años, o es que hay otro Mao?». Ella me observa con indulgencia, como a un niño tonto. «Está bien vivo, no ha muerto y es el único Mao de la historia», concluye.

¿Es posible agregar algo en tales circunstancias? ¿Cabe contradecir en medio de una situación semejante? Extasiada, la china contempla cómo va cerrándose la escolta en torno a Mao, cómo lo llevan hacia la puerta y lo resguardan. ¿No es, acaso, una reliquia?

Tengo a Michel frente a mí. «Esa china que te acompañaba es una buena agente», dice. ¿Y este es el Michel de las fobias, las manías persecutorias? «Caramba, desde que te lanzaste por el balcón has cambiado bastante», le reprocho. No habla, no mueve ni una ceja. En cambio, extrae el estilete de empuñadura en forma de H y lo observa un instante. «Había que matarlo, ya no era un buen censor», revela. «Así te habrán pagado», supongo mirándole el rostro, con odio. Qué clase de tipo.

Mi china, la que obviamente me ha correspondido según los planes de tan selectos y cuidadosos espías, reaparece junto a Michel. «Conversemos un poco», dice este y se sienta en un butacón de grandes brazos que hay al fondo de la sala. La china ocupa solícita, a horcajadas, uno de los brazos y Michel empieza a masturbarla como si tal cosa. «Flor de Loto, ese chino marica que puse a prueba, estaba vendiéndose a los norteamericanos; ya sabes, la Random House de La Habana tiene sus características, mas no por ello le dejaríamos hacer a su antojo; eso del librepensamiento no va con nosotros, y menos aún con el señor Mao, cuya existencia no debe ser revelada», me explica sin equivocar —así parece, de acuerdo con el semblante trastornado de la china— un solo movimiento de sus dedos. «Pero se trata de la Random House, de cualquier modo», protesto. «El señor Mao reina aquí, en Tlön, y encarna una idea universal: él es el hombre de Uqbar», contesta.

Quedo callado, pensando en el editor de la O-Shun-Lit y reflexionando sobre el contenido de la novela de Michel, *El hombre de Uqbar*, en cuyas páginas hay acaso un héroe que viene de la rara tierra inventada por Borges. ¿Un Mao de Tlön, de ese camelo planetario? La curiosidad me mata. Un día de estos me cortarán la lengua. «Lamar habló de un pekinés, si no recuerdo mal», refiero con calculada y ansiosa vaguedad. «¿El de los contratos, el especialista en literatura cubana? A ese —sonríe— lo inventé yo, querido; nada me costó impersonarlo para complicar el ajusticiamiento de Flor de Loto», dice burlón y jactancioso. «Finjiste todo, incluso los miedos del restaurante», le recuerdo. «Todo, querido; todo lo fingí; y haría, te lo aseguro, cualquier cosa por el señor Mao», exclama.

De repente la china se pone a temblar, apresada dentro de un orgasmo silencioso. Michel detiene la rotación de sus dedos, llenos ahora de una espuma milenaria, y, mientras los huele, suspira. Inmediatamente después empuja con violencia a la mujer; le ordena marcharse, esperar afuera...

***

Acaban de cerrar una boca de metro —estación Urgel— por la que pensaba adentrarme, y ahora no tengo otra salida que la de gastar más de mis pobres euros en un taxi. Sin embargo, antes de conseguir uno he tenido que andar bastante. Y sin nadie con quien cambiar impresiones.

Tengo la sospecha de que me invadirán el pesar, la confusión y la melancolía, a no ser que yo mismo me mate —es una situación harto ficticia, pero al cabo perfectamente posible— fumando y bebiendo sin parar en compañía de un par de putas de Shanghai o Macao.

Para negar al Borges de «Tlön, Uqbar, Orbis Tertius»: el mundo no será Tlön, pero sí será Mao. Me lo dicen los ojos, de súbito ligeramente achinados, de mi amigo el escritor Michel Perdomo, quien tomará hoy un jet comercial con destino a La Habana.

Mientras tanto no voy a preocuparme más de lo debido. Tlön y Mao son, creo, casi la misma cosa —una cosa enorme, metafórica, adhesiva—, y yo tengo ya demasiados compromisos para, de contra, dedicarme a jugar con el Poder y la Literatura.

Para el amigo escritor Michel Perdomo,
desde el juego y la invención de realidades...

(De *Artefactos*)

MENÚ INSULAR

RONALDO MENÉNDEZ

A mis padres

La candente mañana de marzo en que anunciaron oficialmente que iban a racionar el pan y los huevos, después de un imperioso rumor que no se rebajó ni al sentimentalismo ni al miedo, noté que las carteleras de las bodegas habían renovado sus anuncios sustituyéndolos por un rotundo: «Pan y huevos, cuando el Estado los asigne por la libreta». El hecho me dolió, pues comprendí que el cesante campo socialista se apartaba de nosotros, y que ese cambio era el primero de una serie infinita. Cambiará el campo socialista pero yo no, pensé con melancólica vanidad. Alguna vez, lo confieso, mi entusiasta devoción había exasperado a mis colegas escépticos. Muerto el socialismo, podría dedicarme a medirlo, sin esperanzas, pero también sin exasperación. Decidí seguir de cerca lo que a partir de entonces sería nuestro Menú Insular. Consideré que el domingo diez de marzo era el cumpleaños de mi hija, visitar aquel día el zoológico de la calle 26 era un acto paternal irreprochable, tal vez ineludible. Esa fue la última vez que, con su injustificada felicidad de rejas, vimos a

Pancho

El avestruz del zoo. Solía ser tan dócil que, durante la misma hora de todas las mañanas, estiraba su cuello periscópico fuera de la jaula hasta alcanzar la ventana siempre abierta del director. El director le regalaba trozos de pan viejo y cáscaras de plátano. ¡Ah, Pancho! Nunca un ave tan fea había sido el bonito orgullo de un director. Pero el avestruz un día desapareció sin dejar rastro. Luego de pesquisas inquisitoriales, el azar dio indefectiblemente con la respuesta. Una de las niñas del barrio comentó en el colegio, sin que viniera del todo al caso, que en su casa no había qué comer y su papá había preparado para la cena un muslo de pollo ASÍ, y al decir esto último abrió sus brazos tanto como pudo. La maestra continuó indagando y la niña orgullosa confesó que el pescuezo del pollo también era ASÍ, y el corazón y las alas eran ASÍ. Así fue como se supo que el director del zoo había engordado a Pancho y lo había servido en su mesa doméstica, pues casualmente la niña era la hija del director. El mal ejemplo cundió, y poco a poco fue diezmada la comunidad de cocodrilos, ciertas especies de monos, todas las aves, algún que otro camélido y otros herbívoros. Al final el zoo se redujo a las hienas y los osos que trataban de comerse los unos a los otros, pues para ellos tampoco había comida.

Nunca pude comprobar qué había de cierto en aquella historia, y dónde el entusiasmo vernáculo había decidido abrir compuertas a las turbias aguas de la fabulación. Opté medicinalmente por aquel precepto según el cual «ser es ser percibido», y como yo nunca había visto la susodicha ave exótica servida, y mucho menos al director caníbal (téngase en cuenta que las fuentes populares enfatizaban en lo mucho de humano que tiene todo avestruz), decidí descreer de lo que no había visto. Lo que sí vi, escuché y olí profundamente fueron

Los cerdos

Que desde tiempo inmemorial habían constituido la carne angular del soporte gastronómico dentro de la isla. A nadie nunca se le había ocurrido que aquellos animales, que eran máquinas de devorar todo lo que no fuera su propio cuerpo, podían domesticarse en las zonas más residenciales de la urbe. Como los departamentos no contaban con la adecuada infraestructura para la cría de cerdos, la gente comenzó a criarlos dentro de las bañeras. Era el lugar idóneo, pues permitía, al abrir la ducha, canalizar los abundantes y muy olorosos detritos que la máquina de devorar todo lo que no fuera su propio cuerpo producía. Por lo demás, una vez que la bestia pasaba de peso pluma a peso *welter,* y decidía dar la batalla por su libertad (no hay nada más inquieto que un cerdo citadino), los bordes redondeados y resbaladizos de la bañera anulaban tobogánicamente toda posibilidad de éxito. El animal podía patalear cuanto le viniera en gana, hasta que de tanto revolcarse hacia el fondo terminaba agotado y hambriento. Pero quedaba un grave problema por solucionar: el escándalo. Como cada mañana, yo y todo el vecindario despertábamos escuchando que un horizonte de cerdos chillaba muy lejos del río y muy cerca de nuestras vidas. Pero he aquí que un extraño día se hizo el silencio, y aunque ya mi madre me había explicado la extraordinaria causa de esto, quise verificarlo con mis propios ojos, por aquello de «ver para creer». Entré a casa del último vecino que poseía un cerdo escandaloso, y allí estaba

El veterinario

Comencemos, dice.

Entonces he aquí lo que observo. El veterinario abre su típica maletita de médico rural, trastea adentro por unos segundos, y de pronto alza el brazo enarbolando una jeringa con aguja metálica como de dentista, pero mucho más gruesa. Así que el experto se posiciona con virtuosismo, exactamente como lo haría un torero a punto del pase de banderillas, y no se me escapa que el puerco ha captado con esa sensibilidad de asado en potencia todo aquel tejemaneje amenazador. El cerdo desconfía y se arrincona en la bañera. El torero de la jeringa se aproxima, y es el momento en que la máquina de devorar todo lo que no sea su propio cuerpo decide proteger su pellejo, para ello se abalanza minotáuricamente contra el matador, pero este sabe su oficio, de modo que se aparta en abanico y mientras la bestia se va en blanco el hombre del estilete baja su brazo con velocidad de avispa y le clava la jeringa en el lomo. Con este disparo todo hubiera seguido un curso clínicamente previsible. Pero he aquí que el cerdo se revuelve dando alaridos ensordecedores, se restriega contra la pared tratando de sacarse la aguja, que se ha zafado de la jeringa y permanece clavada en su lomo negro. Pero la aguja no tarda en caer al suelo, y mientras el rostro del veterinario se va ensombreciendo, el cerdo parece haber olvidado el asunto (incluidos los pseudoverdugos allí presentes), estira su hocico áspero, se mete la aguja enorme a la boca y comienza a masticarla. El veterinario se ha puesto muy serio, pues a pesar de que la aguja se le clava una y otra vez en las encías, el cerdo insiste en masticar. Pero ya la anestesia comienza a hacer su efecto, de modo que el animal empieza a bambolearse y no tarda en caer al suelo, con la lengua colgando y la aguja colgando de la lengua. El rostro del veterinario vuelve a ser una fruta en primavera. Entonces le dice al vecino: su puerco se ha hecho un *piercing* en la lengua, dicen que es bueno para el sexo oral. Se agacha, extrae de la maletita un par de pinzas enormes y un escalpelo. Ayúdame a sujetarle la mandíbula, dice. Y mientras mi vecino acomete la temblorosa tarea de agarrar la superficie áspera y pegajosa de babasangre, el veterinario introduce la pinza y el venablo, trastea durante un par de minutos, y va extrayendo esos pedacitos de carne rosada que son las cuerdas vocales. Ya está listo, nunca volverá a hacer escándalos. Cuando la oscura máquina de devorar todo lo que no sea su propio cuerpo regresa de la anestesia local, se revuelca como una lombriz inflada y escupe espumarajos verdirrojos. Pero nunca pierde el apetito. Ahora sus reclamos no pasan de resoplidos mudos.

Pero a pesar de la ingeniosa solución y lo felices que se ponen todos en el barrio al ver instalado otra vez en el menú la carne de cerdo asada, aparecen los inspectores prohibiendo y multando a todos aquellos que insisten en criar cerdos en sus bañeras. Ya se sabe, a toda represión (por muy socialista que sea) suele oponerse una reacción. Es así que el recurso antagónico, aunque parece una metáfora de la forma de la isla, es literal y ontológicamente

El cocodrilo

De mi vecina Nieves. Y aunque no se trata de una metáfora, sino de algo concreto y singular, en honor a las verdades que aquí expongo es necesario consignar que tampoco fue un caso generalizado. No obstante, este hallazgo me permitió reforzar el mito popular de la desaparición de ciertas especies endémicas del zoológico. Es sabido por todos dentro de este universo que llaman barrio (cuyo centro está en todas partes y cuyo perímetro se traslada al infinito) que Nieves se dedica a la confección casera de balsas, esos artefactos donde los isleños se fugan a un más allá que sobrepasa el perímetro del barrio. Con ese olfato que le ha granjeado a Nieves fama de experta negociante, ha conseguido también criar su propio sustento. Cuando llego, primero me enseña el taller clandestino de balsas y luego el cocodrilo. El primero está en su patio al descampado, el segundo también yace en el patio, pero amarrado. Nieves me explica que un cocodrilo es de lo más rentable: come cualquier cosa, por tanto, cuando no hay comida lo alimenta con un mejunje de trapos sancochados y cartones remojados con azúcar. Jamás monta un escándalo. Persuade a los bándalos del barrio de no robarle las piezas para las balsas, posee una apetitosa carne tierna, y una vez sacrificado su piel es harto codiciada por los turistas. Y lo que es aun mejor: no existe una ley que le prohíba a la gente tener su cocodrilo amarrado en el patio. De modo que ni siquiera es ilegal. Es así como cada domingo se instala en la mesa de Nieves el estofado de cocodrilo.

Regresé a mi casa, la casa de mis padres, la vieja casa inveterada del barrio de Buenavista, donde mi madre fungía como abuela de mi hija, sin tener casi nada que poner en la mesa nuestra de cada día. Pero he aquí que esa noche, en la precisa hora en que un ser ventrílocuo había encarnado en mí, reclamando todo aquello que ya mi gestión no podía procurarle, mi señora madre nos coloca en la mesa la inesperada fuente de un

Conejo asado

Devoramos como sólo pueden hacerlo camélidos humanos con sed de carne en el desierto insular. Harto satisfechos, y emitidos los eructos de rigor, pasé a preguntarle a mi madre la procedencia de aquel fastuoso menú. Me explicó en dos palabras de qué se trataba: conejo de altura. Y al ver el estupor como un acné repentino sobre mi rostro, me dijo: Anda, sube y compruébalo por ti mismo, claro está que si nada ves, tu incapacidad no invalida mi testimonio. Al escalar el techo constaté, como en un laberinto de espejos, que la totalidad del vecindario enviaba a sus vástagos avituallados para la pesca. El barrio se ensombrecía a causa de los apagones y de la escasez de bombillos. Alguien, probablemente uno de los hijos de Nieves, me impuso el más cauto silencio por medio de ostensibles gestos, y se ofreció incluso a compartir la sección de alero que le correspondía, para enseñarme los procedimientos técnicos de la pesca de alturas. Se lanza en enérgica parábola la plomada con su *gold fish* enganchado al anzuelo, de tal modo que permanezca hundida en algún vericueto oscuro de un techo vecino. Esto era lo principal. Lo demás es el tacto de relojero, la experiencia y el rigor de la batalla. Cuando el gato muerde el *gold fish* se verifica un leve corrimiento del sedal, progresivo, hipócrita. Luego el gato se traga la carnada y empieza la lucha, porque el histérico genuflexo no comprende lo que le está sucediendo. Se voltea bocarriba, profiere alaridos desnaturalizados que parecen los de un recién nacido, aferra sus manos felinas a cuanta superficie encuentra a su paso, da saltos electrizados. La única manera de vencerlo es dando sedal, otorgándole un respiro que deprima sus fuerzas, otra vez recogiendo, otra vez dándole sedal y otra vez recogiendo drásticamente hasta que su cuerpo con ojos de loco quede colgando en la punta de la caña. Una vez despellejado y descabezado, se hace prácticamente imposible distinguir a un gato de un conejo. El nuevo espécimen había sido bautizado rigurosamente como «conejo de altura».

Antes de bajar del techo, miré la luna. Sentí un confuso malestar que traté de atribuir a mi rigidez y no a la impresión de la violenta pesca de alturas. Abrí, cerré los ojos, miré dentro de mí, entonces pude volver a ver el Menú Insular.

Arribo, ahora, al inefable centro de mi relato; empieza, aquí, mi desesperación de escritor. Todo lenguaje es un alfabeto de símbolos cuyo ejercicio presupone un pasado que los interlocutores comparten: ¿cómo transmitir a los otros el infinito Menú Insular, que mi temerosa memoria apenas abarca? Lo que vieron mis ojos dentro de mí fue simultáneo: lo que transcribiré, sucesivo, porque el lenguaje lo es. Vi el populoso mar que rodea la isla, y del mar vi redes y de las redes vi muchedumbres de camarones y langostinos, los vi poblando largas mesas familiares bajo rostros risueños, vi fuentes de aguacates en lascas y lascas y lascas, haciendo de la cerámica una cebra verde, vi rabo de toro encendido bajo crema de ají, vi pulpos y calamares ahogados en su tinta, vi plátanos, mameyes, caimitos, zapotes, anones, chirimoyas y mangos, vi langostas de talla extralarga dejando que su olor tocara por igual todas las narices, vi un laberinto restaurado (era La Habana), vi en un traspatio de una calle de Buenavista una larga mesa dominical poblada de un oloroso cerdo asado criado en una finca y no de una bañera, vi tasajo en salsa roja con guarnición de boniatos, vi malanga hervida entrando por los ojos de un solo niño de muchos rostros, vi pepinos, rabanitos, tomates, berro, nabos, zanahorias, lechugas tiernas y coles macizas como mujeres rusas, vi un círculo de tierra fértil en la vereda donde aún permanecía un almendro, vi en una librería de la calle 70 un ejemplar de la primera versión de *Recetas criollas,* las de Nitza Villapol, vi su censurado programa televisivo otra vez divulgando aquello de «recetas fáciles de hacer para todo el barrio», vi pescado fresco en las pescaderías, panes al horno, perdices a la cacerola, ostiones en vasos cortos, quesos de superficie lunar, *Rochefort,* Parmesano, Crema, vi barras de chocolate entrando en la boca de negros sudorosos, vi a mi madre riendo ante una barroca despensa, vi el supermercado Ciar otra vez poblado de pueblo y no de turistas, vi pimientos asados, vi un niño de doce años bebiendo leche (desde los once la habían excluido del menú infantil), vi frijoles multicolores y arroz en blanco y negro como moros y cristianos, vi brazos gitanos, pastelería francesa, arroz chino, papas a la gallega y manjar oriental, vi picadillo a la habanera que era el preferido de Piñera, vi el boniatillo que tanto gustaba a Lezama, vi la reliquia atroz de lo que deliciosamente había sido un cerdo de nochevieja, vi el engranaje de la gula y la modificación del hambre, vi el Menú Insular desde todas las casas, vi en el Menú mi casa, y en mi casa otra vez el Menú y en el Menú mi casa, vi mi boca y mis tripas, vi tu boca llena, y sentí vértigo y lloré, porque mis ojos habían visto ese referente secreto y conjetural, cuyo nombre usurpan los isleños, pero que ningún isleño desde hace largo tiempo ha visto: el increíble Menú Insular.

Sentí infinita veneración, infinita lástima. Temí que no me abandonara jamás la impresión de lo que había perdido, de lo que me habían quitado. Felizmente, al cabo de unas noches de insomnio, me trabajó otra vez el olvido.

¿Existe ese Menú en lo íntimo de mi alma? ¿Lo he visto cuando aquella noche miré dentro de mí y ya lo he olvidado? Nuestra memoria insular —huelga decirlo— es porosa para el olvido. Yo mismo estoy falseando y perdiendo, bajo la trágica erosión de los años, el justo sabor del huevo y del pan de cada día.

(De *Amores desalmados*)

LOS AMANTES DE KONARAK

MICHEL PERDOMO

A Octavio Paz por sus Vislumbres de la India

El viejo auto de alquiler los dejó en la Rotonda de Guanabo y durante largo rato vagaron descubriendo la inconstante numeración de las casas de la Primera Avenida. Iban metidos bajo un abrigo marrón y parecían una inmensa araña que colocara sus redes de viento en la playa abandonada por los hombres a la voluntad del invierno.

Luego de un obligado, largo y tedioso paseo, encontraron el dos mil cinco. Era una vieja casa perdida en la curva de Boca Ciega. Alguna vez había sido amarilla hasta convertirse en un hueso enterrado en la arena, dijo Ana parafraseando débilmente a Borges. La playa sucia de una basura multicolor levantaba pequeños remolinos para lanzarlos sobre la fachada. Javier ya tocaba a la puerta.

Como nadie abría envolvió el caserón con sus gritos a la dueña. Ana sentía miedo del paisaje desierto donde el viento se daba en destrozar palmeras, mostrándole su máscara de guerra moldeada en arena y frío. Se le antojaba la primera gran soledad, esa pausa del Séptimo Día cuando el Demiurgo se echó a dormir y abandonó al hombre por treinta siglos a su propia suerte, vagando por un universo a medias.

A ese Dios querían llegar a través de sus cuerpos, usando el sexo como camino. Sonrió para sus adentros.

Estaba donde quería. A pesar de todas las advertencias de Javier, que sólo aceptó llevarla cuando ella le prometió no rendirse hasta el final. Iba a convertir su amor en un dios hecho de carne de hombre y mujer fundidos. La divinidad se presentaría en forma de una vagina caliente.

Escogería su cuerpo joven y perfecto para gritar frases groseras, hechizado, perdido en el deseo. Ella y Javier bajo el reinado del Glande, en una Anunciación bendecida por sucesivos orgasmos.

***

No es miedo, estoy nerviosa como debió de estarlo la Virgen frente al arcángel Gabriel, que es en definitiva el verdadero padre de Cristo. ¿Qué le habría dicho María mientras él le colocaba al Mesías en el útero? Estuvo a punto de gritárselo a Javier, no buscando su risa sino el rostro oculto tras la casa que les serviría de gabinete del doctor Caligari. Lo pensó mejor y decidió no hacerlo. A él le repugnaban las obscenidades fuera de la cama, y aquella era asquerosa y herética. Doble castigo. Divino y personal, porque sólo de pensarlo sentía una extraña sensación de culpa. Mejor esperar el momento más caliente de todas las veces que hicieran el amor. Un instante de ataraxia, de absoluta perturbación que le arrancara la máscara de intelectual que cita de memoria a poetas hindúes y aspira droga como experimento perceptivo.

Sólo entonces, cuando no sólo fuera su cuerpo desnudo sino también su rostro, podría colorear la fantasía de la concepción de un Jesús al estilo postmoderno...

—Buenas tardes.

La voz crujió en sus oídos y luego fue en busca de Javier, que dibujaba una sombra grotesca sobre las piedras del patio de la casa. El olor a podrido del cuerpo de la anciana la hizo retroceder. Tuvo tiempo de mirarla pues no contestó a su saludo. El viento se llevaba y traía las palabras de la anciana, y de todo el discurso sólo atrapó frases a medias como: sí, señores, los espero hace mucho tiempo, o la tormenta llega con ustedes... enfundada en un vestido oscuro cuyos pliegues y agujeros se repetían en su piel sin cambio de color o textura. Javier llegó a tiempo para escuchar que el alquiler es por adelantado, sólo pueden usar el cuarto de atrás y un baño, la casa está en reparaciones. No movía la boca, su voz de viento y ramas partidas salía de todo el cuerpo hecho de salitre acumulado sobre un esqueleto que devolvieron las corrientes a la orilla, y ese olor a podrido...

La anciana se demoraba en contar mil veces los billetes. Los examinaba a contraluz, los raspaba con las uñas, les mordía las puntas, la muy puerca novia de Drácula. Y aun con el dinero en los bolsillos sostenía una sospechosa inmovilidad, ocupada en repasar un rosario de maldiciones, sin entregarles la llave, como si supiera que ellos iban a hacer mil cochinadas en su cuarto de atrás.

Ana, abrazada a Javier, lo sintió contraerse, listo para el insulto, pero en ese momento apareció un llavero de cobre en la garra de la vieja y es aquella puerta negra que hay detrás de la ducha del patio.

Era una habitación estrecha y llena de polvo de cal.

Apenas cabía la cama bajo una ventana de cristales borrosos, el estrecho pasillo, y un butacón estilo imperio con la tapicería deshecha, donde Javier puso la grabadora y la talquera llena de cocaína. Ana se desnudó mientras él luchaba con la instalación eléctrica hasta lograr que del equipo brotaran los sonidos de las arpas indias. Prefería el calificativo de arpa al nombre y la descripción que le hizo Javier del instrumento: una especie de guitarra plana en la que parecía imposible pulsar esa música salvaje que quizás hoy lograría entender. Él le brindó una raya de coca y comenzó a desnudarse en silencio. A medida que su piel refulgía en la penumbra de la habitación, Ana fue adornando las viejas paredes con sus ropas y las de Javier. Insistía, sin comprenderlo, en ordenar apariencias de hogares donde quiera que se encontrasen, pero esta vez no pudo lograrlo. Se desnudó tratando de olvidar su fracaso. La mirada de Javier erraba por la habitación y volaba fuera de su estrecho horizonte hacia el mar. Ana, tirada sobre la cama, admiró su cuerpo nudoso. Abría y cerraba los muslos imaginando que primero le mordería los senos y luego su lengua tibia sobre los músculos del abdomen, camino al clítoris, y detenida siglos allí, presa de un círculo creado por ella misma hasta arrancarle el primer orgasmo, y como casi siempre entonces los muslos y el ano y la espalda y de pronto el sexo dentro de ella por sorpresa, con su penetración violenta, sin juegos, duro en su vagina o el recto mientras disfrutaba de la boca que muerde su nuca, hombros y labios... Pero Javier, parado frente a ella, comenzó a excitarse con las manos sin mirarla. Acostumbrada a que el sexo compitiera en figuras y comienzos con la infinita sucesión del calidoscopio, se acercó al hombre para acariciarlo. Se estremecía de placer ante la incertidumbre de ser vista por la ventana así, desnuda, a horcajadas, con el sexo de Javier clavado en la boca, convertida en una estampa de Playboy, como cualquier puta de esquina. La idea la enloquecía y lo buscó con prisa, pero él la hizo caer sobre la cama, se sostuvo encima de ella sin tocarla, con los brazos apoyados en el colchón, y la penetró. Sin juegos ni dilataciones ni lubricación. No violenta sino dolorosamente. Por primera vez en dos años, como cualquier hombre de esquina.

El sexo debe ser como la luz sobre las catedrales, huidizo, inconstante, irrepetible, decía él en la universidad en sus clases de Arte Hindú. Ana veía alas muchachas que abrían y cerraban las piernas y a los jóvenes con las camisas tensas sobre los pantalones mientras luchaban en la pantalla los amantes de piedra del templo de Konarak y Javier les inventaba *ragas* con versos de Bilhana:

Todavía hoy recuerdo sus aretes de oro,
círculos de fulgores, rozando su mejilla.
Era tanto su ardor al cambiar posiciones
mientras que su meneo, rítmico en el comienzo,
al galope después, en perlas convertía
a las gotas de sudor que su piel constelaban.

A la salida de la facultad corrían a cualquier posada donde él pudiera convertir su cuerpo en luz. Imitando dulce o salvajemente a los amantes de Konarak. Buscando siempre nuevas posiciones, fuentes de placer ligadas al dolor, las drogas, los perfumes, la música. Con el tiempo llegaron otras personas para multiplicar el placer. Amantes de ocasión que les demostraban que eran únicos como pareja, y que recibir a un tercero en el amor era sólo en uso de su belleza, para estar mucho más cerca del conocimiento de ellos mismos. Así que no importa si ahora todo el encanto se pierde en ese movimiento pendular con que la fustiga. Son tan nítidos los recuerdos que Ana cierra los ojos y busca la forma de sacarlo de su envaramiento, de ese monótono ir y venir dentro de ella, sin caricias, sin frases, sin besos. Porque Dios no puede exigir la mutilación del acto más sincero del hombre, Dios sólo ha de aparecer cuando el orgasmo multiplique nuestra belleza e inocencia, justo cuando nuestros rostros se muestren en su verdadera esencia, porque el único rostro verdadero del hombre es el rostro que se muestra en la cima del placer.

Se movió hasta sentir la embestida del glande muy dentro de su vagina. Sabía cómo encontrar el orgasmo sin necesidad de él. Javier le había enseñado las coordenadas de sus puntos erógenos, a ser egoísta, a utilizarlo sólo como instrumento de sus ansias. Vigilar el movimiento del pene, adaptarse a su ritmo, sentir esa electricidad que nace en la boca del estómago y crece lentamente dentro de ella, la obliga maldecirlo tiernamente... Sintió tambalearse toda la estructura filosófica de este encuentro de nuevo tipo en que insistía Javier y por un instante su hombre reencontró el sentido de lo que estaban haciendo. El movimiento recobró la cadencia, los brazos se aflojaron, los cuerpos se fundieron y por un instante tuvo la certidumbre de un beso. Estaba a punto de recrear la fantasía de la Virgen cuando lo sintió crisparse y luego fue una brisa sobre su mejilla y luego la bofetada, mucho más fuerte y fría, desprovista de la exaltada animalidad que surge ante la inminencia del orgasmo. Por primera vez en su vida Javier la había golpeado, rompiéndole la boca. Dos bofetadas, antes de levantarse y recorrer el estrecho pasillo de un lado a otro, furioso. Ana quedó encogida sobre la cama, con el sabor metálico de la sangre arrasando con toda la excitación que, y ahora se daba cuenta, había inventado a solas. Él se acuclilló delante de la polvera, el sexo le latía entre los muslos. Aspiró una gruesa línea de polvo antes de decir:

—No entiendes nada, tú...

—¡Me rompiste la boca, Javier, tengo el labio roto; no tiene que ser así; no puede ser así el camino! ¡Y no me digas que fue locura del deseo, no me lo digas!

—En el tantrismo —replicó él machacando las palabras— el coito prolongado y sin emisión de semen es un rito para alcanzar la Iluminación.

—Ya lo sé, lo hemos estudiado juntos.

—Estuviste a punto de echarlo a perder. No podemos llegar al orgasmo, todo se vendría abajo. El sexo tiene que convertirse en vía, el orgasmo sería terminar antes de tiempo. ¿No me vas a llevar al éxtasis, no me vas a enseñar el rostro de Dios, no me vas a llevar al *sunyata,* Ana?

—No, Javier, ahora no estoy segura de poder. Me pegaste, no como otras veces. Ahora no me gustó ni la sangre ni la violencia, traía algo de fuera, como tú dices, algo que invade la cama y los cuerpos. Me dolió.

—Dios no puede estar más allá del dolor, en eso te equivocas. Dios espera en lo más profundo de nosotros, de lo que podemos lograr juntos en el amor, esa es la vía...

—Hay una ciudad entre nosotros y él. Una ciudad bulliciosa y alegre. Hay que atravesarla sin atender a la dulce llamada de sus habitantes, desviando la vista de las sedas y las perlas que inundan el mercado, de las hetairas y los donceles, de los asados y el rumor de las fuentes.

—Le pasó los dedos fríos por el rostro y la besó en la frente sin mirarla.

—Tú no crees en lo que digo, pero te lo voy a demostrar, ven, súbete... —dijo ella.

—Esta vez será distinto. Te lo juro. —La besó suavemente en la boca—. Te lo repito, Ana, no podemos llegar al orgasmo. Toma un poco de polvo, te hará bien.

Lo aspiró por complacerlo. La decisión de continuar juntos la hizo sentir tranquila, aunque el gusto a sangre le torciera la boca. En realidad nunca le gustó la idea de mutilar el sexo para convertirlo en una especie de *video clip* de Dios, pero no creía que lograran despojarlo de esa fiebre que los invadía cuando estaban juntos y desnudos.

Si no lograba excitarlo aceptaría el juego hasta que Javier cayera exhausto, sólo tenía que abrir las piernas y mirar el reloj. Estaba segura que de esa manera no lograrían nada. Todo termina y ella tenía por ventaja su actitud pasiva. Era una extraña experiencia, así trabajan las putas: miran al techo mientras algo ajeno y sucio entra y sale de ellas hasta que deja su carga blancuzca y retrocede, pequeño y arrugado. Ojalá no hubiera que llegar a eso: la voz de Javier, atonal, se tejía con la armonía de las arpas.

—¿Recuerdas el poema de Bhartrihari? *Sólo dos mundos valen la devoción de un hombre! La juventud de una mujer de pechos generosos / inflamada por el vino del ardiente deseo / o la selva del anacoreta.* Esos versos nos iluminaron. Los dos caminos se unen en ti. Ana, te amo, creo en ti con la misma intensidad en que creo en la existencia de un Dios total. Eres el único camino que yo puedo recorrer hacia el *sunyata.* Eres el único camino que yo quiero recorrer hacia ti, porque yo voy hacia ti. ¿Me ayudarás?

—Sí, Javier. Pero no me mientas, vas hacia mí y fuera de mí hacia el mar y después... no sé, sólo quiero que esto nos lleve a un lugar mejor que este donde vivimos, un lugar donde la vida se despoje de todo el miedo y toda la miseria que carga y yo te ame sin término. Tú mismo me contaste la historia. Samarcanda es una ciudad soñada, se dibuja claramente en las nubes y los que la buscan mueren bajo la sombra de su reflejo multiplicado en la lluvia. Yo busco ese lugar para nosotros, pero el fin nunca justifica las actitudes, los hechos... Prométeme que nada va a morir aquí, que nada va a ser sacrificado.

—Así de frente no puedo, tu rostro me desconcentra, date vuelta.

Otra vez dentro, con dolor. Era el tono de Javier, no su manera de actuar, lo que la llenaba de incertidumbre.

Veía la sombra de sus brazos apoyados en la cama, intuía el calor del cuerpo que se dispersaba inútilmente en el aire frío de la habitación, pero todo eso no pasaba de ser el juego de un hombre con demasiada imaginación. Sólo era otra forma de comenzar el sexo. Ya sentía lubricar su vagina, fluir dentro de ella ese movimiento prefijado por Javier para liberar el acto de toda intención. De espaldas era más fácil para los dos, mejor que no le viera el rostro porque ella sí estaba gozando como siempre, y doblemente excitada por la prohibición de cualquier intento de cercanía. Nuevamente el calambre, extendido desde el estómago por todo el cuerpo, barría con el miedo y las preocupaciones. Comenzaba a latir el bajo vientre, gozaba con las contracciones incondicionadas del orgasmo cuando sintió un golpe en la nuca y dos en las costillas que le quitaron el aire. Al volverse, él la golpeó con el puño en la sien. Cayó atontada sobre la cama, en la cabeza retumbaron los golpes de Javier, que no se detuvo ante las súplicas. Estaba fuera de control. Entonces supo que su cuerpo sólo servía de camino. Se había convertido en el Orificio Necesario y Ana no existía, ni Javier, fuera de sus ansias de evasión. Estaba ayudando a su hombre a huir sin ella y eso era más de lo que podía soportar. Intentó cerrar las piernas, puso todas sus fuerzas en ello y él continuó golpeándola hasta que perdió el conocimiento.

Despertó amarrada. Javier, sobre ella, marcaba escrupulosamente su tiempo. Al verla despertar se inclinó a un lado y pronto tuvo muy cerca de los ojos unos dedos inmensos y la punta herrumbrosa de la llave bajo la nariz, repleta de cocaína. Aspiró, todos los juegos terminan, las pesadillas, las fiestas, los entierros, la vida. Había anochecido y no pudo calcular cuánto tiempo llevaba Javier embistiendo su vagina reseca. Sentía claramente el chirrido de las pieles que rozaban y entre ellas, cortantes, los primeros avances del salitre. Largas cuchillas de sal que la destrozaban a cada movimiento. El dolor le recorría todo el cuerpo y el peso de Javier sobre sus muslos era intolerable. Una humedad repentina la hizo llorar en silencio, tenía miedo de gritar por la reacción de Javier.

¿Javier? Ya no estaba segura. No necesitó mirar para saber que sangraba. Por dios, que todo terminara antes de que fuera imposible amarlo como hasta ahora. Que los recuerdos de este día se pierdan en la falsa energía de la droga. Que no recuerde al amanecer, Dios, que tú existes en la ubicuidad, y que el verdadero y único sentido de la creación de la mujer es este: servir de camino hacia el dolor.

Dios. Duele. Dios. Dios. Dios. Otra vez le brindó polvo y aceptó, no tenía fuerzas para negarse, no tenía fuerzas ni deseos de gritar o salvarse. De pronto Javier se detuvo.

—Juan Comenno, emperador de Bizancio, Balduino I, rey franco de oriente, el papa Urbano y el patriarca de Antioquía, templarios y hospitalarios, Hashishiyun y monofisitas... todos soñaron con la conquista de esta ciudad. —Reflejada en la pared, la sombra de Javier dibujaba una cruz retorcida—. Veo la silueta de unas torres en una luz cegadora. Veo un puente, una piedra, un árbol de bronce.

—Estoy sangrando. Por nuestro amor, Javier. No puedo más. Me duele, Javier, me duele. Estoy sangrando...

—Los dos, mira.

Se alejaron los dedos y apareció el glande que dejó sobre su rostro tres gotas de sangre espesa.

—Sustituye al semen... supongo.

—Por nuestro amor.

—Sí, por nuestro amor. Una ciudad, después del puente y del árbol, una ciudad que tengo que cruzar...

—Yo no voy a llegar, duele mucho llegar, Javier.

—Ya falta poco.

Lo sintió hurgar en el ano y rugir de dolor al penetrarla.

Ana no podía dejar de llorar. Las lágrimas colocaban la realidad tras una cortina cálida, como si fuera suficiente no ver lo que la rodeaba para que la pesadilla desapareciera y ella pudiera despertar en la ciudad, sin que nada de esto hubiera sucedido, con el Javier que supo ilustrar el Kamasutra sobre su cuerpo. Sintió cómo abandonaba su juego de péndulo para acelerar el movimiento de las caderas en un ataque febril, enloquecido. El dolor percutía como un gong en su cuerpo, cada empuje de Javier dispersaba el dolor como una onda en el agua. La última porción de droga fue gigantesca y le provocó una taquicardia inmediata pero ya no importaba. Enterrada bajo la furia de Javier, veía las ramas de ese árbol de bronce golpear contra las ventanas, y el sonido del viento acompasarse al aullido de las arpas indias y el movimiento de Javier, que ahora lo comprendía, seguía el ritmo asmático, asincopado de la música. A veces eran movimientos cortos, otros parecían desenvolverse dentro de sus intestinos hasta llegar a su garganta, presionar las córneas desde adentro. El movimiento, el viento, y las arpas arreciaron su canto, y el cuerpo de Javier dejó de pesarle sobre las piernas. Concentrado en su sexo, parecía haber encontrado el camino. Fue entonces que Ana pidió auxilio con sus últimas fuerzas, un grito largo, que por un instante fue más fuerte que el dolor. Esta vez Javier no la golpeó.

Ana comenzó a reír. Sentía cómo el glande de Javier se deformaba hasta convertirse en Javier y correr dentro de ella. *¡Sunyata!*, gritó completamente trastornada. ¡*Sunyata!* y soledad, estúpido, eso es lo que Él quiere, Javier, solos, solos para siempre! Entonces vio a Dios asomado a la ventana. Era un Dios viejo y oscuro, que repetía en su piel los agujeros y pliegues de su túnica, que llenaba el viento de olor a podrido con su cuerpo hecho de salitre. Sin cantar de cantares, sin gloria, sin cántaro volcado ni cien años y una noche, sin viaje por los aires, sin reino, sin hombre. La asquerosa divinidad movía un pequeño farol y parecía reírse de ella. De pronto el mundo se detuvo. Ya no había movimiento, ni dolor, ni alegría. Javier se concentró en su vientre y comenzó a fluir a través de la piel, pero no hacia el cielo. Aquello que no veía y que era Javier flotaba pesadamente muy cerca del suelo.

Sintió ruidos a su espalda, sillas volcadas, silencio de arpas.

No le importó. Miró los cristales picados de arena, Dios la había dejado sola nuevamente. Vigilando su regreso a la ventana, por donde la tormenta hacía pasar las ruinas del planeta, Ana se quedó despierta para siempre.

Octubre de 1996

(De *Los amantes de Konarak*)

EL VIEJO, EL ASESINO Y YO

ENA LUCÍA PORTELA

> Espero que no tenga usted nada que decir en contra de la maldad, mi querido ingeniero. En mi opinión, es el arma más resplandeciente de la razón contra las potencias de las tinieblas y de la fealdad.
>
> THOMAS MANN, *La montaña mágica*

Es la noche y el viejo balconea. El aire golpea suavemente su rostro, que alguna vez fue hermoso. Todavía lo es, aunque las huellas del tiempo en su piel no sean las que suele dejar una existencia feliz. Está solo. Tanto, que al asomarse a la calle parece el hombre más solo del mundo.

Me deslizo hasta él sin hacer ruido. Me deslizo como una serpiente. Se percata. Me mira con el rabillo del ojo, procurando tal vez que no me aproxime demasiado, que no penetre en su aura. Lo mejor que se puede hacer con una serpiente es mantenerla a distancia, lo comprendo.

Aunque quizás no le importe. Suele afirmar que a su edad casi nada importa, conocer o desconocer, tomar champán o visitar a los amigos, nada. Le da muchas vueltas a eso de la cdad, por momentos parece obsesionado, se burla de sí mismo. Que La Habana no es la de antes, los carros, los bares, los olores, la forma de vestir —el amor en La Habana tampoco es el de antes—, que ya no quiere hacer otra cosa demasiado distinta a mecerse en un sillón. Que los verdaderos amigos están muertos.

Nadie como él para instalarse en el pasado: justo donde no puedo alcanzarlo, donde él puede reinar y yo no existo. Cierro los ojos y extiendo las manos en busca del pasado, no puedo. Tu generación, mi generación, dice. Creo que se burla de sí mismo a manera de ejercicio retórico o quizás para evitar que alguien se le adelante. Un ceremonial apotropaico, un conjuro. Dice lo que imagina que otros podrían decir acerca de él, exagera y no queda más remedio que citarlo.

Me acerco más. El balcón es chico, la manga de su camisa me roza el hombro desnudo. Es más alto que yo, es un hombre alto que, aun sin llevarlo, parece haber nacido con un traje. Siempre me han gustado los hombres de traje: estadistas, financieros, escritores famosos. Patriarcas, próceres, fundadores de algo. Cuando se reúnen varios de ellos me parece asistir a un lugar de decisiones importantes, a una especie de asamblea constituyente.

El aire mueve diminutos fragmentos entre él y yo. Su espacio huele a lavanda, a lejanía, a país extranjero donde cada año cae nieve y los árboles se deshojan; huele a oscuridad cerrada y de elevado puntal, a mil novecientos cincuenta y tantos. Mediados de un siglo que no es el mío. Porque su época, según él, es la anterior a la caída del muro de Berlín; la mía es la siguiente. Todo cuanto escriba yo antes del XXI será una obra de juventud. Después, ya se verá. Creo que es una manera elegante de decir que estamos separados por un muro.

—¿En tu casa hay balcón?

No, pero sí una terraza con muchísimos cactos, cada uno en su maceta de barro o porcelana con dibujitos. Para el caso es lo mismo. No adoro los cactos, pero se dan fáciles. Proliferan entre el abandono y la tierra seca, arenosa, en mi versión reducida del desierto de Oklahoma. Algunos tienen flores, otros parecen cubiertos por una fina pelusa, pero hincan igual. Son las plantas más persistentes que conozco: aprendo de ellos.

—No, pero sí una terraza. —Si me pongo a hablarle de mis cactos, capaz que se vaya y me deje con la palabra en la boca.

Nunca lo ha hecho, Dios lo libre. Pero sé que puede hacerlo. Mejor dicho, que le gustaría poder hacerlo. No es grosero (fue educado en un colegio religioso y todavía se le nota), pero admira la grosería, la brutalidad deliberada como una forma de independencia de no sé cuántas ataduras, convenciones o algo así. Y no me imagino a mí misma sujetándolo por la manga de la camisa. Al menos por el momento...

Así son las cosas. Temo aburrirlo. De hecho, tengo la impresión de que lo aburro. ¿Qué podría contarle yo, que apenas he salido del cascarón? «Una joven promesa de la literatura cubana», es ridículo. ¡Él ha visto tanto! ¡Me lleva tantos años! ¡Lo repite tan a menudo! Un caballero medieval bien enfundado en su armadura, en su antigüedad. Temo al malentendido. Temo que escape justo en el momento de haber alcanzado su definición mejor... temo. Cada vez que lo veo me lleno de temores (y temblores) y aun así no puedo dejar de acercarme a él. No me lo explico. Es absurdo, soy absurda. Revoloteo alrededor del viejo como una mariposilla veleidosa.

***

Como de costumbre, hay mucha gente en la casa. Ruedan de un lado a otro, comentan, murmuran, toman ron. Parece una escena bajo el mar, dentro de una pecera, en cámara lenta. Moluscos.

Otras tardes y otras noches resultan más animadas que esta: discuten de literatura, hablan de la gente que no está en la casa, se interrumpen unos a otros, se apasionan. El viejo ironiza, grita, se queda ronco, le dan palpitaciones y luego es el insomnio, el techo blanco. Se promete a sí mismo no volver a acalorarse y reincide. (Uno no escribe con teorías —me ha dicho hoy y no estoy de acuerdo, pienso que nada es desechable, que uno escribe con cualquier cosa, pero en fin.) No he estado presente en esos barullos que horripilan a los editores extranjeros (no se pelean, es su forma de conversar, son cubanos —le ha dicho un mexicano a otro). Alguien me los describe. Siempre hay alguien para contarme punto por punto lo que ocurre. Menos mal, pienso.

Porque delante de mí sólo dicen banalidades, sin alzar la voz apenas, como articulando muy a propósito unos diálogos más insípidos que los del *Nouveau Roman* o el cine de Antonioni. La asepsia verbal, la sentencia descolorida, la incomunicación. El gran aburrimiento. El viejo se pone elegíaco y cuenta de sus viajes lo mismo que podría contar un turista cualquiera. Le ha dado la vuelta al mundo más de una vez, para cerciorarse, al parecer, de que todo lo que hay por ahí es muy tedioso. Habla de los epitafios que ha visto y planea el suyo. Confunde los detalles adrede. (Eso de que Esquilo participó en la batalla de Queronea no se lo cree ni él.) Cualquier originalidad, incluso la que resulte de una vasta erudición, podría resultar comprometedora a largo plazo y quizás antes. No se oyen nombres propios, ni siquiera los nombres de los muertos (sólo Esquilo, Byron, Lawrence de Arabia y gente así), ninguno suelta prenda. Se repliegan. Cierran filas. Actúan como conspiradores. En ocasiones, por provocar, hablo mal de alguien, de algún conocido en el mundo de los vivos, y entonces todos se apresuran a defenderlo. «Es una impresión errónea», me dicen. O se callan todavía más. No hay manera. Como en un retrato de grupo, todos quieren quedar bien.

Sucede que tengo mala reputación. Yo, la peor de todas, en principio asumo el comportamiento de un analista o un padre confesor. Me aprovecho de las crisis existenciales, de las depresiones, de los arrebatos de cólera. De todo lo que generalmente las personas no pueden controlar, al menos en nuestro clima tan fogoso. Ofrezco confianza, complicidad, discreción, nunca advierto a mi interlocutor que cualquier palabra que pronuncie puede ser utilizada en su contra; regalo alguna de mis propias intimidades, la cual se trivializa en mi boca y al instante deja de serlo. De ese modo, dicho sea de paso, he llegado a tener muy pocas intimidades (lo que no quiero que se sepa no se lo digo a *nadie* y hasta procuro olvidarlo), mi techo no es de vidrio.

Insisto: a ver, cuéntame de tu infancia, ¿tu padre era tiránico, opresivo? ¿Te pegaba? ¿Era cruel, verdad? ¿Cómo lo hacía? Vamos, cuéntame todos tus pecados, ¿a quién quisieras matar? ¿A quién matas cada noche antes de dormir? ¿Y en sueños? ¿Cómo lo haces? Y las personas hablan, claro que sí. Les encanta hablar de sí mismas. Se desahogan, descargan, delegan sus culpas en mí. Entonces los absuelvo, les digo que no son malos, los reconcilio consigo mismos, los ayudo a recuperar la paz.

Como es de suponer, en realidad no adelantan nada. Qué van a adelantar. Simplemente se vuelven adictos a mí, a mi inefable tolerancia. Conmigo, qué suerte, se puede hablar de cualquier cosa. Sé escuchar. No interrumpo, no condeno. La atención es una droga. Olvidan que en verdad no soy analista ni padre confesor. Peligrosa amnesia que procuro cultivar. Ellos se proyectan en mí, discurren cada vez con mayor soltura hasta que sale a relucir algún material significativo. Mientras más profundo es el sitio de donde proviene, más notable, más escalofriante es la revelación.

He ahí el momento: con ese material significativo —y algunos otros elementos tan secretos como el contenido preciso de una *nganga*— escribo mis libros. Cuentos, relatos, novelas, siempre ficción. (Tal vez me gustaría escribir teatro, pero no sé por qué desconfío de los autores que incursionan a la vez en géneros distintos y hasta opuestos. Me he habituado a narrar.) Trabajo mucho, reviso y reviso cada frase, cada palabra. Reinvento, juego, asumo otras voces, muevo las sombras de un lado a otro como en un teatro de siluetas donde veinte manos delante de una vela pueden figurar un gallo, desdibujo algunos contornos, cambio nombres y fechas, pero, desde luego, los modelos siempre reconocen, en mis personajes y sus peripecias, sus propias imágenes. Que son sagradas, claro está. Qué falta de respeto.

Su ingenuidad resulta curiosa. No se percatan de que, al darse por enterados y poner el grito en el cielo, aportan a mis libros la imprescindible credibilidad que algunos lectores exigen y, de paso, me hacen tremenda propaganda —no hay nada como los trapos sucios para llamar la atención—. Gratis. Tampoco entienden que dentro de cien años nadie que me lea, si aún me leen (ojalá), los va a reconocer. Y si los reconocen, será porque de un modo u otro han accedido por lo menos a un trocito de gloria. No digo que debieran estar agradecidos; no digo que los rostros de los Médicis son aquellos que les inventó Miguel Ángel y no otros, porque la verdad es que suena demasiado soberbio, justo el tipo de cosa que se me ocurre no debo decirle a *nadie*.

Los lectores ajenos a los círculos literarios —son esos los que más me gustan— se asombran de mi desbordante y pervertida imaginación: ¿cómo es posible crear tantos y tales monstruos? ¿De dónde salen? Si supieran... Creo que algunos ya andan investigando por ahí.

Los escandalitos van y vienen; me acusan a la vez de oficialista y de disidente de un montón de causas; como tienden a hacer de todo una cuestión política, según las filias y las fobias de cada uno, me ponen lo mismo en la extrema izquierda que en la extrema derecha. Lo que sea, ¿acaso el dominico Fra Angélico no pintó a los franciscanos en el infierno? Bien pudo ser al revés. Me atribuyen unas ideas sobre el ser humano y eso que ni siquiera comprendo muy bien, pues no acostumbro a pensar en términos de semejante envergadura —más que la especie, me interesan los individuos y, sobre todo, los individuos que me rodean—. Me acusan de falta de creatividad, de resentida y envidiosa; intentan bloquear mis relaciones de negocios —de vez en cuando lo logran: un simple comentario delante de eso que llamo «el lector poderoso» puede resultar demoledor—; recibo amenazas por teléfono, a mi oficina en la editorial llegan constantemente anónimos plagados de injurias firmados por «La Espátula» y «La Mano Que Coge», me echan brujerías de todo tipo, en fin, lo de siempre.

A pesar de que en las «entrevistas» nunca uso grabadora (mi memoria para estos asuntos es excelente, puedo recordar durante años un dato al parecer insignificante), ninguno de mis modelos ha intentado hasta el momento desmentirme por escrito. No importaría si lo hicieran: mis versiones son más dignas de crédito en virtud del aforismo maquiavélico que dice «piensa mal y acertarás». Lo esencial es que nadie se atreve a demandarme, porque las zonas más truculentas de esas historias, las zonas más envenenadas y denigrantes, no las escribo, no les doy curso. Me las reservo como garantía, como la última bala en el tambor. Eso se llama chantaje y es eficaz.

Sé que un día me van a asesinar y a veces me pregunto quién, cuál el último rostro que me será dado ver.

***

Pero esta noche es especial. No persigo los crímenes recónditos ni los alucinantes fraudes o las traiciones o los pequeños actos mezquinos que pueblan la historia universal de la infamia. No provoco. Descanso. La inquietante proximidad del viejo de alguna manera me hace feliz. Siento la mirada fija de su amante clavada en mi espalda y eso me complace más. Me impide soñar que las cosas son diferentes. Ese muchacho no podrá concentrarse hoy en el vaso de ron ni en la conversación deshilachada que sostienen los demás ahí dentro, no podrá.

—Después de la segunda botella te pones insoportable —ha sentenciado el viejo.

Desde el balcón se divisa una callejuela tranquila. Estrecha, sucia hasta en la oscuridad, con el pavimento roto y charcos y fanguizales por todas partes. Como si se hubiese decretado un toque de queda, hoy ni los vecinos quieren alborotar. Del fondo de la casa llegan los boleros de siempre y un ligero ruido ambiental de cristales que chocan, fósforos que se encienden y crepitan, susurros similares al del océano que habita en los caracoles, risitas fúnebres. El gato se frota contra el viejo, se enreda a sus pies en un ovillo peludo. El viejo baja la vista, advierte que es sólo un gato y lo deja hacer.

El fresco nocturno me rescata un poco de los furores de nuestro septiembre ardiente, mientras el ron, incitante y áspero, me acaricia por dentro. Pienso en Amelia. Los viernes, de cinco a siete, en la habitación de los altos de su taller. Divina. Ella no habla casi porque hablar —afirma— le provoca dolor de cabeza y porque de todos modos —sonríe lánguida— no tiene mucho que decir. Al menos no con palabras. Pienso que la amo.

Por allá dentro flota una voz apagada, casi anónima entre las otras voces: *Recuerdas tú, aquella tarde gris / en el balcón aquel, donde te conocí...* Puede ser el bolero que ya pasó o el que está por venir. El mismo que oigo, a retazos, durante toda la noche.

El muchacho, lo presiento, trata de llamar la atención como si tuviera que recobrar algo, como si hubiese algo por recobrar. Sube el volumen. Está loco, febrilmente loco por el viejo y eso se entiende. Aunque podría hacerlo, no se acerca a nosotros.

***

—Él dice que tú le coqueteas —me ha advertido con el entrecejo fruncido como si dudara entre la risa y el enojo—. Ten cuidado.

—¿Y qué piensa? —he preguntado supongo que ansiosa—. ¿Le gusta? ¿Le gusto?

—No sé —de pronto ha gritado—. ¡No sé!

—¿Qué crees tú? —he insistido casi con ternura—. Tú lo conoces mucho mejor que yo. Bueno, en realidad yo no lo conozco nada. ¿Qué crees tú?

—Yo no creo nada —su voz ha sonado tensa, cargada de lúgubres premoniciones—. Tú te volviste loca. Loca de remate. Vas a sufrir...

—¿Igual que tú?

Ha vuelto a mirarme fijo y sus ojos grises parecen dos punzones de acero. Susurra:

—Yo te mato, ¿entiendes? Yo te mato.

He acariciado su mejilla hirsuta resbalando desde la sien hasta el mentón (tiene un hoyito, como Kirk Douglas) y allí mis dedos se han detenido en una imitación casi natural de las figuras de cierta cerámica griega muy antigua. En la vasija original, tan auténtica como la página de un libro, aparecían dos muchachas. Fondo rojizo, siluetas negras. Una acariciaba la mejilla de la otra de esa misma manera y el pie de grabado aseguraba que se trataba de un gesto típicamente homosexual. Mira, mira...

He tocado su frente y no ha hecho nada por impedirlo. Ni siquiera se ha movido. Arde en fiebre.

—Eres una puta.

Es interesante que me considere un rival, pienso, aunque sólo sea por instantes y después se diga que no, que no hay peligro. El mundo pertenece a los hombres y todavía más a ciertos hombres, ya lo dijo Platón. ¿Una mujer? Bah.

***

Pienso en Amelia mientras observo el rostro del viejo, quien todo este tiempo ha estado divagando despacioso y algo frívolo sobre la importancia de los balcones y las terrazas en la vida de la gente. *Recuerdas tú, la luna se asomó / para mirar feliz nuestra escena de amor...* Ambas imágenes se yuxtaponen, el viejo y Amelia. Se cruzan. Parecen fundidas sin sutura, como las mitades de Bibi Andersson y Liv Ullman en el famoso primer plano de *Persona*. Quizás el deseo pone en entredicho las identidades, porque el viejo y Amelia se integran en una sola cara y no es el ron ni el aire de la noche.

Como aquella vez que lo vi desde mi oficina. Él estaba de pie en el pasillo, diciéndole malevolencias a alguien, como siempre, tirando piedras. (Afirma que eso de atacar al prójimo no luce bien a su edad; supongo, pues, que no puede resistir la tentación de ejercitar el ingenio a costa de los demás: no debe ser fácil renunciar a un hábito tan añejo. Muchos le temen y eso lo divierte.) En aquel tiempo él aún no tenía noticias de mí. Nada, una muchacha ahí, una muchacha cualquiera. Pero yo, desde mucho antes, llevaba siempre en mi cartera una foto suya recortada de una revista. Una foto de archivo, treinta años atrás, un joven bellísimo frente a una máquina de escribir. Amelia lo encuentra vulgar, de lo más corriente, pero ella no sabe nada de hombres.

Ese día lo detallé desde la sombra, sin moverme de mi asiento, para descubrir al fin la rara discrepancia entre sus rasgos y sus pretensiones. Nariz corta, respingadita, graciosa. Labios llenos, sensuales, voluntariosos. Ojos soñadores, pestañas largas, abundante pelo blanco. ¿Es esa la cara de un viejo cínico que no cree —ni descree— en nada ni en nadie? En el siglo XIX se creía que el rostro era el espejo del alma...

El viejo se aparta del balcón, donde ha permanecido quizás el tiempo necesario —y suficiente— para convencer no sé a quién de la soberana indiferencia que le inspiro. Como si yo fuera el mismísimo fresco de la noche, algo que pasa. A mí, por ejemplo, ni siquiera hay que decirme que después de la segunda botella me pongo insoportable: da lo mismo y, además, lo cierto es que no necesito alcohol para ponerme insoportable en cualquier momento: es mi oficio. El muchacho, en cambio, cuando no bebe es bastante simpático.

La espectacular indiferencia del viejo me convence a ratos (y lo que es peor, me pone triste), sobre todo cuando olvido que no mirar es mirar, que la persona que te ignora puede hacerlo porque sabe justamente dónde estás a cada instante. Supongo que sea así, pues en realidad no guardo memoria de haber ignorado jamás a nadie. ¿Cómo pretender que no existe lo que a todas luces sí existe? ¿Solipsismo? ¿Pensamiento mágico? No sé, pero tampoco ahora puedo dejar de seguir al viejo hasta el sillón donde se deja caer.

La mirada del muchacho —¿sorpresa?, ¿interés?, ¿miedo?— tampoco puede dejar de seguirme a mí. Todo lo contrario de la indiferencia, su intensidad es tal que en ella se pierden los matices. Me envuelve, me quema, me atraviesa. Es una mirada que conozco al menos en su incertidumbre: he buscado en ella a mi asesino y no lo he encontrado. Qué bueno. Pero de todas maneras podría ser él, pues los asesinos, ya se sabe, no tienen necesariamente que tener miradas de asesinos. Muchos ni siquiera saben que lo serán, que ya lo son. Al igual que la víctima, se enteran a última hora. Cuando las emociones se precipitan y se escurren entre los dedos.

El viejo se mece en el sillón de lo más contento. La casa es del muchacho, pero los sillones los ha comprado el viejo (he ahí la clase de detalles, domésticos si se quiere, que siempre alguien me cuenta) porque viene de visita casi todas las tardes y le encanta mecerse. ¿Qué otra cosa se puede hacer a mi edad? —es lo que dice. Y sonríe igual que Amelia cuando se describe a sí misma como una tímida cosita que pinta tímidas naturalezas, vivas y muertas.

Me siento en una butaca frente a él. No dejo de observarlo. Por variar, mi insistencia no lo sobresalta. No me mira como se mira a las personas empalagosas y demostrativas. Incluso me asombra no advertir en él la más mínima inquietud. Sonríe otra vez. No sé, en lo absurdo también debería quedar un rincón para la coherencia...

***

Ambos hemos leído recientemente esas páginas chismosas de *A Common Life* (Simon & Schuster, 1994) donde David Laskin se extiende y se regodea en el amor desolado que durante largo tiempo profesó Carson McCullers, la maliciosa chiquita del cazador solitario, el ojo dorado y el café triste, a Katherine Anne Porter. Una pasión a primera vista que de manera perversa fue derivando hacia un asedio compulsivo, abierto, irresistible, maniático. Tal vez Carson también aprendía de los cactos. Sus torturadas demandas inexorablemente fueron retribuidas con patadas y más patadas, desprecios y desplantes de todo tipo, con un odio que se me antoja inexplicable. Tan inexplicable y profundo como el amor (la diferencia) que lo había suscitado.

—Nada de inexplicable —me dijo el viejo—. McCullers la perseguía, la molestaba y nadie tiene por qué aguantar eso.

Sí, claro, sobre todo si estás en los calores de la menopausia y los hombres no te quieren y las deudas te llegan al cuello y tus libros no tienen el éxito de los de tu perseguidora. Si, encima, te asustan las lesbianas, tú sabrás por qué.

Yo pensaba sentada en el suelo (él, por supuesto, en el sillón) y anoté que al viejo le disgustaba la vehemencia, el homenaje abrumador, la exuberancia intempestiva y desbordada de quien se lanza en pos de sus fantasías sin contar para nada con el protagonista de estas. Un escritor no quiere ser descrito tan sólo como el objeto del deseo (admiración, ambición) de otro escritor. Un deseo furioso puede llegar a ser anulador —Katherine Anne: la deplorable mujercita que rechazó a Carson—, un escritor aspira a existir por sí mismo. Qué cosa.

Desde el suelo me preguntaba si el fuerte atractivo que el viejo ejercía sobre mí podría arrastrarme alguna vez a los extremos de Carson. Aparecérmele en todas partes con cara de sufrimiento, de perro apaleado. Llamarlo todos los días por teléfono —lo he llamado tres o cuatro veces y nunca reconozco su voz en el primer momento, la plenitud de su voz, el registro grave, me recuerda más bien al joven de la foto en mi cartera, siempre me dice «gracias por llamarme»—, llamarlo no para preguntar por un conocido, por una fecha, no para hablar del tiempo, las yagrumas o nuestras inclinaciones aristocratizantes: a ambos nos gustaría poseer un título de nobleza, somos así. No, llamarlo para decirle que no hago más que pensar en él. Que me voy a suicidar y suya será la culpa. Acercar el auricular al tocadiscos: : *Yo te miré / y en un beso febril / que nos dimos tú y yo / sellamos nuestro amor...* Obligarlo a cambiar su número, pesquisar el nuevo número. Volver a llamarlo. Mandarle cartas. Insistir, insistir hasta el vértigo. Perseguirlo hasta su casa, gemir, dar golpes enloquecidos en la puerta como en una habitación de la torre de Yaddo: «Katherine Anne, te quiero, déjame entrar». Permanecer tirada en el quicio toda la noche hasta que él salga y pase por encima de mi cuerpo... No me importaría hacerlo, pensaba. ¿Y a él? ¿Le importaría a él que yo lo hiciera? Quién sabe.

Todavía no he llegado a ese punto.

***

Por lo pronto me dejo llevar, no hago el menor esfuerzo por ahogar el impulso de seguirlo, mirarlo, permanecer junto a él: encantador de serpientes. Sublime encantador que mueve las manos mientras habla —de su árbol preferido: la yagruma, se cubre de metáforas— como si dirigiera una orquesta sinfónica. El mismo gesto demorado que le he visto hacer en la televisión, donde lo creí un truco de cámara. (Conozco a la directora del programa, he estado pensando en ir a pedirle, de un modo muy confidencial, que me permita sacar una copia del vídeo. Lo peor que puede suceder es que diga no.)

Mi atención no le molesta. Ahora lo sé. Más bien creo saberlo. ¿Cómo le va a molestar a un encantador la atención de una serpiente?

Soy discreta, no hago locuras. Soy discreta de una manera pública: todos a nuestro alrededor ya van advirtiendo lo que ocurre. No hay que ser demasiado perspicaz para darse cuenta de que el viejo, a menudo ríspido, agresivo, negador —cuando se empeña en demoler a alguien, ya lo dije, lo que sale por su boca es vitriolo—, se comporta esta noche como un *gentleman*. Exquisito, elegante, sereno. Cuando abre y cierra el abanico, su enorme abanico oscuro, una dama de sangre azul, la marquesa de las amistades peligrosas. Y ese personaje, el de los chistes blancos y la sonrisa fácil, el que acomoda mi silla y me cede el paso, el que ha servido los postres con envidiable soltura (en la mesa siempre nos sentamos frente a frente y casi no puedo comer), le va de maravilla. Algo tan evidente no debe ser importante, este viejo es un hipócrita de siete suelas, un jesuita que sabe más que el diablo y se protege de los zarpazos de la bandidita, es lo que leo en las demás caras y me complace.

«No hago locuras» quiere decir que no convierto mi ansiedad en secreto. No podría hacerlo aunque quisiera, pero basta con exhibirla para dar la impresión de ser una persona muy segura de mí misma, una persona sobre quien resbalan las opiniones, los comentarios ajenos. De cierta forma es verdad: mi imagen pública difícilmente podría ser peor de lo que ya es. Hoy sólo me preocupa el reconocimiento, la aprobación del viejo.

El calor es suficiente para desabrochar un primer botón, sacarme el pelo de la cara, cruzar las piernas y la falda sube. Estoy sentada frente al viejo y vuelvo a pensar en Amelia, quien se marcha muy pronto a París con una beca por dos años de la *École des Beaux-Arts*. Naturalezas vivas, espléndidas, regias naturalezas. La falda es roja, breve sin incomodar. (En momentos así es cuando pienso que yo nunca sabría llevar un título nobiliario como un personaje de Proust le recomienda a otro: igual que *lady* Hamilton tengo alma de cabaretera.) La blusa es gris como esos ojos que me vigilan entre fascinados y sombríos. Fascinados no conmigo, sino con el conjunto. El viejo y yo.

Cómo me gusta decirlo: el viejo y yo.

***

—¿Tú quieres algo con él y conmigo? —me ha preguntado el muchacho, conciliador.

—No —le he respondido suavemente—. Sólo con él.

—Eso no va a ocurrir nunca —me ha dicho irritado—. Y si quieres te digo por qué...

—¿Tienes muchas ganas de decirme por qué?

—Yo... este... No, mejor no.

***

El viejo y yo conversamos. Es decir, parece que conversamos. Le pregunto algo sobre uno de sus libros. La biografía de un amigo muerto, uno de los verdaderos, un lindo libro donde el viejo se ha mostrado particularmente eficiente a la hora de escamotear detalles. ¿Buen tono? ¿Temor? ¿Censura? Me gustaría interrogarlo en el estilo de un *paparazzo* o un fiscal, en el estilo de Sócrates, enredarlo con su propia cuerda, hacerlo caer en contradicciones. Me gustaría verlo evadirse, sortear todos los obstáculos y pasar a la ofensiva. Me gustaría contradecirme yo y tocar su pelo blanco, apoyar un pie descalzo en su rodilla, todo a la vez y sé que no es el momento. Nunca será el momento, ¿no es eso lo que me han dicho? En medio de una charla de salón me seduce la imposibilidad.

—Nadie es como era él —afirma el viejo con una tristeza que no le conocía—. Nadie.

Y no es la amistad entre escritores ni la cita de Montaigne. Es el pasado. Su reino.

La madre del muchacho nos trae café en unas tacitas de porcelana azul con sus respectivos platicos también azules. Todo de lo más tierno, como jugando a ser una familia. Me sonríe. Le sonrío. El viejo coge la tacita en un gesto maquinal, ensimismado. Quizás piensa todavía en el muerto, un muerto que le sirve para descalificar al resto de la humanidad conocida y por conocer. Empezando por mí, desde luego, que no soy como era él. Para nada. Es lógico, pero me incomoda.

Pienso en la madre del muchacho, Normita. Una excelente cocinera que tiende a apurarnos cuando el muchacho y yo nos demoramos ochenta años en pelar las papas o escoger el arroz, una excelente señora en sentido general. Es viuda y vive en un pueblo del interior, sola en una casa muy amplia. Ahora está de visita por un par de semanas o algo así —para el muchacho su presencia constituye un alivio, imagino por qué, la llama Normita en lugar de mamá—, pero se irá pronto, pues no soporta vivir lejos de su casa y su tranquilidad en este manicomio que es La Habana.

Hemos descubierto (o construido) entre nosotras una afinidad peculiar. Me cuenta deliciosas anécdotas sobre la infancia de su hijo para horror de él. Se ríe. «Ponme en una de tus novelas», me dice y vuelve a reírse. «Así no vale, Normita», le digo. Es Escorpión, igual que yo, y dice que la gente tiene muchos prejuicios con los escorpiones, que en el fondo somos buenas personas. Si de verdad ella piensa que soy una buena persona, cosa que me resisto a creer, no sé qué prejuicio en esta vida puede quedarle a Normita. Pero siempre es reconfortante tener a alguien que le diga eso a uno. ¡Si lo sabré yo!

Me ha invitado a irme con ella cuando regrese a su casa. O después si lo prefiero. Necesito respirar aire puro, ya que, en su opinión, estoy medio chiflada. Probablemente aceptaré. Quizás me resulte lacerante pasar por la calle de Amelia los viernes de cinco a siete y ver el taller cerrado a cal y canto. No estoy segura, pero es muy posible. Habrá que esperar a ver. Porque han sido años, casi desde que éramos adolescentes, Amelia conoce mi cuerpo como nadie... y de pronto ¡zas! Sí, yo también me iré. Dentro de poco hago así y cobro los derechos del último libro, pido vacaciones en la editorial (los anónimos que vayan llegando me los pueden guardar, a veces son utilizables), le doy todo el dinero a Normita y me instalo por tiempo indefinido en un pueblo del interior. Mis cactos y mis modelos pueden sobrevivir sin mí. No creo que me necesiten demasiado ni yo a ellos. ¿Podría escribir un libro enteramente de ficción? ¿Acaso puede existir semejante libro? No lo sé. Tal vez sería la mejor solución para todos, no lo sé.

El viejo y yo hemos estado hablando del placer que produce acostarse boca arriba en la cama en el silencio en una tarde apacible y divagar. Deshacer los lazos que nos atan al mundo, dejarnos fluir en la soledad que de algún modo ya hemos aceptado.

El muchacho se acerca a nosotros con el sempiterno vaso de ron en la mano. El viejo desaprueba con los ojos. El muchacho lo enfrenta retador. Pienso que el muchacho podría hacer algo desesperado en cualquier momento. Algo tan desesperado como el silencio que se empeña en mantener o la ferocidad de sus réplicas aisladas y no muy pertinentes...

Divagar. Las imágenes se suceden unas a otras, se interponen, se entrelazan. Imágenes visuales, auditivas, aromáticas. Procedentes lo mismo de los libros, el cine o la música, que de ese *eidos* con límites borrosos —esfumados como el *background* de Monna Lisa— que por convención suele llamarse «la vida real». Una vida, a veces no tan cierta, que no sólo incluye los viajes, el momento indescriptible en que se descubre desde el avión cómo se alza vertiginosa Manhattan entre un mar de neblina, o el ronroneo sobrecogedor del primer vuelo sobre el Atlántico o las blancas cimas de los Andes. Una vida que también abarca, como *miss* Liberty o el Cristo de Río, la cotidianidad en apariencia más intrascendente, con sus afectos y desprecios, con sus pasiones anónimas de pronto tan, pero tan, inmersas en lo ficticio, en la fábula.

Porque mi mundo interior es impuro e inmediato, casi palpable, quienes me odian dicen que no lo tengo, pienso.

Pero no menciono eso último por no perturbar al viejo, quien comprende y acepta y hasta participa de mi misma noción de divagar. Después de todo, quienes me odian son sus amigos. Con ellos comparte complicidades, credos estéticos, historias vividas; con ellos tiene compromisos. Esos mismos que le impidieron hacer la presentación de mi primera novela, donde me río un poquito de ellos (más de lo que sus egos hipersensibles pueden soportar, qué horrendo delito), les saco la lengua y les guiño el ojo. Sé que ellos no significan para el viejo ni remotamente lo que significó el muerto. Porque nadie es como era él, nadie. ¿No es así como decía? Sé que el viejo está solo, que no lo olvida y siente miedo. Que los compromisos son los compromisos. Por esa razón, y no por aquella otra que con aire freudiano insinuaba el muchacho, entre el viejo y yo no puede suceder nada. He llegado demasiado tarde. Hay un muro.

No quiero introducir asuntos espinosos ahora que nuestra divagación sobre la divagación, más allá de rencillas y despropósitos, fluye tan armoniosamente.

—Ustedes, ya que son tan cínicos, tan lengüinos, deberían discutir... ¿Por qué no se enfrentan? —sugiere el muchacho y el viejo se hace el sordo.

—Estamos discutiendo, lo que pasa es que tú no te das cuenta —comento y el viejo sonríe.

¡Ay viejo! Querría decirte que a mí también me gusta tu muerto —quizás menos que a ti: prefiero el teatro de O'Neill, su largo viaje del día hacia la noche es único, es genial, es incomparable desde cualquier punto de vista y tu muerto debió saberlo—, querría decirte que me gusta sobre todo la relación que hubo, que hay, entre ustedes, un viejo y un muerto, que me fascina tal y como la describes en tu libro, que los envidio a los dos porque yo nunca tuve amigos así...

Voy a hablar y el muchacho me interrumpe en el primer aliento para decir que la divagación no es lo que creemos nosotros, sino un concepto muy diferente, relacionado con el sexo o algo por el estilo. No lo entiendo bien. Habla como si no pudiera evitarlo, como si las palabras salieran por su boca en un chorro a presión. Es un hombre desmesurado, violento, pienso no sé por qué. El viejo hace un gesto de impaciencia:

—Sigue tú con tus divagaciones y déjanos a nosotros con las nuestras —dice en voz baja.

¿Las nuestras? ¿Las nuestras ha dicho? ¿Existe entonces algo que el viejo y yo podemos designar como nuestro, aunque no sea más que la imposible suma de dos soledades? Tal vez lo ha dicho para mortificar a su amante. Alguien tan almogávar y chisgarabís probablemente se merece que lo aparten de vez en cuando, al menos un par de milímetros. Ellos, pienso, deben estar acostumbrados el uno al otro (como Amelia y yo) con sus necesarios, vitales, imprescindibles conflictos; eso se les ve. El viejo me utiliza. Pero no me importa: que haga lo que quiera, lo que pueda.

Porque me han contado que en una tarde bien tranquila, de esas que invitan a la siesta y a la divagación, el viejo se apareció en esta misma casa, todo agitado, con un ejemplar de mi primera novela en la mano. Se la tendió al muchacho y le dijo busca la página tal y lee, lee en voz alta. Y el muchacho le dijo ¿no quieres té?, ¿por qué no te sientas? Y el viejo le dijo lee, vamos, lee, como quien dice pellízcame a ver si no estoy soñando. Y el muchacho leyó. Unas diez páginas, en voz alta.

Me han contado que el viejo, alegre y sombrío, caminaba de un lado a otro, se alteraba, se reía, se ahogaba, volvía a reírse, a carcajadas, se tocaba el pecho, pedía agua. Un desorden de emociones, el nacimiento de una nueva ambivalencia. ¿Tú has visto qué mujer más mala? No, no es buena. Lo peor es que todo esto (el muchacho señalaba el libro abierto como un pájaro con las alas desplegadas, como el diablo de Akutagawa) es verdad. Malintencionado sí, pero falso no es... ¡Un poco más y pone hasta los nombres de la gente con segundo apellido y todo! No, lo peor no es eso (el viejo hablaba despacio, saboreando las palabras). ¿Qué es lo peor? Lo peor es que ese librejo infame está bien escrito. Mira tú qué clase de oxímoron. Lo peor es que me gusta y que esta mujer perversa hasta me cae simpática... (Me seduce imaginar al viejo, con su voz tan envolvente, susurrándome al oído muchas veces la frase «mujer perversa, mujer perversa». Yo me erizo.) Sí, a mí también, pero te juro que no quisiera verme en el lugar de esta gente. ¿Cómo se habrá enterado ella de cosas tan íntimas, eh?

Ignoro si la escena transcurrió exactamente así. Lo anterior es un esbozo tentativo, más o menos tragicómico. Pero en esencia fue así y así la concibo tomando en cuenta los hechos posteriores: a partir de entonces mis relaciones con el viejo, que antes apenas existían, se convirtieron en una diplomática sucesión de espacios vacíos, en una fila versallesca de puertas cerradas o entreabiertas, con celosías y el año pasado en Marienbad.

Ahora, cuando dice «nuestras» y me envuelve en ese plural excluyente, de alguna manera me acerca. No sé. No es fácil interpretar al viejo —mi próximo libro, el que escribiré en casa de Normita, podría llamarse *El viejo. An Introduction,* y se lo enseño cuando aún esté en planas, no vaya a ser que le dé un infarto ante tal muestra de amor—, sólo siento que me acerca. Mejor aún, que ya estoy cerca aunque él no lo diga. ¿Qué puede importarme si de paso me utiliza para fastidiar un poco al muchacho?

***

Permanecemos los tres en silencio. Normita y los otros conversan, toman café y fuman como si no estuviera ocurriendo nada. Quizás no está ocurriendo nada y sólo existe una persona, yo, colocada ahí para discurrir, suponer, para inventar historias sobre la gente y cada día buscarse un enemigo más. Una enredadora profesional.

Miro al viejo, él me mira. Le sonrío, me sonríe. Cualquiera diría que somos un par de idiotas. Como si hubiese escuchado mis pensamientos, él se levanta y, en el tono más natural que ha podido encontrar, dice que se va. En mi cara algo debe haber de súplica (esa expresión no la necesito para mi trabajo, pero también la he ensayado frente al espejo, por si acaso se presentaba alguna coyuntura imprevista y aquí está), pues me explica, como a un niño chiquito, que ya es muy tarde, que ha permanecido incluso más tiempo que de costumbre. Que él es una persona mayor (un viejo) y no debe trasnochar, a su edad los excesos son peligrosos.

¡A mí con esas! Pienso que le gusta aparecer y desaparecer, darse poco, a pedacitos, escurrirse entre las bambalinas y el humo de la ambientación, detrás de su enorme abanico oscuro como la diva más seductora. No tiene apuro y yo, que soy joven, tampoco debería tenerlo. Pero la edad no constituye ninguna garantía acerca de quién va a morir primero. Lo inesperado acecha y nos hace mortales de repente, nunca lo olvido. Como la gente abanderada del sesenta y ocho, quiero el mundo y lo quiero ahora...

No sé de qué forma lo miro, porque sus ojos brillan y vuelven a soñar a pesar del cansancio, de nuevo se transforma en el joven de la foto en mi cartera cuando se aproxima, y él (el joven, el viejo, él), que nunca me ha tocado ni con el pétalo de una flor, ni con la púa de un cacto, él, que se inquieta y hace muecas de pájaro incómodo cuando penetro en su aura, se inclina y me besa en la boca. Bueno, más bien en la comisura, pero pudo ser un error de cálculo, un levísimo desencuentro. Me besa como alguien que se despide y quiere dejar un sello. O como alguien que flirtea sin comprometerse, que juega a alimentar una pasión no correspondida. O como alguien que simplemente se siente bien. Como Peter Pan y Wendy, el último de los cuentos de hadas.

Es sabia la idea de perderse ahora, pienso.

***

No sé si el muchacho ha notado el gesto, es igual. Ellos intercambian algunas palabras que no alcanzo a oír y que tampoco me importan. Me he quedado petrificada, hecha una estatua de sal por asomarme a un pasado que no me pertenece, y sólo atino a levantarme de la butaca cuando el viejo ya se ha ido. Corro, pues, al balcón para verlo salir. Demora un poco en bajar la escalera (que es muy empinada y con escalones de diverso tamaño, la locura) y cuando al fin descubro su cabeza blanca, justo debajo del balcón, ya no sé si llamarlo, si gritar su nombre, si dejar caer sobre él la tacita de porcelana azul que aún conservo en la mano. *Tú volverás, me dice el corazón, / porque te espero yo, temblando de ansiedad...*

No hago nada. Quizás porque he vuelto a sentir una mirada gris, más agresiva que nunca, clavada en mi espalda. Pero no es necesario: al llegar a la esquina el viejo se vuelve bajo la luz amarillenta de un farol callejero con algo de *spot light*. Es la estrella, no hay duda. Me saluda con la mano, de nuevo dirige una orquesta sinfónica. Rachmaninof, empecinado, dramático. Rapsodia sobre un tema de Paganini. No distingo bien su rostro, se pierde entre la luz y la sombra, sigue siendo el joven de la foto. No sé si se despide o si me llama. Prefiero creer que me llama. Si es así, me esperará. Entro, pongo la tacita sobre la mesa, recojo mi cartera, un chao Normita —besos no, ahora nadie puede tocarme la cara—, chao gente, la puerta y salgo.

***

El muchacho sale detrás de mí. Escucho sus pasos, su respiración anhelante. Me alcanza en el primer descanso de la escalera. Me agarra por el brazo.

—Déjalo tranquilo —creo que dice, no lo entiendo bien.

—Quítame las manos de encima —trato de soltarme, él es más fuerte que yo.

—No —aprieta más—. Hoy tú te quedas a dormir aquí.

—Te dije que me quitaras las manos de encima.

Es raro, ninguno de los dos grita. Todo transcurre a media voz, en la penumbra de un bombillo incandescente sobre una escalera de pesadilla. Al parecer no es algo público, se trata de un asunto a resolver entre nosotros.

—¿Pero qué te has creído, puta?

Me sacude. Forcejeo. No consigo deshacerme de él. No sé por qué no grito. Alguien tendría que venir. Vivimos en un mundo civilizado, ¿no? No se puede retener a las personas contra su voluntad. ¿Y si gritara? Arriba están Normita y los demás. Los boleros. En la esquina me espera el viejo. *Y me darás...* Tengo que sacarme a este loco de arriba, como sea. Pero no grito. ¿Será verdad que vivimos en un mundo civilizado? El viejo está en la esquina... *tu amor igual que ayer...* Con la mano libre le doy una bofetada. Parpadea, por un segundo el estupor asoma a los ojos grises. Después aparece la cólera y hay un instante donde me arrepiento... *y en el balcón aquel...* ¿Por qué nos obligamos a esto? Me suelta para propinarme la bofetada más grande que haya recibido en mi vida. Tanto es así que pierdo el equilibrio. Con la última frase mis dedos resbalan por el pasamanos. Mármol frío. No hay nada bajo mis pies. Él trata de sujetarme y hay un instante donde se arrepiente. Al menos eso me parece, pues grita mi nombre y, en lugar de «puta», oigo un «Dios mío».

Su voz resuena, se multiplica, se fragmenta, viene de muy lejos. Golpes, muchos, incontables, quiebran. Por todas partes. En la espalda y algo se congela. En la cabeza y cómo es posible tanto dolor y de repente nada. Se acabó, final del juego. ¿Era tan fácil? A partir del segundo descanso no soy yo quien rueda por la escalera, es sólo mi cuerpo. Dejo de oír. Me siento flotar, algo se hace lento. Hay un abismo, un resplandor. Pienso en Amelia.

(De *El viejo, el asesino y yo*)

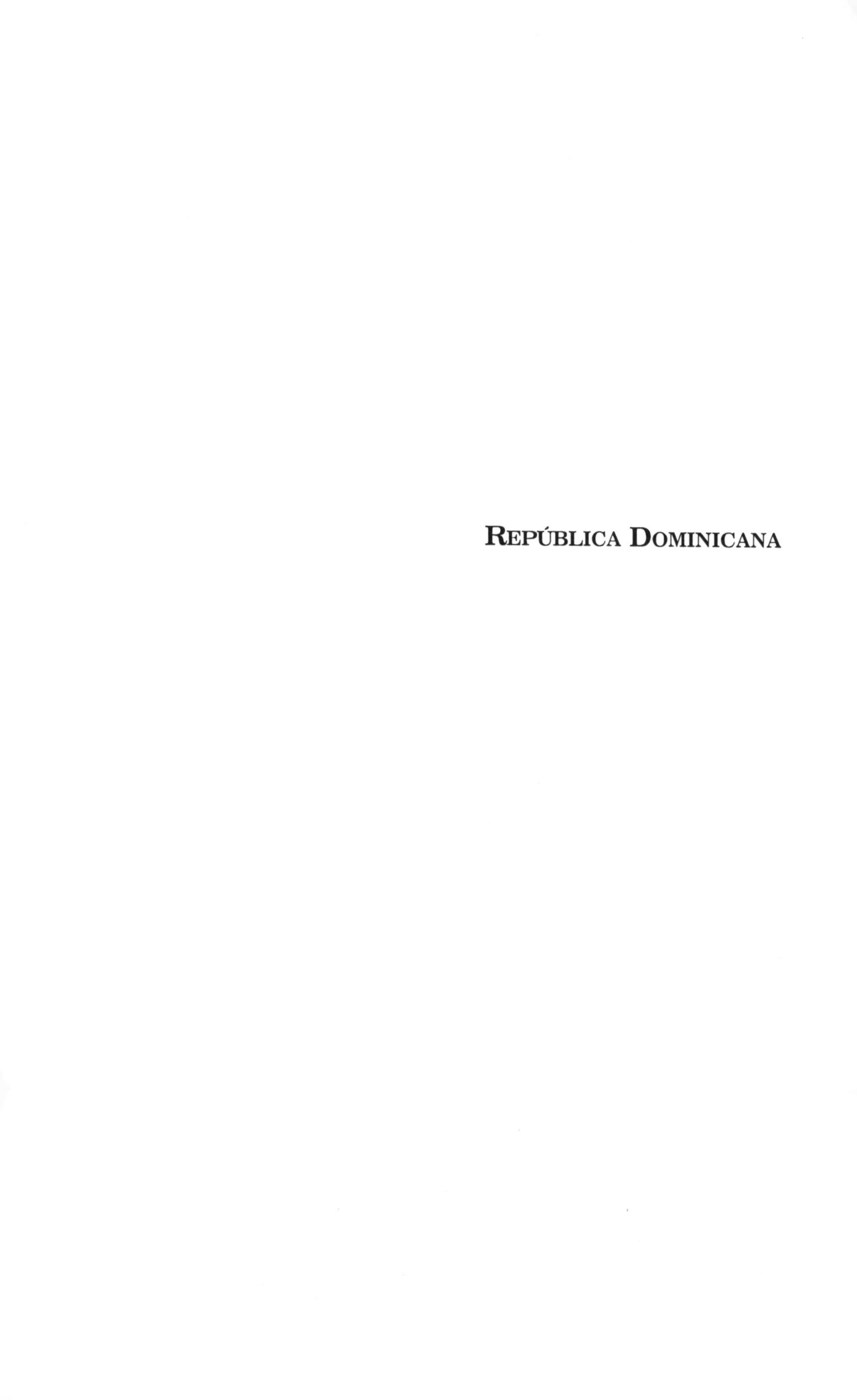

República Dominicana

LA SANGRE DE PHILIPPE

REY EMMANUEL ANDÚJAR

Para Chandrai, por el buen ojo...

By living with shadows, I have turned myself into one – in what I think, feel, and am.

FERNANDO PESSOA, *The book of disquiet*

«¿Que bandera ondearán los niños domini-co/haitianos? Aquí no los quieren y allá no pueden estar.»

Yo mismo, en algún lugar del periódico *El Caribe* durante el famoso verano del 2004

No. Nunca me canso de tener y sufrir accidentes ocasionados por exceso de marihuana. Recuerdo (sí, puedo yo ahora decir: Recuerdo) que terminé en la barra bailando en un tubo junto a una rubia que se estaba rajando de buena, o sea, que daba la hora. Lo primero, ella no quería bailar. Lo segundo, el proyecto de puta me dio un botellazo en plena boca al cual respondí inmediatamente con más sangre en las comisuras que el Drácula de Bram Stocker acabando de cenar. Situación que no se quedó ahí, porque, al creer que era relajando seguí bailando y el chulo de la susodicha me tomó del pie izquierdo y el dueño del bar me tomó del derecho. No sé volar, así que no tuve mas remedio que agarrarme de uno de los estantes que contenía nada más y nada menos que un cúmulo de botellas de J&B, de las cuales me anoté una con mi mano derecha que quedó, como quien dice, deshecha, porque la botellita explotó y me cortó en tres partes. Cuando, no sé como, logré bajar del bar, y tratando de salir con sangre hasta en los pantaloncillos, el monstruo de seguridad me dice que tengo que pagar la botella de güisqui, a lo que respondí, como ustedes comprenderán, sacando mi cartera con la mano izquierda, que aún no sangraba, y pagando nada más y nada menos que el ochenta por ciento de mi capital. El próximo paso era tratar de quitarme toda la sangre de encima e ir a mi casa sin que Marte, mi mujer, se diera por enterada, ya que todas sus amigas andaban patrullando en bureo *full*. Nada que ver. Fausto, que no me desamparaba, me llevó a un bar de la Zona: Parada 77, donde no hay ni un solo lavamanos. Lo que quedó entonces fue echarme un trago de ron en la mano para que no se me infectara la herida y enjuagarme la boca con un trago, irónicamente, de J&B, que uno de los asiduos había dejado hace unos minutos. Por lo pronto la mano continuó sangrando como quien no quiere la cosa. Ya me empezaba a preocupar porque tenía los pantalones azules manchados y la camisa empezaba a cambiar dramáticamente de color. Lo dramático en realidad fue cuando la rubia anterior y su novio de turno pasaron por la calle del bar y me encontraron tratando de lavarme la herida en una pompa de bomberos que existe frente al lugar y creo que me van a pedir excusas por el Gran Inconveniente, cuando la muy hija de la gran puta procede a darme una mentada de madre tan grande que la nombrada, que está en Amsterdam buscándosela como una leona, de seguro se dio como tres revolcadas en su tumba a lo que acto sucesivo el novio procedió a decirme nada más y nada menos que «Maldito Maricón» para darme una patada en mis exclusivos riñones a lo que inmediatamente respondí con un «Montro, al favol… que yo estoy lo suficientemente maltratado para que usted me vuelva golpear» y no bien dije yo la palabra golpear cuando tuve la revelación: el abuelo me llevaba de la mano por la Avenida España cuando la inmensa guagua de ONATRATE desbarataba a un moreno en un Honda 70cc. Sentí en la cara el mismo ardor de la piel del moreno en el asfalto. El golpe, como ustedes se imaginarán, fue en pleno ojo derecho y dejó sus secuelas de lugar ya que el muy maricón al parecer era ingeniero graduado de Intec porque el anillo era grandísimo y aparte de la posterior hinchazón me dio un derechazo que de seguro mi hijo te dan cuatro puntos, o sea, que ya la sangre en el ojo me hacía perder la visión a lo que enseguida respondí con mi paciencia que terminó de agotarse y le di un tablazo pero no a él, sino a la rubia muy hija de su maldita madrina que era culpable del lío. Qué más puedo decir, la tipa reguiló como un trompo de caoba por el piso y el tipo de seguro se dijo que si yo tenía los cojones tan cuadrados como para desbaratarle la boca a su novia delante de él de seguro a él me lo iba a comer en trocitos japoneses. Sushi. Acto seguido el tipo se fue arrastrando el bate para instalarse súper italiano en su Fiat Uno. Yo le gritaba «Pero ven azaroso para que tú veas lo que es un hombre». Usted, caballero, no hubiese querido ver el espectáculo: yo, esta mierda de hombre, lleno de sangre y con la camisa rota a lo Hulk, gritando y maldiciendo. Casi como en las películas, la policía llegó cuando todo estaba terminado y yo estaba perdiendo como dos litros de sangre por segundo, entonces, como había que justificar el asunto, había que llevar un preso y quién más idóneo que quien suscribe para pasarse la noche entre rejas. Si no es por el Colectivo de las Amazonas Cabalgantes que estaba en el bar en lo suyo que sale y dice «Déjelo, teniente, que ese muchacho es de aquí» de seguro me hubiese desangrado en el destacamento de la Zona Colonial. La maldita vaina es tener que deberle un favor a una lesbiana. Quien agradece un favor está en una menor posición que el que lo ejecuta. Una de las amigas de Marte, mi mujer que está en Noruega, que andaba de paso por el bar ya que ella pertenece al Colectivo que dijo que al menos el sesenta por ciento de mis heridas estaban de puntos y como yo no tenía todavía el carnet del seguro no podía ir a ninguna clínica pero recordé que tenía dinero y sugerí me llevaran a la Clínica Independencia a que me desinfectaran y me cosieran. Ángelo, que iba de camino, me llevo en los brazos de su Toyota Camry hacia la clínica ya que Fausto se hartó del *show* y había desaparecido nada más que con su ex novia de más tiempo. Ya en la clínica, en la sala de emergencias, la enfermera, muy soñolienta, me pregunta por mi seguro y le explico que lo firmé pero que no tengo el carnet y ella me dice que sin carnet nada y yo le digo que la entiendo, pues, tengo unos billetes en el bolsillo, a ver, a ver, por aquí, por acá, la mano, el ojo, la boca sangra que te sangra y fíjate, que el dinero de curarme se lo había pagado al mojón de seguridad del bar. Y ahora, qué. Bueno, mi hijo, ahora, me dijo la muy desgraciada enfermera, a usted le quedan dos opciones, o el Darío Contreras, o el Darío Contreras. Ustedes no van a entender lo que me bajó y me subió por los intestinos ya que el Darío, aunque tiene su fama de que hacen a los motoristas de nuevo, no es lo que diríamos la primera opción para ningún herido de leve gravedad como era mi caso. A ver si me explico: cuando llegas a «Emergencias» en este hospital público, si tú no estás desbaratado, no te atienden, o sea, NO. A los que llevan graves los introducen automáticamente en un tanque lleno de methiolé y los envuelven en una sábana, hasta que llegue el tipo que pone los yesos y el otro, que es el que desinfecta y cose y te van diciendo a Coro de Ángeles Malditos y Desterrados: No grites, maricón, ¿tú querías andar en una passola? Pues coge ahí, papá. Entonces la hija de puta enfermera me vio la cara de terror, me dijo que no me preocupara, que confiara en el sistema de Salud Pública de mi país, que las cosas están cambiando. Bueno, hice cálculos: el quince por ciento de mi capital restante estaba en el bolsillo derecho del pantalón y el otro cinco por ciento, en el de la camisa. «Esto me da para un taxi», pensé ingenuamente y me decidí a cruzar el puente rumbo al hospital. El asunto era encontrar un taxi que me llevara por esos caminos de Dios en sabe Dios qué condiciones. Si no es por la benevolencia del guachimán que se encontraba en la puerta y le dijo a un primo de él «Llévelo, primo, que tá dao» me hubiese desangrado en el parqueo de la farmacia que estaba enfrente. Llegué al Gran Lugar, gloria a Dios, los recepcionistas jugaban dominó y me dijeron, firme ahí, y yo pregunté que dónde cosían y desinfectaban y ellos dijeron, Espere un momento, joven, y otro gritaba, Capicúa veinticinco, a lo que respondí con un alarido de dolor incalculable. Me sentaron en una camilla. De nada valió explicarles que había participado en una trifulca. Era uno más. Era un motorista más sin suerte, sin seguridad social, que pasaba confiado por un semáforo en verde cuando algún hijo de la verga en una yipeta cruzaba en rojo y, BUMMMM, queda uno en el piso esperando la sábana que cubrirá el cuerpo que pasará a mejor vida y la yipeta que se estrella en una mata pero no pasa nada, ellas todas tienen bolsas de aire, todo estará bien. ¿Algún rasguño? Nada. Iremos a la Clínica Dr. Yunén, donde hermosas enfermeras recién importadas de las Islas Canarias para Hospitén les brindarán ayuda y cuidados de primera. Creo que el efecto de las pastillas de colores y la marihuana estaba pasando y antes de desmayarme, vi un bulto negro a mi lado en la camilla extendiendo una mano, porque era lo único que podía mover, porque estaba lleno de gasas hasta la sirigüilla. Me dijo que se llamaba Philippe y que se había desgranado de un Honda 70cc. Lloraba porque no tenía a nadie y se sentía solo y en un Dominipatuá me dijo que no le dolían los raspones en los brazos y en las espaldas y en las rodillas ya que se había pelado hasta el apellido, le dolía la soledad y la indiferencia de las camillas debajo de las escaleras de un hospital que no era el suyo, la mitad de isla que le era ajena, lejos de su seca mitad, que estaba peor y que, es así, quemando carbón que me seca hasta la arena de los riñones me lleno del humo sucio de mis pulmones escucho el ruido del descuido mi cuerpo en la lengua larga, negra, del camino se me fue tu freno te solté la rienda le rompió a la ranchera la última cuerda, en el primer jalón rimo, ruedo por este piso del Diablo quitándome esta masa de hierros retorcidos no llores por mí la lágrima doblada no has matado a la bestia sigo vivo. ¿Ah, tú eres guapo? Vete de Haití y que te choquen en un motor. Esos son deportes extremos. La sangre, milagro del cielo en mi cuerpo, por fin tomó la decisión de coagularse en mis heridas. No tenía intenciones de moverme. Me fui con la cabeza gacha y dejé a Philippe atrás, como dejé a todos mis seres queridos. Los dejé llorando. Para exiliarme de ellos y así ahorrar corazón para la hora de mi muerte. Lo dejé llorando. Registré la cara de todos y cada uno de los maricones que jugaban dominó. Afuera, una señora colaba café en una esquina y tenía una *Biblia* en el brazo. Oraba. La interrumpí y le dije «Deme un café sin azúcar… y un jengibre, para un muchacho que está adentro, en el fondo». Acudí a esa parte del sentido común que me explicaba que en los momentos de dolor uno debía aferrarse hasta de lo más inútil: y me acordé de Dios. Le dije a la doña «Lleve su libro y órele, ese hombre lo necesita». Tomé otro taxi contando con el dinero que tenía en casa y lloré, no por mis dolores, sino por Philippe. Pensándolo ardiéndose en sus nuevas magulladuras. Cuando llegué por fin a casa, y luego de pagar una tarifa excesiva al taxista, con mi único dedo vivo oprimí el botón de mensajes de mi contestadora. Un mensaje. Era Marte, que se viene mañana de Noruega a pedirme el divorcio, porque se enteró que el esposo de una supuesta amante rubia que tenía en nuestra ciudad me había pegado hasta con el cubo del agua que no llega. Lo demás es historia. Un año después, divorciado y sin deudas, me emborrachaba en un bar llamado Siete con una mujer itinerante. Cuando, de momento, el novio de la morena imposible me esperaba en las afueras para ajusticiarme. Me tomaron por el cuello, me partieron una botella de Gatorade en la cabeza, y cuando uno de mis atacantes gritaba «Pártele la cara, la cara» llegó un motor como si fuera el Gran Dragón del Espacio y se estrelló contra nosotros. Los tipos rodaron por las cunetas, el motor quedó hecho añicos, a mi carro le rompieron un cristal y cuando por fin me levanté, sano y sangrante, pude ver a ese bulto negro, de nuevo, debajo de la vida. Era Philippe, que me decía «No me dejes solo esta vez». Yo solo atiné a decir «No te preocupes, esta vez tengo dinero… Ya me dieron el carné del seguro».

New York – Cabarete 2003-2004

(De *El factor carne*)

HAPPY NEW YEAR TO YOU

JUAN DICENT ORTIZ

> I am lonely,
> I was born to be lonely,
> I am best so.
> W.C. WILLIAMS

Y se fue siempre para Las Terrenas. Llamó el sábado desde la carretera, iban por Nagua. Le dije par de coños, maldita gárgola, y colgué.

Si les molesta el despecho y la envidia dejen de leer.

Pasé la tarde con Rita, Cuki y El Chepe. Bordeamos el malecón, Cuki quería ver el mar, cruzamos el puente flotante, vimos el Paco Rabanne anclado por miles de guirnaldas verdes, paramos en la Plaza del Puerto. Me enamoré de los tres. Rita tan larga, Cuki tan mami, El Chepe tan universo particular.

Los botes y veleros son nuevos. La brisa de gasoil agita banderas de Canadá, España, Francia, Miami.

Es curioso, no puedo recordar ni un nombre. Ni siquiera el del bote de Pedro Martínez que parece un juguete *high tech* gigante, los tenis Nike de un ogro.

Cierra los ojos por un minuto.

—¿Tú ves? Uno puede gozá con el dinero de los otros, ahora mismo estamos en Saint Tropez —dice El Chepe.

Todavía en ensueño conversó doscientos pesos con unos pescadores de mar adentro para una vuelta hasta debajo del puente Duarte.

Me quedo fumando. Rita, Cuki, El Chepe sobre una yola blanca, atravesando el camino de basura que acompaña a tortugas y careyes a la isla Beata. Todos los peces han muerto, las algas son plásticas, los corales son desechos. Sólo las lilas sobreviven la inmundicia, las lilas son cucarachas del río Ozama.

El teniente de seguridad de la plaza siente nostalgia.

—Con esa luna es que es bueno navegar. Yo estuve nueve años en el destacamento de Cayo Levantao, comiendo cangrejo en lugar de pollo. ¿Usted cree que yo con un dinerito pasaría el año nuevo aquí, o en Nueva York? No señor, arrancaría para la playa ahora mimito. Qué luna.

Estaba medio ajumao, era amable.

Llega Loly, sus padres nos invitan a cenar comida italiana hecha aquí, después del Acuario.

Llega la yola, los tres saltaron al mismo tiempo. Se acercan y saludan a Loly, hieden a pescado.

Desde la casa de los papás de Loly seguimos viendo el mar.

Papas salteadas, salchichas de verdad, frijoles, pie de manzana, arroz con leche de Mike Mercedes, un ratoncito camina lentamente frente a todos. El Chepe sube los pies.

—Yo soy rato fóbico, no me pidan que lo mate.

—*É veleno,* casi *morto* —dice Don Vito, el papá. La mamá tiene la cara roja de la vergüenza, no vuelve a hablar en toda la noche. Alessa, la hermana, huele a vino tinto:

—Entregar traduccione jueve. Pasar año nuevo frente al computadora.

Rita y Cuki se fueron para Las Terrenas el domingo, en la mañana.

Un amigo mío llama desde Las Terrenas el domingo, en la tarde.

—Loco, viejo, man, vi a Gloria en una playita casi virgen, ¿porqué tú no estás aquí?, tengo una cama sola para usted, arranque para acá y no se preocupe por nada, loco, man, viejo, bueno.

Sonaba borracho, apenas las cinco y cuarto. Aquí el vecino me obsequiaba una versión *unplugged* de *Hotel California, Hell Freezes Over,* me dijo. Le pedí prestado el sobre de cianuro que viene incluido en el cd.

Salí al colmado. Sentados un ruso, dos mujeres, varias botellas. Detrás del mostrador, Leonte.

—Claro que voy a abrir en año nuevo. ¿Y qué voy a hacer? A mí no me gustan las películas, lo que hacen en ellas lo podría hacer yo. Sí, desde que vine de Puerto Plata en el sesenta y tres me paso los año nuevo trabajando. Sí, desde que tumbaron a Juan Bosch.

Mi amigo deja otro mensaje en el celular.

—Loco, viejo, man, la vi, con un tipo con canas, una yipeta dorada, una playita solitaria, anocheciendo, no hacían nada pero estaba como raro, loco, viejo, man, bueno.

Sólo había pasado un día. Un hombre, una playita virgen, atardecer de domingo. Esperarán la luna ahí mismo, la de Lorca, mi luna carajo.

Imaginé un manual donde estar encerrado en un búnker conmigo y cigarrillos era una clase de diversión. No salíamos a parte. Nunca una playa, nunca unas vacaciones. No sé cómo aguantó casi un año. Debe ser por su sangre turca, en CNN dijeron que ellos aman y seducen con el sufrimiento.

Salí a comprar cigarrillos en la madrugada. En la Sarasota una prostituta.

—Yo voy a pasar año nuevo aquí mismo donde tú me ves. Siempre hay un borracho botao. Mucho dinero y poca lucha.

El lunes fui a trabajar sin dormir. Edgar tiene canas y es turco también.

—Tú sabes que ese amigo tuyo es un chismoso, el hermano de Gloria tiene canas. Pero bueno, la única forma de comprobarlo es que cojas para allá ahora mismo. Lleva un bate por si acaso. Si te quedas puedes venir con Mónica y yo a la casa de los suegros, bien familiar.

El Chepe, Loly y Alessa se fueron el lunes treinta y uno al mediodía para Las Terrenas.

Dormí en el sofá una siesta de diez horas.

A las doce desperté con fuegos artificiales.

Abrí la puerta, *Happy New Year.*

El estruendo era digno de las luces de los chinos.

En cinco minutos llamará mamá.

Cuatro horas manejando es distancia lejana para el desprecio.

Ahora mismo alguien le da lengua.

Nunca más volveré a mirarla a los ojos.

La luna está justo encima de mí, si cae me rompe el cráneo.

Respiro vidrios.

Soy un poema de William Carlos Williams.

Soy una lila del río Ozama.

(De *Summertime*)

ACTEÓN PARTE DOS

RITA HERNÁNDEZ

Manolín tiene los ojos verdes, porque es un mocoso. La otra noche cuando bajé a comprarle cigarrillos a papi, me agarraron entre él y su hermano Salvador y me dieron una cocotera de media hora y yo aguantando sin gritar para que papi no saliera al balcón y viera cómo me salseaban como a un mariconcito.

Por eso cuando vi a Manolín en el callejón escuché abejitas en mis oídos. Si gritaba no lo iban a oír en su casa. Agarré una piedra y le tumbé un brazo de un solo golpe en el hombro, asustado cogió una varilla oxidada con la mano que le quedaba y me la metió en un ojo, la varilla se quedó enterrada y la agarré para que no fuera a caerse y hacer ruido (el cuarto de papi y mami da al callejón). Me la saqué y le di golpes con ella en la mano que le quedaba, que se movía como la cabeza de una culebra buscando algo que morder. El mocoso se me arroja encima, la varilla le traspasa la barriga, pero me mete la mano en la boca, rodea la lengua (con la mano que le queda) y me hace un nudo. El ojo me goteaba como un carro descompuesto. El mocoso empezaba a lloriquear y pensé que iba a despertar a papi de su siesta, rápido metí el puño con to' por la herida del hombro adonde estuvo su brazo, el mío resbaló hacia dentro y mi mano apretó su corazón un segundo hasta que dejó de latir.

Luego vi a papi de pie mirándonos en el charco rojo, con los ojos chiquitos como si leyera en chino, y traté de hacerle señas para que viera que me quedaban más partes. Entonces sobre la cabeza de papi vi al hermano de Manolín volando, tenía una espada y una armadura de oro que brillaba mucho con el sol de las tres de la tarde, me molestaba en el ojo que me quedaba y lo cerré.

(De *Ciencia succión*)

Puerto Rico

HISTORIA DE UN HOMBRE NACIDO BAJO EL INFLUJO DE UNA MALA ESTRELLA, O VIDA DE UN DESGRACIADO, O PENOSA TRAGICOMEDIA EN OCHO ACAPITES

PEDRO CABIYA

1.1. No hay (no puede haber) hombre más desgraciado que yo, y si lo hay, díganme dónde está metido, enséñenmelo. Aunque puede decirse que soy un perfecto desgraciado a tiempo completo, hay veces que soy más desgraciado que otras, algo que de primera intención parece una imposibilidad. Pero es cierto, se los juro. Cuando juego billar, por ejemplo, soy más desgraciado que otras veces. El billar es un juego inventado en el siglo XIV para exacerbar la patética condición de mi desgracia en el presente siglo. Sólo cuando nadie está pendiente de la mesa, sólo mientras los circundantes se ocupan de sus tragos y conversaciones y no prestan atención a mi turno de juego, sólo entonces la mala suerte afloja los grilletes con que me sujeta y permite que ejecute jugadas magistrales. Mi contrincante, en estos casos, abandona las socializaciones que distraen su atención del juego, intuyendo que ya he yo derrochado mi turno, por lo cual se apresta a calcular su jugada. Entonces tengo que susurrar la siguiente disculpa, verdaderamente arrepentido de haber metido la bola en la buchaca: «Todavía no». Y ahí es donde me jodo porque otra vez la atención de los circundantes se cierne sobre mí, la desgracia anida nuevamente en las entretelas de mi vida y les regalo a los espectadores la oportunidad de presenciar un despliegue de inepcia apenas concebible. En cierta ocasión la mala suerte se encarnizó con una ferocidad inusual y mis tiros fueron tan lamentables que dos *bouncers* me sacaron a patadas del salón.

1.2. Soy un desgraciado monumental. Tan desgraciado soy, y tan maldito, que ninguna mujer tolera o entiende mi proximidad, esté o no en sus cabales. De modo que las urgencias corporales de mi especie se acumulan sin alguna esperanza de alivio, quitándome toda alternativa que no sea rasparme mi propia piragua. Una vez una mujer hermosa me puso una moneda de veinticinco centavos en la mano; creyó que era un pordiosero. Otro día pregunté a una bella señorita: «Por favor, me puede decir qué hora es?». Ella creyó que mi intención era cortejarla y me pagó un dólar con cincuenta para que desistiera de mi programa. Le dije que yo no era ningún indigente y que mi único interés era saber la hora del día. Ella replicó que mi aseveración (que yo no era un indigente) era debatible, y que si un dólar cincuenta era una cantidad insuficiente para sacudirme de su lado, ella estaba dispuesta a ofrecer una suma mayor, con tal que esta no excediera los diez dólares. Cuando le respondí que no quería su dinero ella metió la mano en la cartera, sacó una lata de aerosol de pimienta y me la descargó en la cara, calmadamente informándome que había intentado por todos los medios que las cosas no pasaran a mayores, pero que yo no había cooperado. Mientras me revolcaba en el suelo frotándome los ojos ardidos, otras mujeres que pasaban por allí me escupían y vilipendiaban. Entonces un oficial del orden público se me acercó y me arrestó; los cargos eran perturbación de la paz y asalto sexual. El mes pasado caminaba por el parque; era mediodía, alegres familias por doquier, volantines, heladeros... Entonces una hermosa mujer que por allí venía azuzó en mi contra al gran danés que la acompañaba; más tarde, en la sala de emergencias, alegó que yo tenía una pinta sospechosa y que lo mejor era precaver. Las prostitutas no quieren negociar conmigo y hasta prefieren irse a los navajazos con el chulo que las obligue a hacerme el amor. Hace un mes decidí poner fin a mi terrible situación de celibato involuntario, compré una muñeca inflable con el propósito de exprimir en ella mis ansiedades. Teníamos una estupenda relación y todo iba a las mil maravillas. Pero tuve que dejarla un par de días atrás. Me contagió la gonorrea, tan puta.

1.3. No existen ocasiones especiales que tengan la virtud de enfatizar cuán desgraciado soy mejor que las fiestas y los ágapes. Para empezar, casi nunca me invitan, y cuando me invitan, los anfitriones acaban deseando nunca haberme invitado y me maldicen. He tenido la oportunidad de asistir a fiestas informales donde todos bailan y se divierten de lo lindo mientras yo me paseo tropezando con sofás sin que nadie me haga caso o me ponga conversación. Una vez, en una de estas fiestas, me gustó una muchacha y cuando me le acercaba para hablarle resbalé. Alguien había derramado su Midori Sour en el piso y yo, tratando de restablecer el balance perdido, efectué innumerables muecas y figuras de baile y volteretas que no lograron otra cosa sino catapultarme con mayor *momentum* sobre la muchacha que me había gustado. Grotescamente la abofeteé con mi sobaco izquierdo, con la mano derecha me sujeté de sus nalgas para no caerme y apoyé todo mi peso en su pie izquierdo, cuyo pulgar destruí con el taco de mi zapato. Todos creyeron que me había vuelto loco y que había empezado a mortificar a la gente. Salí de allí esposado, escoltado por la policía. A la muchacha le tuvieron que amputar el pie; el padre semanalmente pasa frente a mi casa en su Cutlass Supreme y tirotea la fachada con el objetivo de quitarme la vida. Hay otras fiestas en que todos beben hasta perder las inhibiciones y entregarse a una saturnal obscena. Esas veces por más que me esfuerzo bebiendo no logro cultivar siquiera un mareo y quedo excluido de la orgía a causa de mi cabalidad inquebrantable. En una de esas ocasiones acabé por fingir una gran embriaguez, elegí a la bacante más promiscua y le di un beso. Inmediatamente la mujer se desembriagó y a voz en cuello pidió a su novio, que copulaba con un amigo en la sala. Este acudió y ella me denunció. La escenita suscitó un grave tejemaneje y uno a uno todos los festejantes se tornaron circunspectos aproximándose a escuchar. Alguien dijo: «Este ya pescó su merluza» y me tildaron de abusador, de excesivo, de lujurioso y de alcohólatra, al tiempo que el novio de la besada me arrastraba hasta la calle halándome por los cabellos, como a un perro. Pero también sucede que voy a fiestas formales, donde personas de rancio abolengo y austeros modales departen. En estas ocasiones no hago más que probar un sorbo de jugo de guayaba y me embarga una intoxicación tan fragorosa que termino bailando encima de las mesas, me cago en la bandeja de los *ors d'ouvres* y les enseño mis genitales a las ancianas. Conque también me maldicen y me sacan y dan parte a las autoridades.

1.4. De pequeño era más desgraciado todavía y las madres de mi vecindario prohibían a sus hijos que jugaran conmigo. Y todo porque yo era un desgraciado y ellos no. Yo estaba proscrito de cualquier actividad deportiva y los policías que patrullaban las canchas y diamantes tenían permiso de dispararme a matar si me veían por allí. Me llamaban descomunal y me odiaban porque cada vez que participaba de algún juego incitaba de alguna forma tales entusiasmos e instintos asesinos que la ciudad amanecía ardiendo y las estribaciones de los suburbios eran vandalizadas y saqueadas. Una vez, al principio, me dejaron pertenecer a un equipo de beisból. Estábamos en la décima entrada y necesitábamos una carrera para ganar. Era mi turno al bate y conecté lo que me pareció un cuadrangular. Cuando terminé de correr las bases y llegué a *home,* los árbitros me amarraron y me azotaron. No había sido un cuadrangular sino un *foul ball.* El batazo había sido lo suficientemente recio como para matar a una señora que estaba sentada en las gradas, justo antes de que le diera el primer mordisco a un pastelillo de queso. Otra vez maté a un *catcher* accidentalmente porque el *swing* del bate me salió muy largo y los espectadores querían ver mi sangre correr en venganza. También pertenecí a un equipo de baloncesto, pero equivocaba a menudo el canasto y terminaba ganando el juego a favor del equipo contrario. Tampoco querían que participara en juegos de mesa como las damas, las barajas o el ajedrez, porque se había propagado la especie de que si estaba yo, alguien siempre salía herido, no importa qué juego estuvieran jugando. Llegué a tener un *kit* de química, lo cual me agenció la amistad de algunos niños curiosos. Pero uno de los experimentos salió mal y causé la muerte de uno de ellos y la ceguera total del resto. Y cuando fui a las casas de los que se habían quedado ciegos para ofrecerles la pomada que les devolvería la vista, sus padres dieron potentes alaridos y rompieron el frasco de la pomada diciendo que era veneno y me apedrearon y me preguntaron que por qué yo quería asesinarlos. Lo mismo me pasó cuando fui a llevarles a los papás del muerto unas píldoras que servirían para resucitarlo. También me maldecían porque yo siempre salía ileso y no me moría y me iba al Infierno.

1.5. Un maldito desgraciado como yo no debe tener mascotas, de eso pueden estar seguros. Porque los animales olfatean la desgracia y el desastre y se inquietan o enardecen con el instinto de querer sobrevivirlos, que es lo mismo que decir que buscan sobrevivirme a toda costa, porque yo soy la desgracia y el desastre encarnados. Tenía un loro que por todos los medios posibles intenté enseñar a hablar. Le repetía palabras pero él se negaba a complacerme porque me odiaba e intuía que yo era un malaventurado y una persona siniestra. Entonces opté por excluirme del proceso y le ponía discos para que aprendiera canciones y nada. Un día me recibió diciendo: *«Come here you fucking slut»,* y al sol de hoy no columbro dónde y cómo aprendió a ser soez en inglés. Después tuve una gata que se comió al loro y que entraba a la casa sólo cuando le era apremiante defecar y orinar. Más tarde rescaté a un cachorrito callejero que de adulto me pagó la cortesía comiéndose el meñique de mi mano derecha una vez que cometí a fechoría de acariciarlo.

1.6. La desgracia me llevó al extremo de solicitar una posición de fenómeno en un circo rodante. Pero los monstruos se negaron a recibirme, la mujer gorda vomitó al verme, la niña emplumada se puso histérica, el hombre de dos cabezas murió de un infarto y varios enanos me agredieron. Amanecí en la cárcel.

1.7. Soy un malaventurado inigualable y estoy convencido de que Dios me guarda especial inquina.

1.8. Yo nunca conocí a mi padre y esta es, acaso, la razón de todos mis infortunios. A mí me criaron unos delegados suyos que me raptaron apenas cortado mi ombligo y me transfirieron de emergencia a la cápsula kriphioterdoforme con cinta gravitacional suspendida, donde transcurrieron mis primeros años de infancia. Cuando calcularon que era llegado el tiempo, mis tutores volvieron a casa de mi madre justo cuando paría la segunda y esencial parte de mi organismo: el cubo terocoidal clorofílico de ángulo carbólico resplendente. Lo colocaron en un termo especializado y en pocos minutos lo injertaban en la axila central de mi tronco neuroglicémico alterno. Todo estaba listo y de inmediato empecé a pupar. Los delegados de mi padre se encargaron de modular el clima y la presión de mi cámara oblonga, y de nutrirme de acuerdo con las exigencias que caracterizaban a cada una de mis fases de crecimiento. Nunca me faltó nada, pero amor no sabían dar aquellas máquinas que había enviado mi padre a velar por mí. Mientras estuve confinado en el ambiente paradisíaco de mi singular domicilio, yo era una criatura magnífica y la craposíntesis fotógena que a tan corta edad completaba yo a partir de proteínas elementales era índice de lo bien que me iría en la fabulosa transformación final que daría principio a mi vida de individuo adulto. Pero me rebelé contra mis nanas y maldije a mi padre ausente. Huí al exterior en busca de mi madre y las diferencias *atmosfé-*

ricas me convirtieron en el desperdicio malhadado que soy. Logré dar con la autora de mis días al cabo de unos meses. Se llama Emma, un zancajo francés que trabaja en una barra *topless* de la capital y que se tuvo que ir de su pueblo por puta y por desgraciada. Nuestro encuentro fue lamentable. Mi propia madre me desprecia. Mi desarrollo, afortunadamente, no se ha visto afectado, a pesar de la mala alimentación y las condiciones adversas. Dentro de muy poco septuplicaré mi tamaño y anonadaré la superficie de este mundo desplegando kilómetros y kilómetros de papilas digestivas.

(De *Historias tremendas*)

ESTUDIO DE UNA MANZANA ROJA A LA LUZ DE UNA MANZANA VERDE

EDGARDO NIEVES MIELES

A Carlos Varela, porque, no empece a que los mapas están cambiando de color, aún la política no cabe en la azucarera; a Alberto Martínez Márquez, por el esplendor de sus trampas; a Juan R. Matos Vélez, con quien comparto el maravilloso vicio de coincidir en las mismas librerías y, allí, durante horas y horas, perfumarnos el cerebro con tinta y papel

No puedes evitar tener los ojos tristes. Sí, acabas de recordar que hoy es el cumpleaños número quince de tu unigénito y, a pesar de ello, tienes los ojos tristes. Tampoco puedes evitar el sentirte como un encantador de serpientes extraviado en una callejuela del Bronx.

De tus labios, como de costumbre, cuelga tu inseparable Merit. Por la ventana se cuela una brisa juguetona y, con ella, el dulce murmullo de un enjambre de abejas en plena faena. Enseguida piensas en la vecina monjita ocupada en la complicada elaboración de otro de sus barrocos e incontables macramés. (Ella acostumbra, mientras traba un nudo tras otro, tararear para sí misma y por lo bajo boleros de antaño.) Pero no, apenas levantas los cansados ojos, a lo lejos descubres, bajo la gigantesca telaraña de cables y antenas y las ensangrentadas cabezas de los flamboyanes que se perfilan contra la raya del horizonte, el verdadero origen de la melodía. Es temporada de cortar la caña de azúcar y, a juzgar por su indumentaria, la carreta y los aperos, de seguro la media docena de muy felices obreros va a oficiar sus labores.

Dejas a un lado la rigurosa limpieza del instrumento que no sólo te ha hecho famoso, sino que en los últimos ocho años les ha provisto el pan a ti y a tu hijo. Te quitas los anteojos y, por encima del hombro derecho, le echas un vistazo a este último. Él está ocupado en colgar de la pared la bonita reproducción que hace un rato compró en J. C. Penney. (Se trata de *El mundo de Cristina,* el cuadro más famoso de Andrew Wyeth.) La coloca justo entre la foto de Tina Modotti desnuda y la de Carlitos Gardel regalándole a todo el mundo su eterna e impecable sonrisa Colgate Winterfresh Gel que tú mismo recortaste de algún diario y que habías pegado en medio de otras caras, imágenes y cromos de santos.

Al notar que silba una melodía que en otro tiempo también fue una de tus favoritas, enarcando las cejas, sonríes: «*We are all in a yellow submarine, yellow submarine...*». Te das cuenta que ha dejado de ser el chiquillo flacucho, pecoso y despeinado que antes no te perdía pies ni pisada. El mismo que durante los últimos meses comenzaba a manifestar cierta incomodidad, a quejarse con firme insistencia por estar aburrido de ser durante todos estos años el único blanco de tus destrezas mejores. Y, peor aún, de cobrar conciencia de que has convertido una gloriosa hazaña en un peligroso artilugio con el cual ganarte unas monedas. Todo ello a costa de su vida. Comprendes que ya casi es tu propia sombra y que, para su corta edad, es todo un hombrecito hecho y derecho.

El muchacho es espigado. De grandes y diestras manos. Tiene recio y ágil el armazón del esqueleto. Sus huesos son largos y saludables; sus músculos, dúctiles. Además, por cada uno de sus poros transpira una energía pura e inacabable.

Ahora ves cómo se quita ese sombrero de enormes alas voladoras, dejando así al descubierto el pelo lacio que le cae a ambos lados de la angulosa cara y que parece haber sido cortado con unas tijeras sin afilar. Ves, además, cómo extrae del congelador y le da un primer mordisco a ese trozo de hielo con color y sabor, el cual sospechas obtuvo su sonoro nombre gracias a la genial ocurrencia de alguien que sofocado, más bien por la excitación del momento que por el sol que rajaba las piedras, mezcló en un vaso leche, azúcar y vainilla para luego dejar reposar en el interior del congelador durante varias horas tan maravilloso descubrimiento. Todo ello con el fin de festejar la temeraria hazaña de Charles Lindbergh, quien a bordo del Spirit of St. Louis, y escasos minutos antes del abrupto y felicísimo derroche de creatividad, había realizado el primer vuelo sin escala de Nueva York a París.

Abandonas tu cómoda silla y, al hacerlo, sin querer, con uno de tus codos casi tiras al piso la escultura en miniatura de una deidad hindú de múltiples brazos que baila con gozoso abandono en medio de un cerco de fuego. Te tomas la molestia de arreglarla. Acaricias el suave bronce de uno, dos, tres de sus brazos. Sorpresivamente y por unos instantes, algo en ti prefiere imaginar que, bajo su vestimenta, esconde seis deliciosas vulvas. Luego caminas hasta las cortinas. Te castigas los ojos al confirmar que más allá de tu ventana pretenden reorganizar el mundo ensamblando la sólida estructura de un nuevo centro comercial.

Miras y ves que uno de esos pequeños monstruos amarillos acaba de rozar con su pala mecánica una de las ramas del panapén. Observas el árbol. Su esbelto y fuerte tronco. Las grandes hojas. La rama herida que comienza a chorrear una leche lenta y espesa. Ahora escuchas las maldiciones del corpulento, descamisado e hirsuto obrero que, empeñado en hacerlo abandonar su nido, todos los días apedrea a ese ruiseñor porque alega que su canto le enloquece. En la caja de los sueños están dando la telenovela. Por eso nadie mira para fuera.

De forma inesperada, en tu cerebro se instala aquella noticia de cómo un escritor apellidado Burroughs mató accidentalmente a su esposa de un tiro mientras trataba de darle a un vaso de cristal que ella sostenía sobre su cabeza. (El autor de *El almuerzo desnudo* había puesto en práctica las palabras de su colega Oscar Wilde: «El hombre siempre mata lo que más ama».)

Te das cuenta de que, a pesar de la humedad y el calor, aún la brisa baila en las cortinas. Nuevamente cuelgas hacia la raya del horizonte tu mirada ahora salpicada por el polvo de la Nube de Magallanes. El despiadado Sol de fuego que quema los cañaverales provoca que, al contemplar a uno de los obreros avanzando a lo lejos, te parezca estar viendo al Hombre de Hojalata en persona.

Al fin decides intercambiar papeles con él. A regañadientes, esta vez accedes a su petición. Para mostrarle tu buena fe y la confianza que le tienes, le entregas, junto con un buen puñado de vistosas flechas, tu magnífica ballesta que recién acabas de limpiar.

Una vaga sonrisa que no permite descifrar si en realidad lo que haces es sonreír o mostrar los dientes, acompaña tu entre cándida y maliciosa mirada. El muchacho, sin dejar de empuñar aún el *límber* de frambuesa, te sorprende con un fuerte abrazo que no esperabas. (Piensas que este glorioso momento es digno de haber sido inmortalizado por el pincel de Norman Rockwell.)

El humo del cigarrillo se te mete en los ojos y ahí está esa única gota de agua y sal que te desborda el párpado inferior y que, echándose a rodar ladera abajo, te humedece la mejilla izquierda. Con la palma de la mano, te apresuras a borrar de tu cara el rastro de esa hirviente nube de plata que sólo tú mismo podrías decir si se trata de una perfecta muestra de flaqueza paternalista o de contenida ferocidad.

Te allegas nuevamente a las cortinas y a la ventana. Por encima del armazón del dinosaurio metálico, el cielo se ha puesto color mamey. El iracundo obrero a quien tu hijo nombra Trucutú, se ha ido. También sus compañeros de trabajo. En lugar del ruido producido por el quehacer de estos, escuchas la música del viento coqueteando con las relucientes hojas del hermoso panapén que al pie de tu ventana aún resiste las amenazas de la nueva construcción. Te das cuenta de que el progreso se les viene encima atropelladamente. Piensas que pronto serán cosa del pasado, no sólo el majestuoso panapén y los obreros de la caña de azúcar ya madura y en espera del machete, sino el asomarte a la ventana para a lo lejos divisar los florecidos flamboyanes que tanto te alegran la vista. (Recuerdas que de igual modo, durante el tan celebrado Medievo, desaparecieron para siempre los dragones.) Todo esto será inevitable porque también las pequeñas ciudades han sucumbido al desmedido afán de levantar esas gigantescas colmenas de acero, cemento y cristal que, desde la ventana, no permiten ver otra cosa que no sean las demás colmenas de enfrente y, abajo, las calles por donde circulan cada vez más y más automóviles, esas modernas e impersonales celdas sobre ruedas en las que se esconden tus semejantes. Pero entonces, una pareja de palomas en pleno cortejo amoroso te devuelve a tu realidad más inmediata.

Dejas caer lo que queda del cigarrillo y, con una de tus botas, lo aplastas. Ahora que te ganan la calvicie y el temor a lo desconocido, ahora que los cronistas de la época cuentan de tu manía de ganarte un puesto en la historia, ahora, contemplas las dos manzanas que reposan, la una junto a la otra, sobre la vieja y gastada mesa de caoba. Una es verde; la otra, roja. Terminas por levantar la verde. Con los ojos cerrados, la acercas a tu nariz. Respiras su leve y fresca fragancia. De inmediato, emprendes el viaje a la semilla y recuerdas la voz grave de tu sabio y ya difunto padre cuando te advertía: «Siempre habrá alguien hambriento y más joven bajando las escaleras justo detrás de ti».

El muchacho ha dejado a un lado el *límber*. Se ha puesto nuevamente el enorme sombrero de alas voladoras. No para de admirar y acariciar la estupenda pero peligrosa invención que le has entregado.

Regresas la manzana a su lugar. Junto a la roja. Entonces, tu pensamiento vuela hacia Charles Darwin de pie en la proa del Beagle. Te parece que de sus labios ya no escapa aquella terrible sentencia de que «sólo los individuos más aptos de una especie sobreviven». En esta ocasión el célebre anciano parece querer decirte algo que te lleva a pensar en el libro de Dale Carnegie leído por ti hace unos meses: «Únicamente el amor reconcilia a los contrarios. Ama».

Vuelves a cerrar los ojos. Te visualizas de espaldas contra el tronco del antiguo roble. Sobre tu cabeza palpita la manzana y, con ella, el azoro de los incrédulos. Un escalofrío fugaz te garabatea el rostro.

Y sin que tu hijo se percate de ello, introduces la siniestra en uno de los bolsillos de tu blanca guayabera. (Claro, a estas alturas no es ninguna ciencia suponer de parte de quién estarías en el pleito de Kafka contra su padre.)

De pronto, cuando ya las cosas empezaban a ponerse históricas, mientras acaricias la pata de conejo, sonríes y tu mirada fría, Guillermo Tell, adquiere un extraño brillo que por unos instantes hace recordar a Saturno dispuesto a merendarse a uno de sus hijos.

Sobre la vieja y gastada mesa de caoba, aún reposa un par de manzanas, roja una, verde la otra, como conviene al amor y a la discordia.

[De *Los mejores placeres suelen ser verdes y otras f(r)icciones para piano, saxofón y orquesta*]

CENOTAFIO

ELIDIO LA TORRE LAGARES

1. Destrizado en una desaparición, voy desplazándome como millones de aerolitos por el espacio, desterrados de mi centro —si alguna vez lo hubo—, punzando el aire como un cepillo de agujas, cogitativo y cernido, sí, una galaxia gris cayendo al vacío. Este es el momento. Estoy invitado a descubrir lo interminable en la ausencia del tiempo.

2. «Esta es su voluntad», dice Fico. Yo lo escucho. Fico se quita la gorra de invierno, se seca el sudor del domo sin cabellos que le corona la cabeza y se acomoda la gorra nuevamente. La temperatura está a noventa y cinco grados Fahrenheit. «Está loco», dice Pepe. Y que loco yo. La normalidad nunca fue mi fuerte, digo yo. Yo vivía en perfecta armonía caótica. Yo dormía de día y trabajaba de noche. Yo era Dios en el espacio de los noctámbulos, de los solitarios, de los despechados, de los dañados, en fin, de todos a los que les cuesta el sueño. Mi trabajo era moderar la opinión del pueblo en banda A. M. Como en Ave María. Como en A Morirse. Yo, para ellos, estaba presente pero invisible.

3. «Hola, Julieta», dice Fico. «Tres minutos. ¿Qué quieren?». Ella nos cruza el paso. Su bata de dormir trasluce su cuerpo curvilíneo y delgado de dile que no a los carbohidratos. Una curvada diagonal desde el ángulo superior derecho (su izquierdo) hasta el inferior izquierdo (su derecho), donde afianzaba su suave y níveo pie que fosforecía alrededor del esmalte violáceo metálico. «Te trajimos a Ferdi. Necesita dónde descansar, ¿sabes?» «¿A quién?» «A Ferdi», dice Pepe. Ferdi soy yo. «¡Váyanse al diablo, depravados!», dice Julieta e intenta cerrarnos la puerta en la cara. «¡No, no, no! Espera», insiste Fico, «Ferdi quiere pedirte excusas por haber sido un estorbo en tu vida. Y a ver si lo dejas quedarse aquí.» Julieta los mira. Se oye una voz masculina de fondo. «¿Quiénes son esos?», pregunta. Fico y Pepe se miran y luego me miran. «Nadie», dice Julieta. «¿Nadie?», dicen ellos. Oye, un momento... ¿nadie? Perra. «Ya se van», dice ella. Con un atisbo de sonrisa, sacude la cabeza con falsa compasión. «Ferdi quiere que lo perdones», dijo Fico. «Mira, llévate esa cosa de aquí antes de que llame a los guardias de seguridad». ¿Esa cosa? ¿Yo? ¿Una cosa? Julieta mira de reojo. Exhala el alivio como quien conquista una venganza.

4. Los ardores de Julieta. Ella, que se juraba liberada, quería otra clase de esposo, como los de sus amigas, que conducían deportivos europeos y usaban corbata, pero yo era de otra estirpe. ¿Por qué no tienes un trabajo normal como el resto de la gente?, solía cuestionarme. Ni siquiera eres psicólogo de verdad. Bueno, en realidad yo era actor de profesión, pero me ganaba la vida en mi papel de terapeuta del alma en la radio nocturna. Al menos mi proyección vocal servía para algo. En fin, yo era la compañía nocturna de miles de almas que se desabrochaban los labios para dejar que las palabras bruzaran la frecuencia en modulación alterna con lamentos, quejas, historias, confesiones. Yo era Dios, cuando se trataba de ellos. Pero era un simple perdedor para Julieta; el Demonio para mi madre.

5. Luego de la larga letanía vehicular, llegamos a casa de mi madre. No nos dejan ni bajar bien del auto. Como venimos en aire acondicionado, todo lo que vemos es a mi hermana menor braceando en dirección a nosotros, articulando pronunciadamente palabras mudas. Alguien obturó el sin sonido del control remoto. Tras ella avanza mi madre, con el delantal en la cara. «Ustedes son unos desgraciados», dice Lucila, mi hermana menor, que vive con ella. «Suave, suave», dice Fico, mostrando ambas palmas de sus manos, pacíficamente. «¿Para qué traen a ese infeliz aquí?» ¿Infeliz? «Oye, Lucila, yo creo...» «Mal hijo. Depravado. Traer la vergüenza a la familia de la manera que lo hacía. Que se lo coman los gusanos.» Vaya. «Eso, me temo, es técnicamente imposible», dice Fico. Al diablo nos mandan. Al diablo nos vamos.

6. «*Confesiones nocturnas* al aire», anunciaba yo cada noche al dar inicio a la transmisión. «Las líneas están abiertas. Primera llamada.» Yo vigilaba el insomnio de los que se morían de soledad, de los que el barrunto de la muerte en vida los sorprendía sin consuelo. Recuentos de infidelidad matrimonial, desviaciones, divagaciones. El lado oscuro del deseo. Tan sólo hablar con ellos, escucharlos, los purificaba. Como era el caso de Marta, que no hacía el amor a menos que se pusiera la ropa interior sucia de su marido. O Betsy, que mantenía una relación amorosa con tres hombres a la vez y pensaba que si quedaba encinta, el niño le saldría con tres cabezas, según le dijo una curandera. O Armando, que juraba que cuando su esposa tenía un orgasmo, el cuarto se impregnaba de olor a jacintos, con la agravante de que, frecuentemente, al llegar del trabajo, su casa olía a jardín. O como Laurabelle, que ilustraba y publicaba un cómic erótico clandestino en el cual nada más y nada menos yo era el protagonista. Ella me había dado un rostro y me había hecho su semental, su macho, su hombre. Solía quebrársele la voz cuando decía eso.

7. Pues aquí vamos otra vez, con la identidad dispersa y el sentido de pertenencia de un emigrante. *Bass'n'drums* en *molto appressumbrato.* Fico y Pepe casi no hablan. Fico conduce como por piloto automático. Casi ni mira la carretera que se deslengua a su frente. Pepe se da palmadas en los muslos siguiendo los acentos musicales de un *beat hip hop.* El cinturón de seguridad se ciñe a mi nueva forma prestada. Menos mal que siempre fui polimorfo. De pronto huele a sesada. Es Pepe, que está pensando. «¿Qué crees que va a pasar ahora?», dice. «No soy clarividente», responde Fico. «Pero necesitamos un plan B.» «¿Cómo vas a hablar de un plan B si ni siquiera reconoces el alfabeto?» Pepe, bendito. Un rayo en la cabeza le había borrado de su cerebro, por un tiempo, el uso del lenguaje, y apenas comenzaba a mediar con su entorno. Fico, que tenía una firma de relaciones públicas, tenía que tragarse a Pepe porque, después de todo, era su socio y su hermano. Mientras, la música era la transferencia del sentido del silencio. «Vamos a preguntarle a Ferdi». *Bass'n'drums. Tum-tum-tum.* «¿Qué? Perfecto», dice Fico. «¿Qué dijo?», pregunta Pepe. «Al Mauseoleo.» *Bass'n'drums. Tum-tum-ta-tum.*

8. Laurabelle, seudónimo, había abandonado la iglesia, me dijo. Había sido manipulada. Había sido violada, confesó. El ministro le decía que Dios, supuestamente el de verdad, le decía que ella tenía una misión: acostarse con él. Mandato divino. No debía decir nada. Así eran los asuntos del Señor. Laurabelle, entonces artista del cómic religioso llamado *Armagedón*, cedió. Varias veces. Hasta que una noche, desvelada, confundida y atormentada por la realidad secreta, sintonizó la radio, a ver si captaba alguna señal celestial, pero con lo que dio fue con *Confesiones nocturnas*. Tuvo magníficas visiones de un hombre con voz inefable y poderosa que le decía: «Este es el programa donde tus secretos tejen el tapiz de la noche. Llama ahora». Y Yanni en *fade in*.

9. Llegamos al viejo San Juan. El Mausoleo, un viejo edificio colonial restaurado como barra, está atisbado de gente. Entramos. Directo a la barra, por favor. El camino es hostil. La gente baila. Nos empuja. El despelote hipnótico. *Big-bang* de ritmos digitales. Los puntos de luces en ristra a lo largo de la barra parecen una ciudad distante en un planeta lejano.

10. Laurabelle dijo al aire que yo era el hombre de su vida y que me amaba y todas esas cursilerías que ya una vez habían enmohecido en mis oídos. Su voz dulce y seductora a la vez. Un aleteo de vapor revolvía por mis venas. Me habló de las soledades que percudían su sueño, del grosor de su pena, de su miedo de la luz. «La luz... la luz... la luz del día», gemía. «Me ciega... me... cie-ga...ah... ¡ay!... !ay!... !ayyyy!» diez mil radioescuchas eyacularon en sincronía. Julieta se fue de casa alegando adulterio telefónico, peor que adulterio por *chat*. Mi madre tuvo un paro cardíaco. Un tipo llamó y, declarando que era ministro religioso, me dijo: «La culpabilidad es indistinguible en la oscuridad, perro».

11. Un eclipse de cuerpos desnudos interrumpe la visibilidad. Es una voluptuosa chica que se acuesta sobre la barra. De pronto, un hombre con sombrero de vaquero salta. La trepa. La monta. El Mausoleo se revuelve. El hombre le da por detrás. «Dale pa'bajo! Dale pa'bajo!», grita la multitud, al unísono y en sincronía. Dame palco, hombre. Fico me abraza y me dice: «Ferdi, este es tu mejor homenaje».

12. El ministro denunció que el programa era una especie de fraude moral y religioso. La gente que llama aquí no es representativa del pueblo puertorriqueño y mucho menos del pueblo de Dios. Sólo Dios perdona, añadió. Y sólo Dios castiga, le dije. Centenares de llamadas congestionaron el cuadro telefónico hasta el colapso. Todo el mundo quería un pedazo de su moral de piedra para hacer arena con ella. «Judas», dijo, «tu reino acabó. Sorberás de la soledad del infierno.»

13. Fico me coloca sobre la barra, frente a la chica. Desde aquí veo desde todos lados, pero de frente, me asaltan los colgantes senos de la chica que pendulan impulsados por cada punzada de carne que el vaquero le adentra. Bien duro. Dale pa'bajo. *Go, go, go,* grita el gentío. La chica se retuerce. Le duele y le gusta. Se desencaja. Se le va derritiendo el rostro. Ya viene. Ya se viene. *Big-bang.* Abre la boca. Exhala el grito del elixir placentero. Advierto en su cuello una cadena: Laurabelle, lee. Es ella. Quiero alcanzarla y no puedo. Soy un esperpento. En el frenesí amnésico, las manos de la chica resbalan y golpean la urna.

14. Luego de otra noche de trabajo, ya salía el sol y me ajustaba las gafas para encender el cigarrillo que traía en la boca cuando escuché alguien llamarme: «Ferdinand Carrasco». Sonó en un tono híbrido, aleación de afirmación y pregunta. Al tornarme, un hombre, *Biblia* en mano, me apuntó con un revolver. «¿Sí?» La bala tronó en las afueras de la emisora de radio como un relámpago de pólvora. No hubo testigos. Tampoco sepelio. Sólo la entrega de la urna que contenía mis cenizas, una vez cumplida mi voluntad testamentaria. Fico, instado por la compasión que se tiene ante quien es despreciado, se hizo cargo de los trámites para mi morada final: esparcirme en el viento.

15. La urna se abre como un huevo en el aire. Me disperso en miles de aerolitos cenicientos por el espacio, en cámara lenta, desterrado de mi centro, punzando el aire como un cepillo de agujas, cogitativo y cernido, sí, una galaxia gris cayendo al vacío. Un hombre se da un pase de mis cenizas y comienza a graficar notas en una libreta. Laurabelle, exhausta, se acuesta sobre la barra mientras es vitoreada. Cierra los ojos y llora con una sonrisa. La ceniza cae como nieve sucia sobre su cuerpo. El sudor destella en su piel como fotones de plata de un vómito de luna. Sus poros se abren como bocas infinitas. Y me adentro en ella.

(De *Gran vacío a boca llena*)

BIOGRAFÍAS

ESTADOS UNIDOS

Carlos Aguasaco

Bogotá, Colombia, 1975. Profesional en Estudios Literarios de la Universidad Nacional de Colombia. Radicado desde 1999 en la ciudad de Nueva York donde dirigió el programa radial *Poeta en Nueva York (Homenaje a Federico García Lorca)*. Recibió una maestría en Literatura Latinoamericana en el City College de CUNY y en la actualidad adelanta estudios de doctorado en la Universidad de Stony Brook SUNY, donde dirige el portal de poesía. En enero de 2003 fue publicado su libro *Conversando con el Ángel* (poemas). Es coautor de una serie de español y literatura para el bachillerato titulada *Competencias y desempeños. Vols. I-VI* (2000), y coeditor de las antologías *Encuentro. 10 poetas latinoamericanos en USA* (2003) y *Narraciones sin Frontera. 27 cuentistas hispanoamericanos* (2004). Recientemente una muestra de su trabajo como traductor y poeta fue incluida en la antología bilingüe *Red Hot Salsa: Bilingual Poems on Being Young and Latino in the United States* (2005), editada por Lori Marie Carlson. Su libro de cuentos *La sociedad de las narices rotas* será publicado en enero de 2006.

Pablo Brescia

Buenos Aires, Argentina, 1968. Desde 1986 reside en Estados Unidos. Completó su licenciatura en Literatura y Filosofía y su maestría y doctorado en Lenguas y Literaturas Hispánicas en la Universidad de California, Santa Bárbara. Actualmente es profesor e investigador de Literatura Latinoamericana en la Universidad del Sur de la Florida. A finales de 1997 la Universidad Nacional Autónoma de México publicó su libro de cuentos *La apariencia de las cosas*. Sus relatos han aparecido en antologías y revistas literarias de Cuba, México y Estados Unidos; participó, además, en la antología *Se habla español: voces latinas en USA* (2000). Prepara su segundo libro de cuentos, provisoriamente titulado *Fuera de lugar*.

Edmundo Paz Soldán

Cochabamba, Bolivia, 1967. Narrador, y profesor en el Departamento de Estudios Romances de la Universidad de Cornell, Nueva York, donde es también director del Programa de Estudios de Postgrado. Ha ganado el Premio Juan Rulfo de Cuento (1997), y en dos ocasiones el Premio Nacional de Novela (1992, 2003), y ha sido finalista del Premio Rómulo Gallegos (1999). Su obra ha sido traducida a ocho idiomas. Ha publicado seis novelas y tres libros de cuentos. Entre sus libros más recientes figuran las novelas *Sueños digitales* (2000), *La materia del deseo* (2001) y *El delirio de Turing* (2003), y el libro de cuentos *Desencuentros* (2004). Una antología de su obra ha sido publicada en España con el título *Imágenes del incendio* (2005).

José Manuel Prieto

La Habana, Cuba, 1962. Entre sus libros publicados cabe destacar las novelas *Enciclopedia de una vida en Rusia* (1998) y *Livadia* (1999), esta última traducida a más de ocho lenguas e incluida por el periódico alemán *Frankfurter Allgemeine Zeitung* entre las mejores obras editadas en el año 2004, y el libro de cuentos *Nunca antes habías visto el rojo* (1994). Ha sido becario de la John Guggenhein Memorial Foundation (2002) y del The Dorothy and Lewis B. Cullman Center for Scholars and Writers de la New York Public Library.

Enrique del Risco

La Habana, Cuba, 1967. Licenciado en Historia en la Universidad de La Habana en 1990. Ha publicado varias colecciones de cuentos, entre ellas *Pérdida y recuperación de la inocencia* (1994) y *Lágrimas de cocodrilo* (1998) y la colección de artículos *El Comandante ya tiene quien le escriba* (2003). Relatos suyos han aparecido en antologías publicadas en España, México, Cuba, Alemania y Colombia; y en revistas europeas y americanas, traducidos al inglés, alemán y polaco. Ocasionalmente ha escrito para teatro, radio, televisión y cine. Actualmente trabaja en su tesis de doctorado de literatura latinoamericana en la Universidad de Nueva York (N. Y. U.). Reside en West New York, New Jersey.

Fernando Rivera Díaz

Mollendo, Perú, 1965. Después de dejar los estudios de ingeniería, se inició con un grupo de escritores en la ciudad de Arequipa, publicando relatos y crónicas en diarios y revistas de literatura. En 1992 obtuvo el primer lugar en el concurso El cuento de las mil palabras, de la revista *Caretas*. Estudió literatura en la Universidad Nacional de San Agustín y en la Universidad Nacional Mayor de San Marcos, en el Perú. Luego hizo un doctorado en la Universidad de Princeton. Ha enseñado en varias universidades peruanas, entre ellas la Universidad de San Marcos. Actualmente reside en los Estados Unidos y enseña en Moravian College. Ha publicado el libro de relatos *Barcos de arena* (1994), y la novela *Invencible como tu figura* (2005).

Diego Trelles Paz

Lima, Perú, 1977. Estudió cine y periodismo en la Universidad de Lima y desde 2001 realiza estudios de postgrado de Literatura Hispanoamericana en la Universidad de Austin, Texas. Además de escribir sobre música en la revista underground *Caleta,* ha hecho crítica de cine en el diario *El Comercio* y en 1999 dirigió el cortometraje *Como si la muerte fuera para ellos.* Es autor del libro de cuentos *Hudson el redentor (y otros relatos edificantes sobre el fracaso)* (2001), la *plaquette Borges en Austin* (2004) y la novela *El círculo de los escritores asesinos* (2005). Ha participado, además, en el libro de homenaje *Roberto Bolaño. Una literatura infinita* (2005). Actualmente, colabora con la revista *Quehacer* y dirige *Pterodáctilo,* revista cultural del Departamento de Español y Portugués de la Universidad de Texas.

Santiago Vaquera-Vásquez

Chico, CA, Estados Unidos, 1966. Después de graduarse en Artes Plásticas y Letras, en la California State University, Chico, hizo sus estudios doctorales en la Universidad de California, Santa Bárbara. Ha trabajado en Texas A&M y en Dartmouth College. En la actualidad se desempeña como Senior Lecturer de Literatura Latinoamericana y de U. S. Latino en la Pennsylvania State University. Además de dar clases, ha sido *Dj* en la radio y es pintor. Ha publicado cuentos y crónicas en Estados Unidos, México y España, y textos suyos figuran en las antologías *Líneas aéreas* (1998) y *Se habla español* (2000). Próximamente aparecerán su novela *Esperando en el Lost and Found* y la colección de cuentos *El libro que nunca te escribí.*

Naief Yehya

Ciudad de México, México, 1963. Vive en Brooklyn. Ingeniero industrial de formación, es narrador, periodista y crítico cultural. Escribe en *La Jornada, El Financiero, Letras Libres, Milenio y Art Nexus,* entre otras publicaciones. Ha publicado las novelas *Obras sanitarias* (1992), *Camino a la casa* (1994), *La verdad de la vida en Marte* (1995), y los libros de cuentos *Bajo la luz del cinescopio* (1994) e *Historias de mujeres malas* (2001). Ha sido incluido en algunas antologías de relatos como *El fin de la nostalgia. Nueva crónica de la ciudad de México, Por amor al sax, La* X *en la frente, nueva narrativa mexicana, Otro ladrillo en la pared, McOndo, Dispersión multitudinaria, Las horas y las hordas, narrativa latinoamericana para el siglo* XXI, *Invasores de Marte,* y *Líneas aéreas.* Ha publicado los ensayos *El cuerpo transformado, Cyborgs y nuestra descendencia tecnológica en la realidad y en la ciencia ficción* (2001), *Guerra y propaganda, medios masivos y el mito bélico en los Estados Unidos* (2002) y *Pornografía, sexo mediatizado y pánico moral* (2004).

MÉXICO

Mario Bellatin

Es autor de las novelas cortas *Mujeres de sal* (1986), *Efecto invernadero* (1992), *Canon perpetuo* (1993), *Salón de belleza* (1994), *Damas chinas* (1995), *Poeta ciego* (1999), *El jardín de la señora Murakami* (2000), *Shiki Nagaoka; una nariz de ficción* (2002), *Flores* (2000), *La Escuela del dolor humano de Sechuán* (2001), *Jacobo el mutante* (2002) y *Perros héroes* (2003). Se han traducido al francés y al alemán *Poeta ciego* y *Salón de belleza;* esta última fue nominada al Premio Mëdicis a la mejor novela extranjera editada en Francia en el año 2000. Mario Bellatin ganó el premio Xavier Villaurrutia 2001 con la novela *Flores,* y en 2002 obtuvo la beca Guggenheim. En 2000 funda la Escuela Dinámica de Escritores, que constituye una forma novedosa de aproximarse al hecho creativo.

Rosa Beltrán

Es autora de las novelas *La corte de los ilusos* (1995) y *El paraíso que fuimos* (2002), así como de dos volúmenes de cuentos: *Amores que matan* (1996) y *La espera* (1986). Su libro de ensayos *América sin americanismos* (1997) le valió el prestigioso Florence Fishbaum Award. Parte de su obra ha sido traducida al inglés, italiano, alemán y holandés, y sus cuentos aparecen en antologías publicadas en Italia, España, Holanda, Canadá, Estados Unidos y México. Estudió Letras Hispánicas en la UNAM y es doctora en Literatura Comparada por la Universidad de California, Los Ángeles. Fue subdirectora del suplemento de cultura *La Jornada Sema-*

nal y miembro del Sistema Nacional de Creadores. Ha impartido cátedra en UCLA, en la Universidad de Jerusalén, en la Universidad Ramón Llul, y en la Universidad de Colorado. Actualmente es profesora de postgrado en Literatura Comparada en la Facultad de Filosofía y Letras de la UNAM.

ANA CLAVEL

Ciudad de México, México, 1961. Autora de *Cuerpo náufrago* (2005), novela con imágenes que ha dado pie al proyecto Cuerpo náufrago Multimedia (Centro Cultural de España en México). Autora de *Los deseos y su sombra* (2000), obra finalista del Premio Internacional Alfaguara de Novela en 1999, en curso de publicación en inglés. Autora de los libros de cuentos *Fuera de escena* (1984), *Amorosos de atar* (1992) y *Paraísos trémulos* (2002). Becaria de narrativa del Instituto Nacional de Bellas Artes en 1982, del programa Jóvenes Creadores del Fondo Nacional para la Cultura y las Artes en 1990 y Creador Artístico del Sistema Nacional de Creadores del Fonca (2001-2004). Premio Nacional de Cuento Gilberto Owen (1991). Medalla de Plata de la Société Académique Arts-Sciences-Lettres de Francia (2004).

ÁLVARO ENRIGUE

Ciudad de México, México, 1969. Es escritor y editor. Ganó el premio de Primera Novela Joaquín Mortiz con *La muerte de un instalador* (1996). Su novela *El cementerio de sillas* (2003) fue elegida como la mejor novela mexicana del año por la revista literaria *La Tempestad*. Ha publicado los libros de cuentos *Virtudes capitales* (1998) e *Hipotermia* (2005).

ANA GARCÍA BERGUA

Ciudad de México, México, 1960. Estudió Letras Francesas y Escenografía Teatral. Es autora de las novelas *El umbral. Travels and Adventures* (1993), *Púrpura* (1999) y *Rosas negras* (2004), y de los libros de cuentos *El imaginador* (1996) y *La confianza en los extraños* (2002), así como de la crónica de viaje *Postales desde el puerto: instantáneas de Veracruz* (1997). Desde los años ochenta escribe crónicas y textos para diversas publicaciones de su país. Actualmente redacta una columna quincenal llamada «Y ahora paso a retirarme» en el suplemento *La Jornada Semanal*. Es becaria del Sistema Nacional de Creadores del Fondo Nacional para la Cultura y las Artes de su país.

JAVIER GARCÍA-GALIANO

Perote, Veracruz, México, 1963. Es narrador, ensayista y traductor. Estudió Literatura Alemana en el UNAM. Ha colaborado con distintos medios, entre ellos el *Semanario de Novedades*, *Nostrodomo* (Siglo XXI) y *La gaceta* (FCE). Es autor del libro de cuentos *Confesiones de Benito Souza, vendedor de muñecas y otros relatos* (1994) y de la novela *Armería. Un libro vaquero* (2002). Ha sido incluido en la antología *Una ciudad mejor que esta* (1998), y es el responsable de la edición del *Diccionario alfabético* (2001) de Juan José Arreola. Ha traducido, entre otros, a Novalis, Alfred Döblin, Ernst Jünger, Karl Krauss y Joseph Roth.

IGNACIO PADILLA

Ciudad de México, México, 1968. Estudió Comunicación y Literatura en México, Sudáfrica y Escocia. Es doctor en Filología Hispánica por la Universidad de Salamanca. Su obra narrativa y ensayística le ha merecido una docena de premios nacionales e internacionales. Es autor de las novelas *La catedral de los ahogados* (1990), *Si volviesen Sus Majestades* (1996), *Espiral de artillería* (2003) y *Amphitryon* (2000), con la que obtuvo el Premio Primavera de Novela. Entre sus libros de cuentos, por los que ha obtenido también numerosos premios, destacan *Últimos trenes* (1996) y *Las antípodas y el siglo* (2003). Ha sido diplomático, editor y periodista. Su obra ha sido traducida a trece idiomas. Es becario de la John Simon Guggenheim Foundation y miembro del Sistema Nacional de Creadores. Actualmente reside en la ciudad de Querétaro.

Eduardo Antonio Parra

León, Guanajuato, México, 1965. Fue becario de la John Simon Guggenheim Memorial Foundation en el 2001 y actualmente lo es del Sistema Nacional de Creadores de Arte. Entre otros reconocimientos a su obra, en el año 2000 recibió el Premio de Cuento Juan Rulfo, otorgado en París por Radio Francia Internacional. Sus libros se han publicado en España, Chile y Uruguay, y parte de su obra ha sido traducida al inglés, italiano y francés. Es autor de los libros de relatos *Los límites de la noche* (1996), *Tierra de nadie* (1999) y *Nadie los vio salir* (2001), y de la novela *Nostalgia de la sombra* (2002).

Cristina Rivera-Garza

Nació en la frontera noreste de México. Después de vivir quince años en los Estados Unidos, ahora reside en México, donde se desempeña como codirectora de la Cátedra de Humanidades del ITESM-Toluca. Es autora de una obra transgenérica (novela, cuento, poesía, ensayo), interdisciplinaria (literatura e historia), escrita en su lengua materna (el español) y su luengua madrastra (el inglés). Artículos de su autoría aparecen en el *Hispanic American Historical Review* y *The Journal of the History of Medicine and Allied Sciences,* entre otras publicaciones en Estados Unidos. Ha obtenido seis de los premios literarios más reconocidos del país. Entre sus libros se cuentan *La más mía* (1998), *La guera no importa* (1991), *La cresta de Ilión* (2002), y *Ningún reloj cuenta esto* (2002), que le valiera el Premio Nacional José Rubén Romero, el Premio Impac-Conarte-ITESM y, en 2001, un éxito sin precedentes.

CUBA

Jorge Luis Arzola

Jatibonico, Cuba, 1966. Publicó sus primeros cuentos en revistas y periódicos cubanos como *El Caimán Barbudo.* Obtuvo en el año 2000 el Premio Iberoamericano de Narrativa Alejo Carpentier, considerado el más importante de las letras cubanas, por su colección de cuentos *La bandada infinita.* Ha publicado los libros de cuentos *El pájaro sin cabeza* (1991), *Prisionero en el círculo del horizonte* (1994) y *La bandada infinita* (2000). Ha colaborado con diferentes publicaciones periódicas, tanto dentro como fuera del país, y textos suyos han sido traducidos al alemán, el francés, el finlandés y el inglés. Sus relatos han aparecido en diversas antologías dedicadas al cuento cubano contemporáneo. Actualmente reside en Alemania, donde ha terminado su primera novela, *Todos los buitres, el tigre,* que aparecerá en febrero próximo en España.

Jesús David Curbelo

Camagüey, Cuba, 1965. Licenciado en Filología por la Universidad Central de Las Villas (Santa Clara, Cuba, 1988), ha obtenido diversos premios literarios en su país, entre los que destacan el David de Poesía (1991), el Regino Boti de Cuento (1992), el Emilio Ballagas de Poesía (1993), el Adelaida del Mármol de Poesía (1994), el Fundación de la Ciudad de Santa Clara de Poesía (1996) y el de la revista *Revolución y Cultura* de Cuento (1996), así como el Premio de Poesía Bustarviejo (1998), el Premio de Novela José Soler Puig (1999), el Premio de Narrativa Reina del Mar (1999), el Premio Ser Fiel de Poesía (2000), el Premio Oriente de Cuento (2002), y el Premio Nacional de la Crítica (2001) por su volumen de poesía *El lobo y el centauro*. Ha publicado los libros de cuentos *Cuentos para adúlteros* (1997), *Tres tristes triángulos* (2000) y *Las (di)versiones de Eva* (2003), además de poemarios, novelas y traducciones de autores como John Donne, Joachim du Bellay, Dante Alighieri o William Blake. Actualmente trabaja como jefe de la Redacción de Poesía en Ediciones Unión y es profesor adjunto de la Universidad de La Habana, donde enseña Literatura General y Literatura Latinoamericana. Poemas y cuentos suyos aparecen en diversas antologías de literatura cubana, tanto en Cuba como en el extranjero, donde han sido traducidos al inglés, francés, italiano y neerlandés. Colabora frecuentemente como crítico en diversas publicaciones periódicas. En 1999 le fue concedida la Distinción por la Cultura Nacional. Es miembro de la UNEAC.

Alberto Garrandés

La Habana, Cuba, 1960. Ha publicado las novelas *Capricho habanero* (1998) y *Fake* (2003), así como *Walkman* (1992) y los libros de relatos *Artificios* (1993), *Salmos paganos* (1996) y *Cibersade* (2001). Como ensayista se le conoce por *Ezequiel Vieta y el bosque cifrado* (1993), *La poética del límite* (1994), *Síntomas* (1999), *Silencio y destino* (1996), *Los dientes del dragón* (1999) y su muy reciente *Presunciones* (2005). Ha obtenido varias veces el Premio de la Crítica, y acaban de aparecer las segundas ediciones de *Aire de luz. Cuentos cubanos del siglo* XX (1999), donde antologó cien años del cuento en Cuba, y de *El cuerpo inmortal* (1998), volumen en el que reunió treinta cuentos eróticos cubanos. Tiene inéditas las novelas *Los días invisibles* y *Los desobedientes*. Escribe una columna de opinión sobre temas, autores y personajes de la narrativa cubana contemporánea en *Cubaliteraria,* el portal de la literatura cubana en internet.

Ronaldo Menéndez

La Habana, Cuba, 1970. Ha obtenido el Premio Casa de las Américas (1997) y el Premio Lengua de Trapo (1999). Es autor de los libros de cuentos *Alguien se va lamiendo todo* (1996), *El derecho al pataleo de los ahorcados* (1997) y *De modo que esto es la muerte* (2002), y de la novela *La piel de Inesa* (1999). Actualmente reside en Madrid.

Michel Perdomo García

La Habana, Cuba, 1969. Ha sido galardonado con el Premio Nacional de Escritores Inéditos por su obra *En el borde* (1996) y ha publicado el libro de cuentos *Los Amantes de Konarak* (1997). Sus textos figuran en varias antologías y revistas en América Latina y España.

Ena Lucía Portela

La Habana, Cuba, 1972. Es licenciada en Lenguas y Literaturas Clásicas por la Universidad de La Habana. Ha obtenido el Premio Cirilo Villaverde de la Unión de Escritores y Artistas de Cuba (1997), el Premio Jaén de Novela de la Caja de

Ahorros de Granada La General (2002) y el Premio Dos Océanos-Grinzane Cavour al mejor libro latinoamericano publicado en Francia en 2003 por su novela *Cien botellas en una pared* (2002). Además de esta ha publicado las novelas *El pájaro: pincel y tinta china* (1999) y *La sombra del caminante* (2001), así como el libro de cuentos *Una extraña entre las piedras* (1999). Su obra ha sido traducida al francés, al portugués, y próximamente será publicada en Holanda, Grecia, Polonia, Turquía e Italia. Textos suyos (cuentos, ensayos, testimonios, artículos de crítica, fragmentos de novela) han aparecido en diversas antologías, revistas y otras publicaciones periódicas, tanto en Cuba como en el extranjero. El relato que se incluye en esta antología, *El viejo, el asesino y yo,* resultó ganador del Premio Juan Rulfo de Cuento que otorga Radio Francia Internacional (1999), y fue publicado de forma independiente en el año 2000.

REPÚBLICA DOMINICANA

Rey Emmanuel Andújar

República Dominicana, 1977. Escritor, investigador antropológico. Sus cuentos han sido galardonados en distintos concursos desde el año 2001 y publicados en revistas en Cuba, Puerto Rico, República Dominicana, Nueva Jersey, Nueva York y Alemania. En 2005 su cuento «Mátalo Turu» recibió el Primer Premio de Cuento en La Alianza Cibaena. Ha publicado la novela corta *El hombre triángulo* (2005) y el libro de cuentos *El factor carne* (2005). Actualmente reside en California.

Juan Dicent Ortiz

Ha estudiado Administración de Empresas. Ha recibido una Mención de Honor en el Concurso Internacional de Cuentos Casa de Teatro (2000), y ha publicado poemas en distintas revistas dominicanas, así como en la revista *Letras Salvajes* en Puerto Rico. Ha publicado el libro de cuentos *Summertime* (2003). Actualmente trabaja en el campo de la publicidad y está preparando el poemario *Animal Planet.*

Rita Hernández

República Dominicana, 1977. Ha publicado las novelas *La estrategia de Chochueca* (1999) y *Papi* (2005), y los libros de cuentos *Rumiantes* (1998) y *Ciencia succión* (2002).

PUERTO RICO

Pedro Cabiya

San Juan, Puerto Rico, 1971. Ha publicado el libro de cuentos *Historias tremendas* (1999) y el volumen de novelas breves *Historias atroces* (2003). Textos suyos figuran en las antologías *La Cervantiada, Antología del cuento latinoamericano del siglo XXI, Manual de fin de siglo, El rostro y la máscara* y *Los nuevos caníbales: antología de la más reciente cuentística del Caribe Hispano,* así como en las revistas *El Cuento, Albatros, Postdata, A propósito, Vetas, Xinesquema* y *Dactylus.* Su cuento corto «Emma de Montcaris» fue traducido al alemán y publicado en la revista *Die Hören.* Cabiya es además el creador y libretista de *Las extrañas y terribles aventuras del Ánima Sola* y *Obelenkó,* novelas gráficas seriadas en las que convergen lo sobrenatural, lo futurista y la más áspera realidad antillana. Actualmente da los toques finales a *Gallina negra,* su primera novela.

EDGARDO NIEVES MIELES

Puertorriqueño, nacido el día 17 del décimo mes del año en el cual Jack Kerouac publica *On the Road*. Se licenció en Estudios Hispánicos en la UPR (Río Piedras) y, más tarde, en Educación Secundaria en la Universidad Interamericana. Ha sido galardonado con el primer premio en el Certamen del Instituto de Cultura Puertorriqueña (1987), en el Certamen del Ateneo Puertorriqueño (1991) y en el Gran Certamen de Poesía de la Comisión para la Celebración del Quinto Centenario del Descubrimiento de América y Puerto Rico (1993). Ha publicado los poemarios *El ramalazo de semen en la mejilla ortodoxa. De cómo un poeta recién casado corteja la poesía a escondidas de su esposa y otras taquicardias* (1987), *El amor es una enfermedad del hígado* (1993), *Las muchas aguas no podrán apagar el amor* (2001). Sus textos figuran en las antologías: *El límite volcado: antología de la Generación de Poetas de los Ochenta* (2000), *Los nuevos caníbales: antología de la más reciente poesía del Caribe Hispano* (2003), *El rostro y la máscara. Antología alterna de cuentistas puertorriqueños contemporáneos* (1995), y *Mal(h)ab(l)ar* (1996), así como en las revistas *Filo de juego* y *Tríptico*. Próximamente se publicarán su poemario *A quemarropa. Textos crueles para reír, llorar y pensar esperando el verde del semáforo,* su novela *No sé por qué cuando me enamoro tengo pasadillas* y el volumen de relatos *Alimañario personal y otras delicias de dudosa reputación.*

ELIDIO LA TORRE-LAGARES

Puerto Rico, 1965. Ha publicado los poemarios *Embudo: poemas de fin de siglo* (1994), *Cuerpos sin sombras* (1998) y *Cáliz* (2004), y los libros de cuentos *Septiembre* (2000), premiado por el Pen Club Internacional, y *Gran vacío a boca llena* (2005), así como las novelas *Historia de un dios pequeño* (2002), también premiada por el Pen Club, y *Gracia* (2004). Sus textos figuran en las antologías *Los Nuevos Caníbales: Poesía* (2003) y *Antología de la Literatura Puertorriqueña del Siglo XX* (2004). Actualmente es editor de libros y profesor de literatura en la Universidad de Puerto Rico.

APÉNDICE

En esta sección el lector podrá consultar por orden alfabético los autores y los cuentos antologados en la tetralogía «Pequeñas resistencias» En el primero, cada entrada se acompaña de la paginación y el volumen en numeración romana. En el segundo, se menciona, además, el título del libro del que forma parte el cuento seleccionado (cuando aparece inédito, se quiere indicar que lo era en el momento de realizar la antología).

Hemos marcado con un asterisco después del título entrecomillado aquellos textos que no son cuentos, trantándose en este caso de los distintos textos introductorios que acompañan a las cuatro entregas, destacando en este apartado las treinta poéticas correspondientes a los escritores españoles agrupados en el volumen primero, *Pequeñas resistencias. Antología del nuevo cuento español.*

Para el lector que desee profundizar en distintos aspectos del cuento le aconsejamos consultar la completa bibliografía de Enrique Jaramillo Levi, incluida en *Pequeñas resistencias 2. Antología del cuento centroamericano contemporáneo* (pp. 415-426).

ÍNDICE DE AUTORES

C

D

F

J

K

L

M

N

O

P

R

S

T

U

V

W

Y

Z

ÍNDICE DE CUENTOS

B

«Bárbara contra la muerte», de *Modelos de mujer,* Almudena Grandes, 208-216 (I).
«Beto y Betina», de *Mujeres y agonías,* Rima de Vallbona, 56-61 (II).
«Bola negra», de *Obra reunida,* Mario Bellatin, 105-112 (IV).
«Bonellia y Viridis», de *Des-cuentos y otros cuentos,* Carmela Greciet, 222-223 (I).
«Botany Bay Blues», de *Granada, año 2039 y otros relatos,* Ángel Olgoso, 340-342 (I).
«Boyfriend», de *El libro que nunca te escribí,* Santiago Vaquera-Vásquez, 89-96 (IV).
«Breve como causa»*, F. M., 267-270 (I).

C

«Cambio de casa», de *De luto,* Carolina Andrade, 237-239 (III).
«Cambio de guardia», de *Una atmósfera de viaje,* Milagros Socorro, 399-401 (III).
«Canon», de *Cuentos de X, Y y Z,* F. M., 274 (I).
«Caracol», de *Caracol y otros cuentos,* Enrique Jaramillo Levi, 382-383 (II).
«Cariño artificial», inédito, Fernando Iwasaki, 260 (I).
«Carpe diem», de *Cara de santo, uñas de gato,* Alfonso Chase, 76-80 (II).
«Carretera sin buey», de *Mediodía de frontera,* Claudia Hernández, 161-162 (II).
«Catalina y Catalina», de *Catalina y Catalina,* Sergio Ramírez, 316-324 (II).
«Cementerio de carros», de *Un mundo en el que el cielo cae y cae,* Rafael Menjívar Ochoa, 146-151 (II).
«Cenotafio», de *Gran vacío a boca llena,* Elidio la Torre Lagares, 291-296 (IV).
«Ciclos económicos», de *Cuentos de X, Y y Z,* F. M., 271-272 (I).
«Cinco hombres y un desnudo», de *Paraísos trémulos,* Ana Clavel, 125-130 (IV).
«Como la mala hierba»*, Ronaldo Menéndez, 25-27 (IV).
«Con olor a pizza», de *Desterrado de palabra,* Xavier Oquendo, 253-262 (III).
«Costumbres prematrimoniales», de *Cuentos sucios,* Jacinta Escudos, 152-154 (II).
«Críticas de cine», de *El hombre del velador,* José Manuel Benítez Ariza, 75-79 (I).
«Cuadro clínico de esta habitación», inédito, Josan Hartero, 247-249 (I).
«Cuanto menos, mejor»*, Eloy Tizón, 441-443 (I).
«Cuentética»*, Felipe R.Navarro, 411-412 (I).
«Cuento de cuentos»*, Juan Bonilla, 93-95 (I).

D

«Dafne que se asoma y desaparece»*, Carlos Castán, 135-136 (I).
«Darjeeling», de *Las antípodas y el siglo,* Ignacio Padilla, 159-168 (IV).
«De noche todos los cuentistas son pardos»*, Félix J.Palma, 345-347 (I).
«De puras imterpretaciones», de *Sala Chaplin y otros cuentos,* Carlos Midence, 344-347 (II).

E

«El vuelo del ángel», de *El vuelo del Ángel,* Dante Liano, 169-172 (II).
«En apariencia un encuentro», de *Entiéndame,* Marcos Giralt Torrente, 190-201 (I).
«En beneficio de la música», de *Los tigres albinos,* Hipólito G. Navarro, 171-172 (I).
«En dos», de *En partes,* Carmen Naranjo, 53-55 (II)
«En realidad, yo cuento novelas»*, Fernando Iwasaki, 253-254 (I).
«Entonces», de *Las ventanas y las voces,* Juan Carlos Botero, 195-204 (III).
«Escritores famosos», inédito, Alberto Barrera Tyszka, 377-383 (III).
«Ese maldito gusto por la música», de *Mi sombra te ha de hacer falta,* Lucrecia Maldonado, 245-252 (III).
«Esquirlas de Atamisky», de *Los pájaros,* Eduardo Berti, 41-46 (III).
«Estallido sentimental pero cierto»*, Care Santos, 427-428 (I).
«Esto, y lo contrario también»*, José Manuel Benítez Ariza, 65-67 (I).
«Estudio de una manzana roja a la luz de una manzana verde», de *Los mejores placeres suelen ser verdesy otras f(r)icciones para piano, saxofón y orquesta,* Edgardo Nieves Mieles, 285-290 (IV).
«Eucaliptos muertos y quemados por el rayo», de *Rata paseandera,* Patricia Suárez, 105-111 (III).

F

«Fruta del tiempo», inédito, Ignacio Martínez de Pisón, 295-296 (I).

H

«Habitando en el inadvertido mundo de los mifrosotgs», de *Trabajos forzados y otros cuentos,* Urrelo Wilmer, 129-132 (III).
«Happy New Year to You», de *Summertime,* Juan Dicent Ortiz, 271-274 (IV).
«Héroes a medio tiempo», de *Héroes a medio tiempo,* Justo Arroyo, 357-362 (II).
«Historia de fantasmas», de *La madurez de las nubes,* Gonzalo Calcedo, 127-132 (I).
«Historia de un hombre nacido bajo el influjo de una mala estrella, o vida de un desgraciado, o penosa tragicomedia en ocho acapites», de *Historias tremendas,* Pedro Cabiya, 279-284 (IV).
«Hospital», de *Sala de espera,* Maurice Echeverría, 213-222 (II).
«Huyendo de las aguas», de *Cuentos para tres mariposas,* Milia Gayoso, 269-270 (III).

I

«Inferno», de *Mujeres divinas,* Carlos Cortés, 93-109 (II).
«Infierno grande», de *Infierno grande,* Guillermo Martínez, 85-91 (III).
«Interrogatorio»*, Iban Zaldua, 457-459 (I).
«Iris», de *Granada, año 2039 y otros relatos,* Ángel Olgoso, 336-338 (I).

J

L

M

N

O

P

Q

R

T

U

Esta última entrega
de Pequeñas Resistencias
de Páginas de Espuma
se terminó de imprimir
el 31 de octubre del año 2005.

«Y sigue el cuento»,
José María Merino *dixit*